A Última Criança na Natureza

LIVROS DE RICHARD LOUV

Fly-Fishing for Sharks: An American Journey

The Web of Life

FatherLove

101 Things You Can Do for Our Children's Future

Childhood's Future

America II

Vitamin N: The Essential Guide to a Nature-Rich Life

O Princípio da Natureza

A ÚLTIMA CRIANÇA

NA

NATUREZA

Resgatando Nossas Crianças do
Transtorno do Deficit de Natureza

Richard Louv

1. edição / 2. reimpressão
São Paulo / 2018

AQUARIANA

© 2005, 2008, Richard Louv

Título original: *Last Child in the Woods: Saving Our Children from Nature-Deficit Disorder*
Publicado por acordo com Algonquin Books of Chapel Hill
(uma divisão de Workman Publishing Company, Inc., New York)
www.algonquin.com

Tradução: Alyne Azuma e Cláudia Belhassof
Revisão técnica: Rita Mendonça e Maria Isabel Amando de Barros
Coordenação editorial: Laís Fleury e Regina Cury
Preparação: Thais Rimkus
Revisão: Equipe Aquariana
Editoração eletrônica: Ediart
Capa | Projeto: Luiza Esteves e Casa 36
Foto: Maurício Clauzet
Ilustração: Graziella Mattar

O autor agradece a autorização de reprodução, concedida por autores ou editoras, dos seguintes trechos: "New Mexico", de Phoenix: *The Posthumous Papers of D. H. Lawrence*, editado por Edward McDonald, com copyright de Frieda Lawrence, 1936, renovado em 1964 pelo patrimônio da finada Frieda Lawrence Ravagli, utilizado com permissão da Viking Penguin, divisão do Penguin Group (EUA); *Kiss Nature Goodbye*, de John Beardsley; *The Need for Nature: A Childhood Right*, de Robin Moore; *Ecstatic Places*, de Louise Chawla; *Views of Nature and Self-Discipline: Evidence from Inner City Children* e *Coping with ADD: The Surprising Connection to Green Play Settings*, de Andrea Faber Taylor, Frances E. Kuo e William C. Sullivan; *The Rise of Theodore Roosevelt*, de Edmund C. Morris, com copyright de Putnam, 1979. O autor fez todos os esforços para obter a permissão para os demais materiais citados.

CIP-BRASIL. CATALOGAÇÃO-NA-FONTE
SINDICATO NACIONAL DOS EDITORES DE LIVROS, RJ

L942u
    Louv, Richard
        A última criança na natureza : resgatando nossas crianças do transtorno do deficit de natureza / Richard Louv ; [tradução Alyne Azuma , Cláudia Belhassof]. 1. ed. - São Paulo : Aquariana, 2016.

        412 p. ; 23 cm.

        Tradução de: Last child in the woods
        Inclui bibliografia
        Guia de campo
        ISBN 978-85-7217-174-8

        1. Meio ambiente. 2. Ecologia. 3. Preservação ambiental. I. Mendonça, Rita II. Barros, Maria Isabel Amando de. III. Azuma, Alyne. IV. Belhassof, Cláudia. V. Título.

16-32866   CDD: 577
                             CDU: 502.1

06/05/2016   09/05/2016

Direitos reservados:
EDITORA AQUARIANA, LTDA.
vendas@aquariana.com.br
www.aquariana.com.br

Para Jason e Matthew

Tinha um menino que saía todo dia,
E a primeira coisa que ele olhava, naquela coisa ele virava,
E aquela coisa virava parte dele o dia todo ou parte do dia,
Ou por muitos anos ou longos ciclos de anos.

Os primeiros lilases viraram parte dele,
E a relva, e as ipomeias brancas e vermelhas, e o trevo branco e vermelho,
e o pio da tesourinha,
E os cordeiros de março, e a ninhada rosa tênue da porca,
e o potro, e o bezerro...*

— WALT WHITMAN

Prefiro brincar dentro de casa porque é onde há tomadas.

— ALUNO DO QUARTO ANO DE UMA ESCOLA EM SAN DIEGO, CALIFÓRNIA

---

* WALT, Whitman. *Folhas de Relva*. Tradução de Rodrigo Garcia Lopes. São Paulo: Iluminuras, 2005. (N.T.)

Sumário

Agradecimentos, 11

Prefácio, 13

Introdução, 23

Parte I: A nova relação entre crianças e natureza, 27
  1. Dádivas da natureza, 29
  2. A terceira fronteira, 37
  3. A criminalização do brincar na natureza, 49

Parte II: Por que os jovens (e o resto de nós) precisam da natureza, 59
  4. Escalando a árvore da saúde, 61
  5. Uma vida de sentidos: a natureza *versus* a mentalidade sabe-tudo, 77
  6. A "oitava inteligência", 93
  7. A genialidade da infância: como a natureza nutre a criatividade, 107
  8. Transtorno do deficit de natureza e o ambiente restaurador, 119

Parte III: As melhores intenções: por que João e Maria não brincam mais lá fora, 133
  9. Tempo e medo, 135
  10. O retorno da síndrome do bicho papão, 143
  11. Não saber muito sobre história natural: a educação como barreira para a natureza, 153
  12. De onde virão os futuros guardiões da natureza?, 165

Parte IV: O reencontro entre a natureza e a criança, 179
  13. Levando a natureza para casa, 181
  14. A inteligência do medo: enfrentando o bicho-papão, 195

15. Histórias de tartaruga: usando a natureza como professora moral, 205

PARTE V: A LOUSA DA SELVA, 217

16. Reforma pela escola natural, 219
17. O renascimento dos acampamentos, 241

PARTE VI: PAÍS DAS MARAVILHAS: ABRINDO A QUARTA FRONTEIRA, 249

18. A educação do juíz Thatcher: descriminalizando o brincar na natureza, 251
19. Cidades selvagens, 259
20. Onde estará o mundo selvagem: um novo movimento de retorno ao campo, 283

PARTE VII: ENCANTAR-SE, 299

21. A necessidade espiritual de natureza para os jovens, 301
22. Fogo e fermentação: construindo um movimento, 317
23. Enquanto dure, 325

NOTAS, 327

SUGESTÕES DE LEITURA, 341

UM GUIA DE CAMPO PARA *A ÚLTIMA CRIANÇA NA NATUREZA*, 347

Anotações de campo, 351
100 ações possíveis, 361
Pontos de discussão, 391

Agradecimentos

ESTE LIVRO É FRUTO de um trabalho coletivo. Minha esposa, Kathy Frederick Louv, e meus filhos, Jason e Matthew, me deram apoio logístico, emocional e intelectual, além de terem vivenciado a pesquisa.

A editora Elisabeth Scharlatt e o agente literário James Levine tornaram a publicação possível. A clareza do olhar de Elisabeth gerou firmeza para as raízes e poda cuidadosa para o crescimento exagerado. Foi um prazer trabalhar com ela. Amy Gash, da Algonquin, também foi fonte de apoio sábio e oportuno, assim como Craig Popelars, Ina Stern, Brunson Hoole, Michael Taeckens, Aimee Bollenbach, Katherine Ward e o restante da equipe da Algonquin. Um trabalho editorial caprichado foi contribuição de meu talentoso amigo e quase irmão Dean Stahl. Um suporte editorial incalculável veio de John Shore, Lisa Polikov e de Cheryl Nicchitta, e meus editores do *San Diego Union-Tribune*, incluindo Bill Osborne, Bernie Jones, Lora Cicalo, Jane Clifford, Karin Winner e Peter Kaye. Pelos banhos de realidade oportunos, agradeço a John Johns, David Boe, Larry Hinman, Karen Kerchelich, Rosemary Erickson, R. Larry Schmitt, Melissa Baldwin, Jackie Green, Jon Funabiki, Bill Stothers, Michael Stepner, Susan Bales, Michael Goldstein, Susan White, Bob Laurence, Jeannette de Wyze, Gary Shiebler, Anne Pearse Hocker, Peter Sebring, Janet Fout, Neal Peirce, LaVonne Misner, Melissa Moriarty e, em especial, Michael Louv.

Embora não seja tradicional que um autor agradeça a pessoas citadas no livro, a exatidão e o respeito exigem um obrigado especial a dois grupos: os professores, principalmente John Rick, Brady Kelso, Tina Kafka, David Ward e Candy Vanderhoff, que encorajaram seus alunos a compartilhar pensamentos, e aos próprios alunos (alguns dos nomes foram trocados); e à equipe robusta de pesquisadores que arou este campo nos anos recentes. Sou particularmente grato a Louise Chawla, que não só dividiu suas próprias descobertas, como me indicou o trabalho de outros. Minhas desculpas aos pesquisadores não citados, mas cujo trabalho foi inestimável mesmo assim.

Para a edição atualizada e ampliada desta obra, estou em dívida com Cheryl Charles e Alicia Senauer pelas atualizações na pesquisa. Além disso, sou grato a Martin LeBlanc, Amy Pertschuk, Marti Erickson, John Parr, Stephen Kellert, Yusuf Burgess, Chris Krueger, Mike Pertschuk, Kathy Baughman McLeod, Nancy Herron, Bob Peart e, mais uma vez, a Cheryl Charles, por criar a rede Children & Nature, que dá continuidade ao trabalho deste livro.

Por fim, eu gostaria de agradecer a Elaine Brooks, que não viveu para ler o texto que ajudou a inspirar, mas que fala nas páginas a seguir.

Fizemos também, para dar mais ferramentas a esse debate, os filmes "Criança, a Alma do Negócio" e "Muito Além do Peso", que nos ajudaram a formar uma imensa rede ao redor do Brasil lutando contra a publicidade dirigida à criança e os excessos do consumo. O sucesso desse projeto é um case.

Em uma viagem a trabalho, conheci Raffi, um grande ativista das causas da infância, e nele me inspirei para uma nova fase do Alana. Seu livro, "Honrar a Criança", é minha bíblia. Nele, fica clara a importância da infância para a humanidade. Os assuntos ali abordados são urgentes. Raffi elenca os problemas que teremos que enfrentar para termos uma infância saudável – e, com isso, uma humanidade inteira mais saudável. São vários os temas que se completam, e a natureza é um dos mais importantes.

Sabia que o próximo grande esforço do Alana seria o de lembrar a sociedade de como é importante o contato com a natureza para termos crianças saudáveis e felizes. A criança na natureza hoje significa um adulto responsável, produtivo e criativo no futuro. Um adulto que pensa mais nas conexões, se preocupa mais com o todo.

Iniciamos então uma jornada com os pesquisadores Renata Meirelles e David Reeks, no Território do Brincar, que foi escancarando para o mundo, entre outras coisas, a importância do brincar livre na natureza. O projeto resultou no filme "Território do Brincar", em um livro com essa experiência compartilhada com escolas e em uma enorme rede de educadores que acreditam no brincar livre como o melhor para a criatividade.

Mas ainda faltava uma plataforma, com todas as informações sobre o tema "Criança e Natureza". Pesquisas, filmes, artigos, livros: juntar todo esse conhecimento para fortalecê-lo. Criar uma rede ao redor do Brasil com as pessoas que já trabalham nessa perspectiva. Fazer advocacy para termos mais áreas verdes nas escolas, nos hospitais, nas cidades. O Alana precisava de um novo programa, um programa chamado "Criança e Natureza".

Começamos a trabalhar para dar forma ao sonho. Convidei a Lais Fleury, uma das mais reconhecidas empreendedoras sociais brasileiras, a Cacau Leite, diretora de Educação do Alana, a Rita Mendonça, estudiosa e delicada conhecedora da mata, detentora das chaves secretas da natureza, e a Bebel Barros, que nos guiou por artigos, livros e pelos meandros do cruzamento entre meio ambiente e criança. Depois de sonhar, veio o ouvir e o falar. Fomos dando ao tempo o tempo que ele precisa.

Essa jornada contou ainda com o olhar sensível da Luiza Esteves, designer da equipe de Comunicação do Alana, que foi a cada dia se aprofundando mais no assunto, e com todo o time das equipes de Advocacy e Comunicação, que doaram seu entusiasmo, do tamanho de suas competências. Contou, também, com o apoio do Marcos Nisti, que desde o início acreditou na grandeza desse projeto. A partir daí, começamos a chamar amigos e pessoas que já atuam no tema para engrossar o caldo.

Nesse momento, o programa já demonstrou seu mágico potencial: a Natureza tinha se regenerado plenamente dentro do Alana.

Criança e Natureza, o novo programa do Alana, já nasce fazendo parte da rede internacional *Children & Nature*. Temos muitos desafios e umas quantas ideias. Será com a união de pais, professores, tios, avós, pediatras, urbanistas, ambientalistas, enfim, de toda a sociedade, que poderemos mudar o cenário e propiciar o contato das crianças com a natureza.

Esse livro faz parte de tudo isso e nasceu de uma viagem que eu e Laís fizemos aos Estados Unidos para conhecer pessoalmente seu autor, Richard Louv. Ele foi um dos fundadores dessa rede internacional e, depois de uma longa e esclarecedora conversa, resolvemos que seria este o primeiro livro que traríamos para o Brasil sobre o tema.

Apesar de ter sido escrito no contexto norte-americano, ele resume a alma do Criança e Natureza. O que pretendemos lembrar com esse material é que não precisamos de muita coisa para fazer com que as crianças não deixem de ser geniais aos sete anos de idade. Basta deixá-las imaginar, observar, investigar, vivenciar e criar com as ferramentas naturais que elas têm; a natureza é a principal delas. Deixá-las serem crianças na essência do que a criança é.

Gerações passadas deixavam os filhos no mato, sem supervisão. Subíamos nas árvores mais altas, comíamos frutas no pé, pescávamos, víamos bichos e plantas nascer, viver e morrer. Entendíamos de vento olhando folhas de árvores frondosas criando caminhos pelo ar, descobríamos nascentes, lugares secretos de milhares de insetos embaixo de folhas secas, olhávamos as estrelas, e nelas imaginávamos um universo sem fim.

Como Manoel de Barros sugere em seu brilhante "Menino do Mato": basta deixá-las. As crianças sabem, ainda pequenas, estar e aproveitar profundamente o contato com a natureza. Cabe a nós, pais e educadores, devolver-lhes este tempo. Inclusive, arrisco dizer, para a nossa criança interior, o contato com a natureza nos re-desperta para a criação, para o belo e para o ético. Esta é, ao meu ver, a resposta para a continuação da humanidade na Terra.

As crianças precisam da natureza tanto quanto a natureza precisa das crianças. Este livro nos ajuda a compreender esse fenômeno com profundidade, mostrando a importância de voltarmos às nossas raízes culturais e sociais, honrando a imensa riqueza das terras do Brasil. Mas ele não para por aí. Ele convida a aceitarmos o convite dessas crianças para a nossa própria reconexão. Que elas sejam o grande guia desse reencontro, um novo começo para nossa regeneração.

Ana Lucia Villela
Fundadora e Presidente do Instituto Alana

Prefácio

Em sua *Oração ao Tempo*, Caetano Veloso canta:

> Ainda assim acredito
> Ser possível reunirmo-nos
> Tempo tempo tempo tempo
> Num outro nível de vínculo
> Tempo tempo tempo tempo

Em minha oração a Deus-Natureza, agradeço e plagio Caetano. Tempo e natureza são um binômio inseparável. A natureza, quando estamos de fato com ela, da mesma forma que uma criança se entrega a ela, nela, sendo uma só, natureza e ela, o tempo é o infinito.

E o que mais queremos oferecer para os seres que estão chegando neste mundo?

Brinco que o Alana nasceu da minha infância, do meu sonho de que qualquer criança tivesse acesso a ambientes verdes como eu tive. Fui criada no interior de São Paulo. Ali, tive tudo o que uma criança pode sonhar. Uma árvore para chamar de casa, bichos para chamar de amigos e tempo para me entregar às mais incríveis descobertas.

Mesmo quando achei que o mundo tinha se voltado contra mim, ao perder meus pais aos oito anos, percebi que a natureza estava lá – firme e forte ainda – para me criar, para eu conviver e crescer.

E, apesar de eu não saber exatamente na época, o Alana nasceu ali. Como outras crianças que precisam passar por um luto ou qualquer outra dificuldade faziam? E as que não tinham árvores para subir, pássaros para olhar?

O mundo estava cada vez mais urbano, com muito mais gente morando em cidades enormes. Carros. O verde virando artigo de jardins de luxo. Cinza era a cor do progresso. A fumaça, um mal necessário. Nossa, que vontade de gritar!

O programa Criança e Natureza estava no meu coração e nos meus sonhos desde muito cedo.

Ao começar o trabalho do Instituto Alana no Jardim Pantanal, há mais de 20 anos, a primeira coisa que quisemos garantir em nossas intervenções foi o plantio de árvores e flores onde as crianças ficavam. Areia para brincarem. Visitas a parques e mesmo a áreas rurais e praias.

Sou convicta da importância deste contato muito antes de conhecer pesquisas que mostram como estar na natureza é formador e curativo. Sempre entendi, também, que o "espaço natureza" não se restringe a parques distantes, matas intocadas, praias desertas. Uma árvore é natureza.

Essa convicção é nata. Foi dada a mim quando nasci e não foi tirada de mim por nenhum cuidador da criança que eu, um dia, fui. Tive a sorte de ter sido comigo como deveria ser sempre, com todas as crianças.

Em 2004, observando a quantidade de horas que uma criança ficava diante da televisão no Jardim Pantanal e a forma como o consumo dava o tom das relações entre as pessoas, achei que estava na hora de apostar numa advertência sobre o impacto negativo disso na formação de hábitos e valores de crianças. Achava que, talvez, as famílias não estivessem atentas ao tempo que as crianças passavam diante das telas.

Começamos um projeto chamado "Desligue a TV". Era uma espécie de gincana em que as escolas propunham que as famílias ficassem uma semana do ano sem televisão, para depois conversarem com os alunos e com os pais sobre a experiência. O resultado foi incrível, e as escolas das quais recebíamos informações diziam que as crianças estavam muito mais felizes naquela semana, em especial porque os pais se empenharam em conversar, e por fazerem mais atividades ao ar livre, como andar de bicicleta e até subir em árvores.

Ao mesmo tempo, constatamos a urgência de estruturar um programa que debatesse a bolha cega do consumismo. Ou seja, que pensasse em maneiras de fazer a sociedade conversar sobre o que estava acontecendo – silenciosamente – na formação de nossas crianças. Sem ninguém parecer notar, estávamos criando consumidores, não cidadãos.

Começamos então o programa "Criança e Consumo", conhecido inicialmente por buscar acabar com a publicidade dirigida ao público infantil. A psicóloga norte-americana Susan Linn, em seu livro "Crianças do Consumo: a Infância Roubada" – lançado no Brasil pelo Alana – colocou uma lupa sobre a questão.

Uma nota sobre esta edição

Esta edição de A Última Criança na Natureza contém relatos e citações de pesquisas que surgiram desde que o livro foi publicado pela primeira vez, em 2005. Ela reflete o crescimento da preocupação internacional com o deficit de natureza nas crianças e o correspondente movimento social que emergiu nos Estados Unidos, no Canadá e em outros países. Também estão incluídos Um Guia de Campo, criado especialmente para esta edição, com um relatório do progresso feito pelo autor, questões para discussão e um capítulo de leituras sugeridas, além de 100 atitudes práticas que podem ajudar a promover mudanças em escolas, famílias e comunidades e que são essenciais para o desenvolvimento saudável da infância.

A Última Criança na Natureza

Introdução

Uma noite, quando meus filhos eram menores, Matthew, com dez anos na época, olhou para mim do outro lado da mesa do restaurante e perguntou, bem sério:
– Pai, por que você acha que era mais divertido quando você era criança?
Questionei o que ele queria dizer.
– Bom, você sempre fala de mato e casas na árvore, de como andava a cavalo perto do pântano.

A princípio, achei que ele estivesse irritado comigo. De fato, naquele momento eu contava como era usar linha e pedaços de fígado para pegar pitús em um riacho – algo que seria difícil ver uma criança fazendo hoje. Como muitos pais, tendo a romantizar minha própria infância e, acredito, acabo desconsiderando experiências de brincadeira e aventura de meus filhos. Mas Matthew estava falando sério: ele sentia que estava perdendo alguma coisa importante.

E ele tinha razão. Os americanos de minha faixa etária, *baby boomers*, ou mais velhos desfrutaram um tipo de brincar livre e na natureza que parece, na era dos celulares para crianças, das mensagens instantâneas e da Nintendo, algo exótico.

Em um intervalo de poucas décadas, a maneira como as crianças entendem e vivenciam a natureza mudou radicalmente. A relação se inverteu. Hoje as crianças têm noção das ameaças globais ao meio ambiente, mas seu contato físico, sua intimidade com a natureza, está diminuindo. É exatamente o oposto de como as coisas eram quando eu era criança.

Quando garoto, eu não sabia que meu jardim estava ecologicamente ligado a outras florestas. Ninguém nos anos 1950 falava sobre chuva ácida nem sobre buracos na camada de ozônio, tampouco sobre aquecimento global. Mas eu conhecia meu jardim e alguns campos, conhecia cada curva do riacho próximo e cada declive das trilhas de terra batida nas redondezas. Eu percorria esses lugares até em sonhos. É provável que uma criança hoje saiba falar sobre a floresta Amazônica, mas não sobre a última vez que explorou alguma mata sozinho ou deitou em um campo ouvindo o vento e observando as nuvens.

Este livro explora a distância cada vez maior entre os jovens e o mundo natural, relacionando as implicações ambientais, sociais, psicológicas e espirituais dessa mudança. Ele também descreve a quantidade cada vez maior de pesquisas que revelam a necessidade de contato com a natureza para o desenvolvimento saudável da criança – e do adulto.

Embora preste atenção especial às crianças, meu foco também está nas pessoas nascidas nas últimas duas ou três décadas. A mudança na relação com o meio ambiente é alarmante, mesmo em espaços que imaginaríamos que fossem devotados à natureza. Não faz muito tempo que acampamentos de verão eram um lugar para acampar, fazer caminhadas em meio às árvores, aprender sobre plantas e animais e contar, em volta da fogueira, histórias sobre fantasmas e animais selvagens. Há uma grande chance de que, hoje, "acampamento de verão" seja um lugar com foco em perder peso, como um spa, ou para aprender computação. Para a nova geração, a natureza é mais abstração do que realidade. Cada vez mais, a natureza se tornou algo a ser observado, consumido, vestido – ignorado. Um comercial de televisão recente mostra um veículo 4x4 correndo por uma estrada em uma montanha lindíssima – no banco de trás, duas crianças veem um filme em uma tela embutida, alheias à paisagem e às águas que correm por perto.

Um século atrás, o historiador Frederick Jackson Turner anunciou que a fronteira americana estava morta. A tese dele tem sido discutida e debatida desde então. Hoje atravessamos uma fronteira similar e mais importante.

Nossa sociedade está ensinando os jovens a evitar as experiências diretas na natureza. Essa lição é transmitida em escolas, famílias e até em organizações dedicadas aos espaços abertos e vem sendo codificada nas estruturas legais e regulatórias de muitas comunidades. As instituições, o design dos grandes centros urbanos e do subúrbio e o comportamento cultural associam, de forma inconsciente, natureza à destruição – enquanto desassociam estar ao ar livre de alegria e solitude. Os sistemas educacionais bem-intencionados, a mídia e os pais estão efetivamente deixando as crianças com medo de chegar perto de matas e campos. No ambiente de "patentear ou perecer" do ensino superior, disciplinas mais práticas, como a zoologia, vêm sendo substituídas pela microbiologia e pela engenharia genética, mais teóricas e lucrativas. Rapidamente, o avanço das tecnologias ofusca os limites entre humanos, outros animais e máquinas. A noção pós-moderna de que a realidade é apenas uma construção – de que somos o que programamos – sugere ilimitadas possibilidades humanas, mas, conforme os jovens passam cada vez menos tempo em ambientes naturais, seus sentidos se restringem, fisiológica e psicologicamente, o que reduz a riqueza da experiência humana.

No entanto, no exato momento em que o vínculo entre a juventude e o mundo natural se rompe, um escopo cada vez maior de pesquisas conecta, de modo positivo, nossa saúde mental, física e espiritual à nossa associação com a natureza. Diversos desses estudos sugerem que a exposição cuidadosa dos mais jovens ao meio ambiente pode até ser uma poderosa forma de terapia para transtornos do deficit de atenção e outras doenças. Como diz um cientista, hoje podemos supor que, assim como necessitam de uma boa alimentação e um sono adequado, as crianças também precisam de contato com a natureza.

Reduzir esse deficit – refazer o elo rompido entre os jovens e a natureza – é de nosso próprio interesse, não só porque a estética ou a justiça exigem, mas também porque nossa saúde mental, física e espiritual dependem disso. Além disso, a saúde da Terra está em jogo. Como os jovens reagem à natureza, e como vão criar os próprios filhos, acaba delineando as configurações e as condições das cidades, dos lares, do cotidiano em geral. As páginas a seguir exploram um caminho alternativo para o futuro, incluindo alguns dos programas escolares mais inovadores em termos de meio ambiente; redefinição e reformatação do ambiente urbano – o que um teórico chama da chegada da "zoópole"; modos de lidar com os desafios que acometem os grupos ambientais; e maneiras como organizações religiosas podem ajudar a recuperar a natureza como parte do desenvolvimento espiritual das crianças. Pais, filhos, avós, professores, cientistas, líderes, ambientalistas e pesquisadores falam nas páginas a seguir. Eles reconhecem a transformação que está ocorrendo. Alguns vislumbram outro futuro, no qual as crianças e a natureza se reencontram – e o mundo natural é valorizado e protegido com mais profundidade.

Durante a pesquisa para este livro, descobri que muitas pessoas que hoje estão na idade de frequentar a universidade – que fazem parte da primeira geração que cresceu em um ambiente altamente desprovido de natureza –

experimentaram amostra de natureza suficiente para intuitivamente entender o que perderam. Esse anseio é uma fonte de poder. Esses jovens estão resistindo ao rápido declínio do real para o virtual, das montanhas para a Matrix. Eles não pretendem ser as últimas crianças na natureza.

Meus filhos ainda não vivenciaram o que o autor Bill McKibben chamou de "o fim da natureza", a tristeza de um mundo em que não há para onde fugir. E existe outra possibilidade: não o fim da natureza, mas o renascimento das maravilhas e até da alegria. O obituário de Jackson para a fronteira americana era preciso apenas em parte: uma fronteira de fato desapareceu, mas uma segunda se perpetuou, e nela os americanos romantizaram, exploraram, protegeram e destruíram a natureza. Agora essa fronteira – que existia na fazenda da família, nas florestas no fim da estrada, nos parques nacionais e em nosso coração – está desaparecendo ou se transformando em algo irreconhecível.

Mas a relação com a natureza pode evoluir. Este livro fala sobre o fim desse tempo, mas também sobre uma nova fronteira – uma forma melhor de conviver com a natureza.

Parte I

A Nova Relação Entre Crianças e Natureza

*Aqui está essa nossa mãe gigantesca, selvagem e ululante
– a Natureza – onipresente, com tanta beleza e tanto afeto por seus filhos
quanto uma fêmea de leopardo; no entanto, dela nos desmamamos tão
cedo para a sociedade, para essa cultura que é exclusivamente
uma interação do homem com o homem.*

— Henry David Thoreau

1. Dádivas da natureza

Quando vejo bétulas se curvarem para a esquerda e a direita...
Gosto de pensar que um menino as estava balançando.

— Robert Frost

Se, quando eramos jovens, tivéssemos vagado pelas florestas de álamo do Nebraska, criado pombos em um telhado no Queens, pescado percas em Ozark ou sentido o movimento de uma onda que viajou milhares de quilômetros antes de levantar o barco, teríamos nos conectado com o mundo natural e seríamos assim até hoje. A natureza ainda nos mostra a passagem dos anos – elevando-nos e transportando-nos.

Para as crianças, a natureza se mostra de muitas maneiras: um bezerro recém-nascido; um animal de estimação que vive e morre; uma trilha de chão batido em meio às árvores; uma cabana aninhada em urtigas; um terreno baldio pantanoso e misterioso. Independentemente da cena, a natureza oferece a cada criança um mundo mais antigo e vasto, separado dos pais. Diferentemente da televisão, o contato com a natureza não rouba o tempo, mas o amplia. A natureza oferece a cura para uma criança que vive em uma família ou uma vizinhança destrutiva. Ela funciona como um papel em branco em que a criança desenha e reinterpreta suas fantasias culturais. A natureza inspira a criatividade da criança, demandando a percepção e o amplo uso dos sentidos. Dada a oportunidade, a criança leva a confusão do mundo para a natureza, lava tudo no riacho e vira do avesso para ver o que há do outro lado. A natureza também pode assustar, e até mesmo esse medo tem um propósito. Na natureza, a criança encontra liberdade, fantasia e privacidade – um lugar distante do mundo adulto, uma paz à parte.

Esses são alguns dos valores utilitários da natureza; e, em um nível mais profundo, ela se doa para a criança – por si mesma, não como reflexo da cultura. Nesse nível, consegue despertar a humildade.

Como o famoso poeta Gary Snyder escreveu, atribuímos dois significados à palavra "natureza", que vem do latim, *natura* – nascimento, constituição, caráter, curso das coisas – e, para além de *natura*, *nasci* – nascer[1]. Na interpretação mais ampla, o termo inclui o mundo material e todos os seus objetos e os seus fenômenos; de acordo com essa definição, até as máquinas fazem parte da natureza. O lixo tóxico também. O outro sentido é o que chamamos de "espaço ao ar livre". Nessa conotação, uma coisa feita pelo homem não faz parte da natureza, é algo alheio a esta. A cidade de Nova York, por exemplo, pode não parecer natural, mas contém lugares escondidos, auto-organizados, selvagens, desde os organismos ocultos no húmus do Central Park até os gaviões que circundam o céu do Bronx. Nesse sentido, uma cidade obedece a leis mais amplas da natureza; ela é natural – assim como máquinas fazem parte da natureza –, mas selvagem em seus componentes.

Olhando para as crianças nesse tipo de ambiente, emerge uma avidez por uma descrição mais rica, uma definição com mais margem de manobra, que não inclua *tudo* como natural nem restrinja a natureza a uma mata virgem. Snyder gosta da expressão de John Milton, "uma imensidão de doçura".

> O uso que Milton faz de imensidão abrange a condição muito real de energia e riqueza que com frequência é encontrada nos sistemas selvagens. Uma 'imensidão de doçuras' é como os bilhões de filhotes de arenque ou cavala no oceano, o quilômetro cúbico de camarões, a grama nos campos selvagens... toda a incrível fecundidade dos pequenos animais e das pequenas plantas, alimentando a teia. Por outro lado, a imensidão implica caos, eros, o desconhecido, os universos do tabu, o habitat tanto do extático quanto do demoníaco. Em ambos os sentidos, é um lugar de poder arquetípico, de ensino e desafio.

Quando pensamos nas crianças e nos presentes da natureza, essa terceira leitura mais abrangente é útil. Para os propósitos deste livro, quando faço uso da palavra "natureza" em sentido geral, estou falando de natureza selvagem: biodiversidade, abundância – elementos soltos e relacionados em um quintal ou no cume de uma montanha intocada. Mais do que tudo, a natureza reflete em nossa capacidade de nos maravilhar. *Nasci*. Nascer.

Apesar de muitas vezes nos vermos como algo separado da natureza, os humanos também fazem parte do mundo selvagem. Minha lembrança mais antiga de uso dos meus sentidos, e de me maravilhar, remete a uma manhã fria de primavera em Independence, Missouri.

Eu talvez tivesse três anos e estava sentado num campo seco atrás da casa da minha avó, construção de arquitetura vitoriana e pintura descascada. Ali perto, meu pai cuidava de um jardim. Na época, os moradores do Meio-Oeste dos Estados Unidos tinham o hábito de jogar lixo no chão pela janela do carro; então, meu pai jogou uma bituca de cigarro no jardim, e as faíscas saíram voando pelo vento. A grama seca pegou fogo. Eu me lembro do barulho das chamas, do cheiro da fumaça e do *som* do meu pai pisando e andando rápido para alcançar o fogo que se espalhava pelo campo.

Naquele mesmo jardim, eu costumava andar em volta das peras que caíam de uma pereira, prendia o nariz e me abaixava a uma distância cuidadosa dos pequenos montes de matéria fermentada e, então tentava inspirar. Eu me sentava entre as frutas caídas, atraído e repugnado. O fogo e a fermentação...

Passei horas explorando o mato e os campos cultivados nas áreas residenciais. Havia laranjeiras-de-osage, com galhos espinhentos e hostis que derrubavam frutas podres e grudentas maiores que bolas de beisebol. Essas deviam ser evitadas. Mas dentro dos quebra-ventos havia árvores em que podíamos subir, os galhos menores funcionavam como degraus de uma escada. Subíamos quinze, vinte metros acima do chão, muito mais alto que a fileira de laranjeiras, e daquele ponto privilegiado olhávamos as velhas cordilheiras azuis do Missouri e o telhado das casas novas dos bairros cada vez mais populosos.

Muitas vezes, subia sozinho. Às vezes, encantado, eu mergulhava nos jardins e me imaginava como Mogli, de Rudyard Kipling, o menino criado por lobos, e tirava quase toda a roupa para escalar. Se subisse alto o bastante, os galhos se tornavam mais finos; a partir deles, quando o vento batia, o mundo se inclinava para baixo, para cima, dava a volta, virava para o lado. Era assustador e maravilhoso me render ao poder do vento. Meus sentidos eram inundados por sensações de queda, ascensão e balanço; ao redor, as folhas estalavam, e o vento soprava suspiros e sussurros ásperos. O vento também trazia cheiros, e a própria árvore liberava seus perfumes mais rapidamente durante as rajadas. Por fim, havia apenas o vento que se movia através de tudo.

Agora que meus dias de subir em árvores ficaram para trás, eu muitas vezes penso no valor desses tempos remotos e deliciosamente ociosos. Passei a apreciar a vista longínqua que a copa daquelas árvores proporcionava. As matas eram minha Ritalina*. A natureza me acalmava, me proporcionava concentração e despertava meus sentidos.

Onde há tomadas

Muitas pessoas da minha geração se tornaram adultos assumindo que a presença da natureza estava garantida; nós presumíamos – quando pensávamos no assunto – que as gerações futuras também teriam contato com esse universo. Mas alguma coisa mudou. Agora vemos o surgimento do que passei a chamar de transtorno do deficit de natureza. Esse termo não representa, de forma nenhuma, um diagnóstico médico, mas oferece uma maneira de pensar sobre o problema – com foco nas crianças e em todos nós também.

Minha conscientização da transformação começou no fim dos anos 1980, durante a pesquisa para o livro *Childhood's Future*, que trata das novas realidades da vida familiar. Entrevistei quase três mil filhos e pais pelo país, em áreas urbanas, residenciais e rurais. Em salas de aula e de visita, o tópico da relação das crianças com a natureza às vezes vinha à tona. Penso com frequência em um comentário maravilhosamente honesto feito por Paul, aluno do quarto ano de uma escola em San Diego, Califórnia:

– Prefiro brincar dentro de casa porque é onde há tomadas.

Em muitas salas de aula, ouvi variações dessa frase. É verdade que, para diversas crianças, a natureza ainda provoca encantamento. Mas para outras brincar na natureza parecia tão... improdutivo. Proibido. Estrangeiro. Fofo. Perigoso. Televisivo.

– É essa *coisa* de assistir tanta televisão. Nós nos tornamos mais sedentários. Quando eu era criança, em Detroit, estávamos sempre na rua. As crianças que ficavam em casa eram esquisitas. Não tínhamos espaços muito vastos ao ar livre, mas estávamos sempre do lado de fora, na rua – em terrenos baldios, pulando corda, jogando beisebol ou brincando de amarelinha.

---

* Nome comercial do metilfenidato, estimulante do grupo dos anfetamínicos amplamente empregado no tratamento do TDAH (transtorno do deficit de atenção e hiperatividade). (N.R.T. - Nota da Revisão Técnica)

Nós brincávamos lá fora mesmo depois de mais velhos – disse uma mãe em Swarthmore, Pensilvânia.

Um pai, também de Swarthmore, acrescentou:

– Era diferente quando éramos jovens. Nossos pais estavam na rua. Não estou dizendo que eles faziam parte de clubes de atividades saudáveis nem nada parecido, mas estavam fora de casa, na varanda, conversando com os vizinhos. Do ponto de vista do condicionamento físico, as crianças de hoje são a geração mais prejudicada na história dos Estados Unidos. Os pais podem praticar esportes, correr, mas as crianças simplesmente não estão lá fora.

Esse era o mantra entre pais, avós, tios, tias, professores e outros adultos país afora, mesmo em lugares onde eu esperaria uma visão diferente. Por exemplo, visitei um bairro de classe média na região residencial de Overland Park, Kansas, perto de onde passei a adolescência. Durante essas décadas, muitas florestas e campos desapareceram, mas uma paisagem suficientemente natural se manteve para oferecer ao menos a oportunidade de brincar ao ar livre.

– As crianças ainda brincam na natureza aqui?

– Não é tão frequente –, disseram vários pais, que se reuniram em uma sala num começo de noite para conversar sobre o novo panorama da infância. Ainda que vários morassem no mesmo quarteirão, era a primeira vez que alguns deles se encontravam.

– Quando nossos filhos estavam no terceiro ou no quarto ano, ainda tínhamos um pequeno descampado atrás de casa – disse uma mãe.

– Um dia, as crianças estavam reclamando de tédio. Eu propus: – Certo, vocês estão entediados? Vão lá para fora, bem ali, e fiquem duas horas. Encontrem alguma coisa para fazer lá. Confiem em mim, experimentem. Vocês podem se divertir.

Então, com resistência, eles foram até o descampado. E não voltaram em duas horas, mas muito tempo depois. Perguntei como tinha sido, e eles disseram:

– Estava tão divertido! Nunca pensamos que pudéssemos nos divertir tanto lá!

Eles subiram em árvores, viram muitas coisas, correram um atrás do outro, brincaram do que costumávamos brincar quando éramos jovens. Então, no dia seguinte, falei outra vez:

– Vocês estão entediados, por que não vão ao descampado de novo? E eles responderam:

– Não... já fizemos isso ontem.

As crianças não estavam dispostas a fazer aquilo de novo.

– Não sei se entendi exatamente o que você está dizendo. Acho que minhas filhas apreciam coisas como a lua cheia, um belo pôr do sol ou flores. Elas apreciam o movimento das árvores ao vento... esse tipo de coisa – comentou um pai.

Outra mãe do grupo balançou a cabeça, discordando.

– Claro, as pequenas coisas elas notam. Mas são distraídas – ela disse.

Então ela descreveu a última vez em que a família foi esquiar, no Colorado.

– Era um dia tranquilo, perfeito, e as crianças desceram a montanha com *fone de ouvido*. Elas não conseguem apenas ouvir a natureza e estar ali. Não conseguem fazer a própria diversão, precisam levar algo junto.

Um pai quieto, criado em uma comunidade rural, se manifestou.

– Onde eu cresci, uma pessoa *naturalmente* gostava de atividades ao ar livre, o tempo todo. Não importava a direção em que você seguisse, chegava a um campo arado, a uma mata, a um córrego. Aqui não é assim. Overland Park é uma área metropolitana agora. Mas as crianças não perderam nada porque, na verdade, nunca tiveram isso. Estamos falando sobre uma transição feita pela maioria de nós, que cresceu cercada pela natureza. Agora a natureza simplesmente não está mais *lá*.

O grupo ficou em silêncio. Sim, boa parte das terras que um dia foram selvagens estava sendo transformada e recebendo construções, mas, através das janelas da casa em que estávamos, eu podia ver árvores. A natureza ainda *estava* lá fora. Havia menos verde, é verdade, mas ainda havia.

Um dia depois de conversar com esses pais de Overland Park, atravessei a fronteira entre o Kansas e o Missouri até Southwood, uma escola em Raytown, Missouri, perto de Kansas City, na qual eu cursei os primeiros anos do ensino fundamental. Para minha surpresa, os mesmos balanços (ao menos era o que parecia) ainda rangiam sobre o asfalto quente; os corredores brilhavam com o mesmo ladrilho de linóleo; as mesmas cadeiras de madeira pequenas, entalhadas e marcadas com monogramas nas cores preta, azul e vermelha, formavam fileiras tortas.

Enquanto os professores reuniam as crianças do segundo ao quinto ano e as acompanhavam até a sala em que eu esperava, peguei meu gravador e olhei, pela janela, para a encosta de árvores, provavelmente carvalhos-vermelhos, bordos, álamos ou talvez nogueiras-pecã e espinheiros-da-virgínia, os galhos tremendo e balançando devagar com a brisa da primavera. Quantas vezes, na infância, essas árvores tinham inspirado meus devaneios?

Durante a hora seguinte, enquanto eu perguntava sobre a relação que tinham com o espaço aberto, os jovens descreveram algumas barreiras que os impediam de ficar ao ar livre – falta de tempo, TV, os suspeitos de sempre. Mas essa realidade não significava que as crianças careciam de curiosidade. Aliás, elas falaram da natureza com uma mistura de perplexidade, distanciamento e desejo – além de uma rebeldia ocasional. Nos anos seguintes, ouvi esse tom com frequência.

– Meus pais não se sentem seguros se eu entro muito no mato – disse um garoto. – Não posso ir longe. Eles estão sempre preocupados comigo. Então, simplesmente saio sem contar para aonde estou indo, o que os deixa bravos. Mas em geral eu fico sentado atrás de uma árvore, algo assim, ou deito no campo com os coelhos.

Um garoto disse que os computadores eram mais importantes que a natureza, porque os empregos estão onde os computadores estão. Muitos disseram que eram ocupados demais para sair. Então, uma garota do quinto ano, que usava um vestido estampado simples e tinha uma expressão séria, me contou que, quando crescesse, queria ser poeta.

– Na natureza, me sinto no lugar de minha mãe – ela disse.

A menina era uma dessas poucas crianças que ainda passava tempo ao ar livre, sozinha. No caso dela, a natureza representava beleza e refúgio.

– É tão tranquilo lá fora, e o ar tem um cheiro tão bom. Quer dizer, é poluído, mas não tanto quanto o ar da cidade. Para mim, é totalmente diferente – continuou. – É como se você fosse livre quando está lá fora. É seu próprio tempo. Às vezes vou para lá quando estou brava e, então, com a quietude, fico melhor. Volto para casa feliz, e minha mãe nem sabe por quê.

Ela descreveu seu lugar especial.

– Eu tinha um canto. Havia uma cachoeira grande e um riacho que corria perto. Cavei um buraco grande lá; às vezes eu levava uma barraca ou um cobertor e ficava deitada, olhando para as árvores e o céu. Outras vezes eu cochilava. Eu simplesmente me sentia livre, era meu canto, onde eu podia fazer o que quisesse, sem ninguém me impedir. Eu costumava ir para lá quase todo dia.

A jovem poeta enrubesceu, e sua voz ficou mais grave.

– Então, as árvores foram cortadas. Foi como se tivessem tirado uma parte de mim.

Com o tempo, consegui entender parte da complexidade representada pelo garoto que preferia tomadas e a poeta que tinha perdido seu lugar especial na natureza. Também aprendi isto: pais, educadores, outros adultos e instituições – a própria cultura – dizem algo para as crianças sobre as dádivas da natureza, mas muitas de nossas ações e crenças – em especial as que não percebemos que estamos transmitindo – passam outra mensagem.

E as crianças ouvem bem.

2. A terceira fronteira

A fronteira se foi. Ela morreu com as botas amarradas.

— M. R. Montgomery

Em minha estante, há um exemplar de *Shelters, Shacks and Shanties*, escrito em 1915 por Daniel C. Beard, engenheiro civil que se tornou artista e ficou conhecido como um dos fundadores do Movimento Escoteiro dos Estados Unidos. Por meio século, Beard escreveu e ilustrou uma série de livros sobre estar ao ar livre. *Shelters, Shacks and Shanties* é um dos meus livros favoritos porque – com desenhos feitos a caneta e tinta – é a epítome de uma época em que a experiência de um jovem na natureza era inseparável da visão romântica da fronteira americana.

Se esses livros fossem publicados hoje, seriam considerados exóticos e politicamente incorretos, para dizer o mínimo. O público-alvo era o masculino, e o gênero parecia sugerir que nenhum menino que se desse ao respeito podia aproveitar a natureza sem cortar o máximo de árvores a machadadas. Mas o que de fato define esses títulos, e o período que representaram, é a crença inquestionável de que estar em meio à natureza é uma questão de *atuar*, ter uma experiência direta, não ser apenas um espectador.

"Os meninos mais novos podem construir cabanas mais simples, e os mais velhos, as mais difíceis", Beard escreveu no prefácio de *Shelters, Shacks and Shanties*[1]. "O leitor pode, se quiser, começar com a primeira cabana e avançar até a construção de casas de madeira; ao fazê-lo, acompanhará de alguma forma a história da raça humana, porque desde que nossos ancestrais arborícolas com dedos preênseis dispararam pelos galhos das florestas pré-glaciais e construíram abrigos que pareciam ninhos nas árvores, os homens constroem cabanas para se refugiar." Ele começa a descrever, com palavras e desenhos, como um garoto pode construir alguns tipos robustos de abrigos, incluindo a casa da árvore, o abrigo de palha, a cabana de casca de árvore, o pioneiro e o escoteiro. Ele conta "como fazer cabanas de castor" e "uma cabana de capim na grama". E ensina a partir toras, fazer cortes, fendas ou ripas e a elaborar uma palafita, trancas secretas, um abrigo subterrâneo e, o que é intrigante, "a construir uma cabana de madeira escondida dentro de uma casa moderna".

O leitor de hoje provavelmente se impressiona com o grau de engenhosidade e habilidade necessários e com a ousadia de alguns projetos. No caso da "cabana original de índio ou do esconderijo subterrâneo", Beard de fato indica que se tenha cuidado. Durante a construção desses espaços, ele adverte, "existe o perigo de o telhado cair e esmagar jovens trogloditas, mas uma cabana indígena bem construída é totalmente segura em relação a esses acidentes".

É por causa do charme da época invocada e da arte perdida que amo os livros dele. Quando criança, construí versões rudimentares desses abrigos, esconderijos e cabanas – inclusive abrigos subterrâneos nos milharais e elaboradas casas em árvores, com entradas secretas e uma vista do que eu imaginava ser a fronteira que se estendia da Ralston Street para além do limite do mundo suburbano conhecido.

Fechar uma fronteira, abrir outra

No intervalo de um século, a experiência americana com a natureza – influente do ponto de vista cultural no mundo todo – foi do utilitarismo direto até o distanciamento eletrônico, passando pela conexão romântica. Os americanos transpuseram não uma fronteira, mas três. A terceira – em que os jovens estão crescendo hoje – é uma aventura pelo desconhecido tanto quanto a que Daniel Beard vivenciou à época.

A passagem e a importância da primeira fronteira foram descritas em 1893, durante a World Columbian Exposition, em Chicago – celebração do 400º aniversário da chegada de Colombo às Américas. Nesse evento, em um encontro da American Historical Association em Chicago, o historiador da Universidade de Wisconsin Jackson Turner apresentou sua "tese sobre a fronteira"[2].

Ele argumentou que "a existência de uma área de terras livres, seu recuo contínuo e o avanço da colonização americana rumo ao oeste" explicam o desenvolvimento da nação, da história e da personalidade americanas. Ele relacionou esse pronunciamento aos resultados do censo americano de 1890, que revelou o desaparecimento de uma linha contígua da fronteira americana – o "fechamento da fronteira". Foi o mesmo ano em que o superintendente do censo declarou o fim da era da "terra livre" – isto é, de terras disponíveis para colonos cultivarem.

Pouco notada à época, a tese de Jackson viria a ser considerada uma das declarações mais importantes na história dos Estados Unidos. Ele argumentou que toda geração americana tinha voltado "a condições primitivas numa linha fronteiriça que avança constantemente". Ele descreveu essa fronteira como "o ponto de encontro entre o estado selvagem e a civilização". Traços básicos da cultura americana podiam, de acordo com o autor, ser ligados à influência dessa fronteira, incluindo "a rudeza e a força combinadas com a intensidade e a ganância; essa movimentação mental criativa e prática, que não perde tempo em encontrar meios; esse domínio hábil de coisas materiais; essa energia incansável e nervosa; o individualismo dominante". Os historiadores ainda debatem a tese de Turner. Muitos, se não a maioria, rejeitaram a fronteira como ele a considerava, como a chave para entender a história e as sensibilidades americanas. A Imigração, a Revolução Industrial, a Guerra Civil, tudo isso teve uma influência formativa profunda na cultura do país. O próprio Turner posteriormente revisaria sua teoria para incluir eventos que tinham o peso da fronteira – o *boom* do petróleo dos anos 1890, por exemplo.

No entanto, de Teddy Roosevelt a Edward Abbey, os americanos continuaram a se considerar exploradores de fronteiras. Em 1905, na cerimônia de posse do presidente Roosevelt, caubóis atravessaram a Pennsylvania Avenue, a Sétima Cavalaria passou em revista, e os índios americanos se juntaram à celebração – inclusive o então temido Gerônimo. Aliás, no evento anunciou-se o advento da segunda fronteira, que por quase um século existira basicamente na imaginação. A segunda fronteira existia nas palavras e nas ilustrações de Beard e na fazenda familiar, que, apesar de diminuindo em número, continuou como um importante definidor da cultura americana. Em especial nas primeiras décadas do século XX, a segunda fronteira também existia na parte dos Estados Unidos que era urbana, testemunha da criação dos grandes parques urbanos. A segunda fronteira também foi a época do destino manifesto suburbano*, quando meninos se imaginavam como lenhadores e escoteiros e meninas desejavam morar em uma pequena casa no campo – e às vezes construíam cabanas melhores que os meninos.

Se a primeira fronteira foi explorada pelos ambiciosos Lewis e Clark, a segunda foi romantizada por Teddy Roosevelt. Se a primeira fronteira pertenceu ao verdadeiro Davy Crockett, a segunda viu seu auge com Davy Crockett de Walt Disney. Se a primeira fronteira foi um tempo de luta, a segunda foi um período de avaliação, de celebração. Ela acarretou uma nova política de preservação, uma imersão por parte dos americanos nos campos, nos riachos e nas matas domesticados e romantizados.

O pronunciamento de Turner feito em 1893 encontrou sua contrapartida em 1993. Suas declarações tinham base nos resultados do censo de 1890; a nova linha de demarcação foi extraída do censo de 1990. Assombrosamente, cem anos depois de Turner e o bureau de recenseamento dos Estados Unidos declararem o fim do que em geral consideramos a fronteira americana, o bureau publicou um relatório que marcou a morte da segunda fronteira e o nascimento de uma terceira. Naquele ano, como noticiou o *Washington Post*, em "um marco de enorme transformação nacional", o governo federal cancelou sua antiga pesquisa anual sobre moradores de fazendas[3]. A população rural diminuiu tanto – de 40% das residências americanas em 1900 para apenas 1,9% em 1990 – que a pesquisa se tornou irrelevante. O relatório de 1993 foi tão importante quanto os resultados do censo que levaram ao obituário da fronteira redigido por Turner. "Se mudanças avassaladoras podem ser diagnosticadas em documentos relativamente banais, a decisão de acabar com o relatório anual sobre habitantes rurais foi um desses casos", relatou o *Post*.

Essa nova linha demarcatória simbólica sugere que os *baby boomers* – aqueles que nasceram entre 1946 e 1964 – podem representar a última geração de americanos que têm um vínculo íntimo e familiar com a terra e

---

* A ideologia do Destino Manifesto expressa a crença de que o povo dos Estados Unidos era um povo eleito e agiu como uma poderosa força mobilizadora da energia do país no sentido de conquistar outros territórios. (N.R.T.)

a água. Muitos de nós, hoje na casa dos quarenta anos ou mais, conhecíamos áreas cultivadas ou matas nos limites suburbanos e tínhamos parentes que moravam no campo. Mesmo que vivêssemos dentro de uma cidade, era provável que tivéssemos avós ou outros parentes mais velhos que cultivavam terras ou tinham saído de uma região agrícola durante o êxodo rural da primeira metade do século XX. Para os jovens de hoje, esse vínculo familiar e cultural com as fazendas está desaparecendo, marcando o fim da segunda fronteira.

A terceira fronteira é povoada pelas crianças da atualidade.

Características da terceira fronteira

De maneiras que nem Turner nem Beard poderiam ter imaginado, a terceira fronteira está definindo o modo como a geração atual e as futuras verão a natureza.

Ainda não totalmente formada nem explorada, essa nova fronteira é caracterizada por pelo menos cinco tendências: a ruptura da consciência pública e privada em relação à origem dos alimentos; o desaparecimento da separação entre máquinas, humanos e outros animais; a compreensão cada vez mais intelectualizada da nossa relação com outros animais; a invasão das cidades por animais silvestres (até mesmo quando designers urbanos/suburbanos substituem o ambiente natural pela natureza sintética); e o aumento de uma nova forma de subúrbio. A maior parte das características da terceira fronteira pode ser encontrada em países tecnologicamente avançados, mas essas mudanças são bem evidentes nos Estados Unidos (ainda que apenas por causa do contraste com sua autoimagem de fronteira). À primeira vista, esses traços podem parecer não se encaixar logicamente, mas tempos revolucionários raramente são lógicos ou lineares.

Na terceira fronteira, as imagens românticas que Beard tinha da criança ao ar livre parecem tão ultrapassadas quanto representações dos Cavaleiros da Távola Redonda no século XIX. Na terceira fronteira, os heróis anteriormente associados a áreas naturais são irrelevantes; o verdadeiro Davy Crockett, que simbolizava a primeira fronteira, e até o Davy Crockett criado por Walt Disney, para a segunda, desapareceram e foram praticamente esquecidos. Uma geração que se tornou adulta usando jaqueta de camurça e vestido vintage está criando uma geração para a qual a moda – piercings, tatuagens e todo o resto – é urbana.

- *Para os jovens, a comida vem de Vênus, e a agricultura vem de Marte*

Meu amigo Nick Raven, que vive em Puerta de Luna, Novo México, foi fazendeiro por muitos anos antes de se tornar carpinteiro e depois professor numa prisão estadual. Por anos, Nick e eu saímos para pescar juntos, apesar de sermos pessoas muito diferentes. Eu poderia descrevê-lo como um pai resoluto do século XIX; eu, por outro lado, sou um pai cheio de dúvidas do século XXI. Nick acredita que peixes devem ser pescados e comidos; eu acredito que devem ser pescados e, na maior parte das vezes, soltos. Nick acredita que a violência é inevitável, que o sofrimento é redentor e que o pai deve ensinar aos filhos sobre as agruras da vida expondo-os a essas agruras; e eu acredito que, como pai, minha função é proteger meus filhos da brutalidade do mundo até quando for possível.

Num livro anterior, *The Web of Life*[4], descrevi a relação que Nick e os filhos dele tinham com animais e a comida.

> Quando seus filhos eram pequenos, ele e a família ainda moravam numa fazenda no final de uma estrada de terra em um vale com estruturas de adobe, álamos e pimenta chili; um dia, a filha voltou para casa e encontrou a cabra de que ela mais gostava (não era de fato um animal de estimação, mas uma cabra que a seguia por todo lado) despelada, cortada e pendurada no celeiro. Nessa época a família de Nick estava passando certa necessidade, e a carne que eles comiam era a que ele próprio caçava e abatia. De qualquer maneira, foi terrível para a menina.
> Nick insiste que não tem arrependimentos, mas ainda hoje fala sobre isso. A filha ficou magoada, mas entendeu, daquele momento em diante e para o resto da vida, de onde vem a carne que come e que carne não nasce embalada em plástico. Não é o tipo de experiência que eu teria desejado para meus filhos, mas eu tive uma vida diferente.

Poucos de nós sentem falta dos aspectos mais brutais da produção de alimentos, e a maioria dos jovens não tem essa memória de experiências para comparação. Os jovens podem ser vegetarianos ou consumir alimentos orgânicos, mas é provável que poucos cultivem a própria comida – especialmente se for de origem animal. Em menos de meio século, a cultura mudou de pequenas fazendas familiares que dominavam a zona rural – quando a forma de Nick de enxergar a comida prevalecia – passando por um período de transição em que a horta de muitas famílias suburbanas oferecia pouco mais do que lazer, até a era atual de alimentos produzidos em laboratório e embalados com plástico. De certa forma, os jovens têm mais consciência da origem daquilo que comem. O movimento dos direitos dos animais os ensinou sobre as condições de uma granja, por exemplo. É provável que não seja coincidência que números cada vez maiores de estudantes do ensino médio e superior adotem o vegetarianismo. Esse conhecimento, no entanto, não necessariamente significa que os jovens estejam envolvidos com a fonte de seus alimentos.

- O fim dos absolutismos biológicos. Somos ratos ou somos homens? Ou ambos?

Os jovens estão crescendo numa era sem absolutismos biológicos. Até mesmo a definição de vida está em aberto.

Em uma manhã de 1997, pessoas do mundo todo abriram o jornal para ver a foto de um rato vivo e sem pelos que parecia ter uma orelha humana nas costas. A criatura era fruto de uma experiência de pesquisadores da Universidade de Massachusetts e do MIT (Instituto de Tecnologia de Massachusetts); eles introduziram células de cartilagem humana numa estrutura em forma de orelha feita de poliéster biodegradável implantada nas costas do rato. O rato alimentou a orelha artificial.

Desde então, manchetes anunciaram o potencial híbrido de máquinas, humanos e outros animais. As implicações escaparam ao público por duas décadas, de acordo com o ICTA - International Center of Technology Assessement, organização bipartidária sem fins lucrativos que avalia os impactos tecnológicos na sociedade. Genes humanos – incluindo os do crescimento e dos nervos – foram inseridos em ratos, ratazanas e primatas para criar seres chamados quimera. Essas novas criaturas devem ser usadas basicamente para pesquisas médicas, mas alguns cientistas discutem a possibilidade de que um dia existam fora do laboratório. Em 2007, o presidente do Departamento de Biotecnologia Animal da Faculdade de Medicina da Universidade de Nevada e seus colegas criaram a primeira ovelha-humana do mundo, que tem corpo de ovelha e órgãos meio humanos. Essa linha de pesquisa pode levar ao aproveitamento de órgãos de animais para transplantes humanos.

Pense no que significa crescer, para as crianças de hoje, e quão diferente é a experiência delas com a natureza em relação à que os adultos tiveram. E quão diferente é a definição atual de vida em relação à que logo mais vai ser. Em nossa infância, estava claro quando um homem era um homem e um rato era um rato. Mas hoje está implícita em algumas das mais novas tecnologias a hipótese de que há pouca diferença, em nível atômico e molecular, entre a matéria viva e a não viva. Algumas pessoas veem isso como mais um exemplo de como a vida está se tornando uma commodity – a redução cultural que transforma corpos vivos em máquinas.

Já no início do século XXI, cientistas da Universidade Cornell relataram a construção da primeira nanomáquina – robô quase microscópico – capaz de se movimentar; o robô minúsculo usava propulsor e motor e extraía energia de moléculas orgânicas.

– Esse desenvolvimento abriu "caminho para criar máquinas que vivam dentro da célula" – afirmou um dos pesquisadores. – Isso nos permite fundir dispositivos construídos com sistemas vivos.

Nos laboratórios Sandia, em Albuquerque, um cientista previu que um sistema de "inteligência de distribuição em massa" aumentaria muito a habilidade dos nanorrobôs de se organizar e se comunicar.

– Em conjunto, eles farão coisas que não conseguem fazer individualmente, assim como formigas – ele afirmou.

Mais ou menos na mesma época, um entomologista em Iowa criou uma máquina que combinava antenas de mariposa e microprocessadores que enviava sinais de diferentes alturas quando as antenas percebiam o cheiro de explosivos. Pesquisadores da Universidade Northwestern criaram um robô em miniatura que contava com célula-tronco do cérebro de uma lampreia. E uma empresa de Rockville, em Maryland, desenvolveu bactérias que podiam ser anexadas de modo funcional a microchips – a empresa chamou essa invenção de *critters on a chip*, ou "criaturas num chip".

Não podemos mais contar com a crença cultural de que a natureza é perfeita. Para gerações anteriores de crianças, poucas criações eram tão perfeitas e belas quanto uma árvore. Agora, pesquisadores encharcam árvores com material genético extraído de vírus e bactérias para fazê-las crescer mais rápido, para criar produtos de madeira melhores ou para permitir que as plantas limpem um solo poluído. Em 2003, a DARPA - Pentagon's Defense Advanced Research Projects Agency ofereceu financiamento para que pesquisadores desenvolvessem uma árvore capaz de mudar de cor quando exposta a um ataque biológico ou químico. A Universidade da Califórnia, por sua vez, promoveu o "controle de natalidade para árvores", um método geneticamente modificado de criar uma "árvore-eunuca que gasta mais da sua energia fazendo madeira e não amor".

Para a geração dos *baby boomers*, essas notícias são impressionantes, estranhas, perturbadoras. Para as crianças que estão crescendo na terceira fronteira, essas notícias são apenas mais confusão – uma suposta complexidade.

• *Uma percepção hiperintelectualizada dos outros animais*

Desde a época da predominância da caça e da coleta, as crianças não eram ensinadas a ver tantas similaridades entre humanos e outros animais, ainda que agora essas similaridades sejam interpretadas de forma muito diferente, mais intelectualizada.

Esse novo olhar tem base na ciência, não nos mitos nem na religião. Por exemplo, estudos recentes publicados no periódico *Science* descrevem como alguns animais não humanos compõem música. Análises de cantos de aves e baleias-jubarte mostram que eles usam algumas das mesmas técnicas acústicas e de composição que os humanos. O canto das baleias contém até refrãos rimados e intervalos, fraseados, duração e tons similares. As baleias também usam rimas "como dispositivo mnemônico para se lembrar de materiais complexos", descrevem os pesquisadores. De acordo com esse estudo, as baleias têm, fisiologicamente, uma escolha: elas podem usar melodias arrítmicas e sem repetição, mas optam por cantar[5].

Essas informações não substituem o contato direto com a natureza, mas esse tipo de conhecimento, de fato, causa certo assombro. Minha esperança é que essas pesquisas incitem as crianças a uma compreensão mais profunda sobre as outras criaturas. Claro, uma proximidade adaptada – digamos, nadar com golfinhos em um resort – pode suavizar parte de nossa solidão como espécie. Por outro lado, a natureza não é tão delicada e fofa. Pescar e caçar, por exemplo, ou a maneira como Nick Raven colocava carne na mesa escapam à dinâmica habitual de hoje, mas remover todos os traços dessa experiência da infância não faz bem nem para a criança nem para a natureza.

– Você olha para esses jovens (alinhados ao movimento pelos direitos dos animais) e vê em grande parte figuras urbanas e descontentes, mas, ainda assim, privilegiadas – diz Mike Two Horses, de Tucson, fundador da Coalition to End Racial Targeting of American Indian Nations. Essa organização apoia povos nativos, como a tribo makah do noroeste dos Estados Unidos, que tradicionalmente depende da caça à baleia. – Os únicos animais que os jovens ativistas conhecem são os de estimação – ele diz. – Os outros que eles já viram estão nos zoológicos, no Sea World ou em exposições específicas (hoje há até mesmo algumas em que é possível tocar em baleias). Eles se desconectaram da origem de seus alimentos – até mesmo das fontes da soja e das outras proteínas vegetais que consomem.

Eu vejo mais valor no movimento pelos direitos dos animais do que Mike Two Horses, mas o argumento dele faz sentido.

• *Contato com a natureza: tão perto e, ainda assim, tão distante*

Ainda que até mesmo a definição de vida esteja em aberto, o potencial para contato com animais silvestres mais comuns está aumentando, apesar do que diz Mike Two Horses. Em diversas regiões urbanas, humanos e criaturas selvagens estão entrando em contato de maneiras que, por pelo menos um século, não eram familiares para os americanos. Para começo de conversa, hoje o número de veados dos Estados Unidos é o maior dos últimos cem anos.

Em *Ecologia do Medo: Los Angeles e a fabricação de um desastre*, o historiador social e urbanista Mike Davis descreve o que chama de nova dialética entre o "selvagem" e o "urbano": "A área metropolitana de Los Angeles, agora basicamente cercada por montanhas e deserto – em vez de terras cultivadas, como no passado –, tem a linha de fronteiras selvagens mais longa do que qualquer cidade grande não tropical, justapondo abruptamente trechos de casas com o habitat de espécies animais silvestres... Coiotes hoje são parte integrante da paisagem de Hollywood e Toluca Lake"[6]. Um repórter do jornal britânico *Observer* relata: "Os colonizadores (americanos) e seus descendentes saíram domando o meio ambiente com uma ferocidade bélica. Depois de fazer uma limpeza étnica dos índios, começaram o extermínio de ursos, pumas, coiotes e aves silvestres... No entanto, os pumas se adaptaram. Los Angeles talvez seja a única cidade do mundo com grupos de apoio a vítimas de pumas".

Em meados do século XX, milhões de americanos migraram para áreas residenciais em busca do sonho da casa e do terreno próprios – cada um com seus mil metros quadrados. Por um tempo, o espaço era vasto. Hoje, ir para mais longe não é mais garantia de espaço. O novo tipo de desenvolvimento imobiliário – com centros comerciais, design natural falso, controle rigoroso por parte de condomínios e associações de moradores – domina a área das regiões metropolitanas do sul da Califórnia e da Flórida e também engloba a maior parte das regiões urbanas mais antigas da nação. Esses densos círculos de desenvolvimento imobiliário oferecem menos espaços para brincar na natureza do que os bairros residenciais mais antigos. Em alguns casos, oferecem ainda menos espaços para brincar na natureza do que os centros das antigas cidades industriais.

Aliás, partes da Europa Ocidental urbana são mais verdes – no sentido de aumentar a quantidade e a qualidade dos ambientes naturais dentro de uma área urbana – do que a maioria dos Estados Unidos urbanos/suburbanos, uma terra ainda associada a fronteiras e espaços abertos. "Uma lição importante de muitas dessas cidades europeias tem a ver exatamente com a percepção que temos de cidades", escreveu Timothy Beatley, professor do Departamento de Planejamento Urbano e Ambiental da Universidade da Virginia, em *Green Urbanism: Learning from European Cities*. Especialmente na Escandinávia, onde o design verde está ganhando popularidade, "existe uma noção de que as cidades são e devem ser lugares onde a natureza ocorre. Nos Estados Unidos, continua sendo um desafio superar a polaridade entre o que é urbano e o que é natural. Talvez por causa da imensidão de nossos recursos naturais e nossas áreas, tendemos a ver as formas mais significativas de natureza como algo que ocorre em outro lugar – muitas vezes, a centenas de quilômetros de distância de onde a maioria das pessoas de fato vive –, em parques nacionais, parques marinhos e outras áreas protegidas"[7].

Essas são algumas das tendências que compõem o contexto americano para uma infância sem natureza, algo que talvez seja tão misterioso quanto – e com certeza menos estudado que – a marcha dos nanorrobôs ou o avanço das quimeras.

3. A criminalização do brincar na natureza

> *Por muitos anos fui autodesignado inspetor de tempestades de neve e tormentas...*
>
> — Henry David Thoreau

Olhemos para o bairro do senhor Rick.

Quinze anos atrás, John Rick, professor de matemática dos anos finais do ensino fundamental, e sua família se mudaram para Scripps Ranch devido à reputação de ser um bom ambiente para crianças. Localizado em um exuberante campo de eucaliptos num bairro ao norte de San Diego, cercado de cânions e conectado por trilhas, Scripps é um desses raros empreendimentos em que os pais podem imaginar os filhos aproveitando a natureza, como eles mesmos fizeram. Uma placa perto da entrada indica: "Vida no campo".

– Temos mais grupos de escoteiros per capita do que praticamente qualquer outro lugar no país – diz Rick. – Os planejadores batalharam para ter grandes quantidades de espaço ao ar livre para as crianças brincarem e parques em todos os bairros.

Alguns anos depois de se mudar para Scripps Ranch, Rick começou a ler no jornal da comunidade artigos sobre o uso indevido do espaço aberto.

– Diferentemente de onde morávamos antes, as crianças de fato corriam entre as árvores, construiam cabanas e usavam a imaginação para brincar – ele recorda. – Colocavam rampas para bicicleta; represavam locais em que a água escorria para barcos navegarem. Em outras palavras, estavam fazendo todas as coisas que fazíamos quando éramos novos. Estavam criando para si lembranças pelas quais nós mesmos temos tanto carinho. E, então, aquilo precisava parar. De algum jeito, aquela cabana na árvore tinha se tornado um risco de incêndio. Ou a "represa" podia provocar uma inundação séria – ele comentou.

Adultos autoritários da Scripps Ranch Community Association expulsaram as crianças de um pequeno lago perto da biblioteca pública, onde crianças pescavam percas desde que Scripps Ranch era um pasto ativo, décadas antes. Em resposta às regras rígidas, as famílias instalaram cestas de basquete. Os jovens levaram as rampas de *skate* para a calçada de casa. No entanto, a associação comunitária relembrou os residentes de que essas atividades violavam o código de conduta assinado na compra dos imóveis.

As rampas e os cestos foram removidos, e as crianças foram para dentro das casas.

– Game Boy e Sega se tornaram a imaginação deles – diz Rick. – Os pais ficaram preocupados. Os filhos estavam engordando. Alguma coisa precisava ser feita. Então, resolveram financiar a criação de um parque para *skate* em um bairro mais tolerante, a dezesseis quilômetros.

Rick tem liberdade para se mudar para outro bairro, mas, nas ilhas de desenvolvimento imobiliário que existem ao redor da maior parte das cidades americanas, essas restrições estão se tornando regra. Incontáveis comunidades têm praticamente banido o brincar não estruturado ao ar livre, muitas vezes por causa da ameaça de processos, mas também por causa de uma obsessão cada vez maior com a ordem. Muitos pais e filhos agora acreditam que brincar fora de casa é ilícito, mesmo quando não é; a interpretação é nove décimos da lei.

Uma fonte de restrição é a regulamentação privada. A maioria dos conjuntos residenciais, dos condomínios fechados e das comunidades planejadas construídos nas últimas duas ou três décadas é controlada por estatutos rigorosos que desencorajam ou proíbem o tipo de brincadeira ao ar livre que tantos de nós desfrutamos quando crianças. Hoje, segundo dados do Community Associations Institute, mais de 57 milhões de americanos moram em residências administradas por condomínios, cooperativas e associações de proprietários. O número de associações comunitárias foi de 10 mil em 1970 para 286 mil atualmente. Essas associações impõem regras para adultos e crianças (quando crianças são permitidas), que vão desde as levemente intrusivas até as mais draconianas. Scripps Ranch é administrada por uma associação mais flexível, mas até mesmo lá esquadrões oficiais de adultos costumam derrubar cabanas e casas construídas por crianças nas árvores dos cânions.

Algumas razões são compreensíveis, como preocupação com acampamentos de indigentes ou incêndios. Mas a consequência involuntária é desencorajar o brincar na natureza.

O governo também acaba restringindo o acesso das crianças a esses espaços. Em grande parte, a criminalização do brincar na natureza é mais sugerido do que real. No entanto, em algumas comunidades, os jovens que tentam recriar a infância dos pais podem enfrentar acusações de má conduta ou ver sua família ser processada. Na Pensilvânia, três irmãos, de oito, dez e doze anos, gastaram oito meses de mesada para construir uma casa na árvore do jardim. O conselho do distrito ordenou que os meninos a derrubassem porque não tinham licença para construí-la. Em Clinton, Mississippi, uma família ficou feliz em gastar 4 mil dólares para construir uma elaborada casa na árvore em estilo vitoriano, com dois andares. Eles perguntaram à prefeitura se era preciso ter autorização, e um funcionário disse que não. Cinco anos depois, o Departamento de Zoneamento e Planejamento Urbano anunciou que a casa na árvore precisava ser demolida porque violava uma regulamentação que proibia a construção de anexos em frente às residências.

Outras restrições rigorosas em relação ao brincar ao ar livre vêm de esforços para proteger a natureza da pressão das populações humanas. Por exemplo, a fim de proteger o sapo dos arroios, uma espécie em perigo de extinção, 1.200 hectares de área de camping e pesca na Angeles National Forest foram fechados durante um ano. Na região de Oceano Dunes, na Califórnia, empinar pipas foi proibido porque assusta uma espécie protegida de ave costeira, a batuíra-de-coleira-interrompida, que tem um habitat limitado para a construção de ninhos. Depois que a proibição entrou em vigor, um guarda-florestal disse a Ambrose Simas, morador de Oceano, que ele não podia mais empinar pipas (que eram percebidas pelas batuíras como gaviões) com o bisneto na mesma praia onde ele próprio tinha empinado pipas com o pai e o avô. Em minha cidade, é ilegal "danificar, destruir, cortar ou remover qualquer árvore [ou] planta em qualquer parque municipal sem autorização por escrito da prefeitura". E o que exatamente significa "danificar"? Uma criança danifica uma árvore ao subir nela? Alguns acham que sim. Outro estatuto torna ilegal "pegar, matar, ferir ou atrapalhar qualquer ave ou animal a menos que a espécie tenha sido considerada nociva pela prefeitura".

Se espécies em perigo ou ameaçadas de extinção devem coexistir com humanos, de fato precisamos ter cuidado. Entretanto, más decisões sobre o uso da terra, que reduzem a área natural acessível nas cidades, causam muito mais dano ao meio ambiente do que as crianças. Dois exemplos: todo ano, 21.450 hectares de terra são explorados para expansão imobiliária na bacia hidrográfica de Chesapeake Bay[1]; isso significa aproximadamente 4 mil metros quadrados a cada dez minutos. Nesse ritmo, as obras vão consumir no local uma área maior nos próximos 25 anos do que nos últimos três séculos e meio, de acordo com a Alliance for the Chesapeake Bay. Da mesma forma, a região de Charlotte, na Carolina do Norte, perdeu 20% de sua cobertura florestal nas últimas duas décadas; entre 1982 e 2002, o estado perdeu áreas cultivadas e florestas num ritmo de 155 hectares por dia. O Departamento de Agricultura dos Estados Unidos estima um declínio da cobertura florestal de 310.400 hectares em 1982 para 152.600 hectares em 2022. Surpreendentemente, a área de expansão imobiliária na Carolina do Norte aumentou em um ritmo duas vezes maior do que a população do estado.

Conforme o espaço aberto diminui, o excesso do uso que se faz dele aumenta. É o caso até mesmo das regiões metropolitanas consideradas mais residenciais pelo público. Ironicamente, as pessoas que se mudam para as cidades do chamado *Sun Belt* com a expectativa de obter mais espaço costumam encontrar menos. Oito das dez áreas metropolitanas mais densamente povoadas ficam no oeste. Em algumas dessas cidades, o empreendimento imobiliário típico inclui a remoção de topos de morros, paisagismo artificial, jardins minúsculos e poucas áreas naturais para brincar. O desaparecimento de espaço ao ar livre acessível aumenta a pressão sobre os poucos espaços naturais que continuam existindo. A flora local está sendo esmagada, a fauna morre ou é deslocada, e as pessoas ávidas por natureza vão atrás dela em veículos 4 × 4 ou em motos. Enquanto isso, a mensagem regulatória é clara: as ilhas de natureza deixadas pelos tratores devem ser apenas vistas, não tocadas.

O impacto cumulativo do desenvolvimento imobiliário excessivo, da multiplicação das regras dos parques, das regulamentações ambientais bem-

-intencionadas (e em geral necessárias), dos regulamentos de conjuntos residenciais, dos estatutos de condomínios e associações e do medo das ações litigiosas mandam uma mensagem assustadora para nossas crianças: o brincar livre não é bem-vindo e os esportes organizados em quadras de grama aparada são a única forma autorizada de recreação externa.

– Dizemos às crianças que formas tradicionais de brincar ao ar livre são contra as regras – diz Rick. – Depois reclamamos quando elas sentam diante da televisão e as mandamos brincar do lado de fora. Mas onde? Como? Entrar para um time de esporte? Algumas crianças não querem um lazer organizado o tempo todo, querem deixar a imaginação correr solta, querem ver aonde o riacho as leva.

Nem todo jovem se conforma com essa situação. Quando Rick pediu para seus alunos escreverem sobre experiências na natureza, Lorie, de doze anos, narrou como amava subir em árvores, em especial as que ficavam num pedaço de terra no fim da rua em que morava. Um dia, ela e uma amiga estavam subindo naqueles galhos, e "um homem apareceu e gritou: 'Saiam da árvore!' – Ficamos com tanto medo que corremos para dentro de casa e não saímos mais. Isso aconteceu quando eu tinha sete anos, e na época aquele senhor pareceu muito assustador. No ano passado, a mesma coisa aconteceu no gramado na frente de minha própria casa – era outra pessoa, e eu decidi ignorá-la, então não aconteceu nada".

Lorie considera idiota limitar as oportunidades de "ser livre e não precisar ficar limpinha e se comportar como meninas que têm medo de se arranhar ou se sujar de lama o tempo todo". Ela continua: – Para mim, que ainda sou criança, não pode ser pedir muito. Devíamos ter os mesmos direitos que os adultos tinham quando eram mais novos.

Avaliando a infância sem natureza

Na última década, um pequeno grupo de pesquisadores começou a documentar a desconexão entre infância e natureza – as múltiplas causas, a extensão e o impacto. Boa parte desse trabalho é um território novo; a criminalização do brincar na natureza por exemplo, que é tanto um sintoma quanto uma causa da transformação, está ocorrendo sem que se note. Inúmeros estudos mostram uma redução do tempo de lazer nas famílias modernas, mais tempo diante da televisão e do computador, além do aumento da obesidade entre adultos e crianças devido a um estilo de vida sedentário. Nós sabemos disso. Mas sabemos exatamente quanto tempo a menos as crianças passam *especificamente na natureza*? Não.

– Também não sabemos se existe distinção geográfica ou de classe, em termos de quais crianças passam menos tempo na natureza – diz Louise Chawla, professora de psicologia ambiental da Universidade do Estado de Kentucky e incansável defensora do aumento das experiências das crianças na natureza. Faltam bons estudos longitudinais sobre a mudança ao longo de décadas. – Não temos dados mais antigos para comparar. Ninguém pensou em fazer essas perguntas trinta ou cinquenta anos atrás – afirma.

Como a maioria de nós, muitos pesquisadores consideraram o vínculo entre a criança e a natureza como garantido. Como algo tão atemporal mudou em um período tão curto? Mesmo que alguns pesquisadores tenham feito essa pergunta, outros a qualificaram como um exercício de nostalgia. Uma razão é não haver incentivo comercial para fazê-la. Há anos, James Sallis estuda por que algumas crianças e alguns adultos são mais ativos do que outros. Ele é diretor do Active Living Research Program da Robert Wood Johnson Foundation, um esforço de diversos anos para descobrir como projetar espaços recreativos e comunidades de modo a estimular pessoas de todas as idades a serem mais ativas. Os estudos se concentram em locais como parques urbanos, centros recreativos, ruas e residências privadas.

– Com base em estudos anteriores, podemos afirmar que o melhor indicador da prática de atividades físicas por crianças em idade pré-escolar é simplesmente estar ao ar livre – diz Sallis – e que infâncias sedentárias, passadas em espaços fechados, estão ligadas a problemas de saúde mental.

Perguntei-lhe o que tinha descoberto sobre o uso que as crianças fazem de matas, descampados, cânions e terrenos baldios – em outras palavras, espaços naturais não estruturados.

– Não perguntamos sobre esse tipo de lugares.

Se a Robert Wood Johnson Foundation não coleta esses dados, é improvável que estudos bancados por organizações comerciais financiem esse tipo de pesquisa. Um dos grandes benefícios da recreação ao ar livre não estruturada é que ela não custa nada, Sallis explicou. – Como é gratuita, não há um grande interesse econômico envolvido. Quem vai subsidiar a pesquisa? Se as crianças estão lá fora andando de bicicleta ou caminhando, não gastam combustível fóssil, não são o público-alvo de nenhuma empresa, não dão dinheiro para ninguém... É só seguir o dinheiro.

Mesmo assim, evidências de uma ruptura geracional em relação à natureza – coletadas desde o fim dos anos 1980 – estão aumentando em toda parte, inclusive nos Estados Unidos.

Robin Moore, professor de arquitetura paisagística da Universidade Estadual da Carolina do Norte, documentou pela primeira vez o encolhimento dos espaços naturais para brincar na Inglaterra urbana, uma transformação que ocorreu em um intervalo de quinze anos[2]. Outro estudo britânico descobriu que crianças de oito anos eram capazes de identificar mais personagens da animação japonesa *Pokémon* do que espécies nativas da comunidade em que viviam: Pikachu, Metapod e Wigglytuff eram nomes mais familiares para elas do que lontra, besouro e carvalho. Da mesma forma, a paisagem japonesa da infância, já encolhida, também se tornou ainda menor. Por quase duas décadas, o conhecido fotógrafo japonês Keiki Haginoya registrou brincadeiras das crianças em cidades do Japão. Nos anos recentes, "as crianças desapareceram tão rápido de sua lente que ele foi obrigado a colocar um fim a esse capítulo de seu trabalho", conta Moore. – Ou os espaços internos se tornaram mais atraentes, ou os externos se tornaram menos atraentes – ou as duas coisas.

Em Israel, pesquisadores revelaram que quase todos os adultos participantes de um estudo indicaram que áreas naturais ao ar livre eram os ambientes mais significativos de sua infância, enquanto menos da metade das crianças com idades entre oito e onze anos compartilharam a mesma opinião[3]. Mesmo levando em conta as lembranças romantizadas, é uma diferença surpreendente de percepção[4]. A Holanda, muitas vezes associada a um pensamento mais verde do que a média, é, ainda assim, um país altamente urbanizado, onde os jovens "têm pouco contato com a natureza", de acordo com uma pesquisa com estudantes de sete escolas secundárias holandesas feita pela cientista da Universidade de Wageningen, Jana Verboom-Vasiljev. "Existem poucos indícios de que o amor pela natureza seja instigado em casa. Aliás, cerca de três quartos dos alunos achavam que havia apenas 'um pouco de interesse' pela natureza em casa, e 11% afirmaram que não havia nenhum."[5] Mais da metade afirmou nunca ir a reservas naturais, parques, zoológicos ou jardins botânicos. A maior parte dos alunos não foi capaz de dar nome a uma única espécie de planta em perigo de extinção e sabia apenas os nomes de algumas espécies de animais ameaçados.

– A lista de animais ou plantas silvestres de que eles sentiriam falta se fossem extintos foi dominada por mamíferos fofos ou animais que aparecem na televisão. Foi uma surpresa encontrar até bichos de estimação e animais domesticados – contou Verboom-Vasiljev.

Apesar de a pesquisa ter sido realizada na Holanda, "a imagem que obtivemos se aplica pelo menos às regiões mais urbanizadas da Europa, onde o ambiente cultural, econômico e social é muito semelhante". De fato, em Amsterdã, um estudo comparou as brincadeiras da infância holandesa nos anos 1950 e 1960 com as brincadeiras dos primeiros anos do século XXI: as crianças hoje brincam menos ao ar livre e por menos tempo; elas têm um raio de movimentação independente mais restrito e amigos de brincadeira em menor quantidade e diversidade.

Nos Estados Unidos, as crianças passam menos tempo brincando ao ar livre – ou de uma forma não estruturada[6]. De 1997 a 2003, de acordo com um estudo de Sandra Hofferth da Universidade de Maryland, houve um declínio de 50% na proporção de crianças de nove a doze anos que passavam tempo em atividades externas, como caminhada, passeios, pescarias, idas à praia e jardinagem[7]. Além disso, Hofferth relatou que o brincar não estruturado e as horas livres das crianças em uma semana típica tinham diminuído nove horas no decorrer de 25 anos. As crianças também passam menos tempo brincando ao ar livre do que suas mães quando eram mais novas, de acordo com Rhonda L. Clements, professora de educação na Faculdade de Manhattanville, em Nova York. Ela e os colegas pesquisaram oitocentas mães, cujas respostas foram comparadas com a visão de mães entrevistadas uma geração antes: 71% das mães de hoje afirmaram que brincavam ao ar livre quando crianças, mas apenas 26% delas disseram que os filhos brincam ao ar livre diariamente.

– Surpreendentemente, as respostas não variaram muito entre as mães que vivem em áreas rurais ou em áreas urbanas – relatou Clements. – No entanto, essas descobertas coincidem com uma pesquisa realizada na Inglaterra e no País de Gales.

O resultado desses estudos negou a hipótese de que crianças que vivem em zonas rurais teriam acesso a um espaço público mais amplo para o lazer.

Constatou-se que fazendas, com uso restrito e falta de supervisão para as atividades infantis, não ofereciam para a criança rural mais oportunidades de experiências ao ar livre.

Alguns pesquisadores sugeriram que o deficit de natureza está crescendo mais rápido nos países de língua inglesa. Pode ser verdade, mas o fenômeno está ocorrendo nos países em desenvolvimento, em geral. O *Daily Monitor*, publicado em Addis Abeba, Etiópia, lançou um apelo em março de 2007 para que os pais tirem as crianças de casa e as levem para áreas ao ar livre, comentando que "muitos etíopes terão chegado à vida adulta distanciados demais das experiências ao ar livre"[8].

Uma pesquisadora nos Estados Unidos sugere que uma geração de crianças não só está sendo criada em espaços fechados, como confinada a ambientes ainda menores. Jane Clark, professora de cinesiologia (estudo do movimento humano) da Universidade de Maryland, as chama de "crianças enlatadas", pois passam cada vez mais tempo em bancos de carro, cadeirões e até cadeirinhas para ver televisão. Quando estão ao ar livre, as crianças pequenas costumam ser colocadas em "contêineres" – os carrinhos – e empurradas enquanto os pais andam ou correm. A maior parte desse confinamento é feita por questões de segurança, mas a saúde dessas crianças é comprometida no longo prazo. No periódico de medicina *Lancet*, pesquisadores da Universidade de Glasgow, na Escócia, publicaram um estudo sobre a atividade de crianças de colo; os pesquisadores prenderam pequenos acelerômetros eletrônicos à cintura de 78 crianças de três anos por uma semana. Descobriu-se que elas ficavam fisicamente ativas apenas durante vinte minutos por dia[9]. Padrões semelhantes foram encontrados em crianças da zona rural da Irlanda. Claramente, a ruptura entre a infância e a natureza faz parte de um contexto mais amplo: a restrição física da infância em um mundo que está se urbanizando rápido e a experiência na natureza como a maior vítima.

Conforme o deficit de natureza aumenta, outro campo de evidências científicas indica que a exposição direta à natureza é essencial para a saúde física e emocional. Por exemplo, novos estudos sugerem que a exposição à natureza pode reduzir os sintomas do TDAH (transtorno do deficit de atenção e hiperatividade), e melhorar as habilidades cognitivas e a resistência das crianças ao estresse e à depressão.

Transtorno do deficit de natureza

A importância abrangente dessa pesquisa, associada ao conhecimento que temos de outras mudanças na cultura, exige uma descrição simplificada. Então, por enquanto, chamaremos o fenômeno de *transtorno do deficit de natureza*. Nossa cultura é tão cheia de jargões e tão dependente da medicalização que hesito em introduzir esse termo. Talvez uma definição mais apropriada surja com o avanço da pesquisa científica. E, como mencionado anteriormente, não estou sugerindo que esse termo represente um diagnóstico médico. Mas quando falo sobre o transtorno do deficit de natureza com grupos de pais e educadores, o sentido da expressão fica claro. O transtorno do deficit de natureza descreve os custos da alienação em relação à natureza, incluindo a diminuição no uso dos sentidos, a dificuldade de atenção e índices mais altos de doenças físicas e emocionais. O transtorno pode ser detectado individualmente, em famílias e em comunidades – pode até alterar o comportamento humano nas cidades, o que acaba afetando sua estrutura, uma vez que estudos consagrados relacionam a ausência de parques e espaços abertos (ou a inacessibilidade a eles) a altos índices de criminalidade, depressão e outras mazelas urbanas.

Como os capítulos a seguir explicam, o transtorno do deficit de natureza pode ser reconhecido e revertido, individual e culturalmente. Trata-se, no entanto, de apenas um lado da moeda. O outro é a abundância de natureza. Ao analisar as consequências do transtorno, nos tornamos mais conscientes de quão abençoadas nossas crianças podem ser – biológica, cognitiva e espiritualmente – por meio de uma conexão física positiva com a natureza. Aliás, pesquisas recentes se concentram menos no que é perdido quando a natureza diminui e mais no que se ganha no contato com o mundo natural.

– Existe uma grande necessidade de educar os pais sobre essas pesquisas – de despertar ou inspirar o prazer deles em relação ao brincar na natureza –, contextualizando as experiências contínuas das crianças no mundo natural – diz Louise Chawla.

Esse conhecimento pode nos inspirar a escolher um caminho diferente, que leve a um reencontro entre a criança e a natureza.

Parte II

Por que os jovens (e o resto de nós) precisam da natureza

*Aqueles que contemplam a beleza da terra
encontram reservas de força que vão resistir enquanto houver vida.*
— Rachel Carson

De maravilha em maravilha, a existência se abre.
— Lao-Tsé

4. Escalando a árvore da saúde

Aposto que chego aos cem anos se eu puder ficar ao ar livre de novo.

— Geraldine Page como Carrie Watts, em *O regresso para Bountiful*

O cabelo grisalho de Elaine Brooks parecia um ninho. O lápis estava enfiado no coque para prendê-lo. Subindo uma colina, ela cruzou discretamente uma área de vegetação nativa: sálvia, sumagre, campainha-branca. Passou os dedos por espécies não nativas – invasoras exóticas, elas as chamou – como as óxalis, que têm botões amarelos como o Sol. Ela tinha uma relação especial com aquele trecho esquecido de terra. Então, relembrou as palavras da escritora Annie Dillard sobre "explorar a vizinhança, ver a paisagem, para descobrir ao menos onde é que fomos tão espantosamente deixados, se é que é possível entender por quê".

– Sabe, em três anos vindo para esta área aberta, nunca vi crianças brincando aqui, apenas na trilha para bicicletas – disse Brooks. Ela se abaixou para tocar uma folha que parecia a pata de um gato. – O lupino nativo é um regulador de nitrogênio – ela explicou. – As raízes abrigam o próprio invasor – as bactérias – o qual coleta nitrogênio do ar no solo e o transforma no nitrogênio modificado de que a planta precisa.

Alguns liquens, organismos complexos de fungos e algas simbióticos, também fornecem nitrogênio aos seus vizinhos e chegam a viver mais de um século.

– Quando esse tipo de área é transformado em pasto, os lupinos nativos e os liquens são destruídos com os ecossistemas que eles alimentam. As plantas vivem e morrem juntas – ela disse.

Durante anos professora de uma faculdade comunitária, ela levou os alunos para esse local a fim de expô-los à natureza que muitos não conheciam. Ela os ensinou que a terra nos forma mais do que formamos a terra, até que não sobre mais terra para formar.

Ela vasculhou os doze hectares da perdida La Jolla e encheu quinze cadernos com plantas prensadas, índices pluviais e observações das espécies que vivem no local. Uma ilha de grama, suculentas e cactos, é um dos últimos lugares da Califórnia onde a vegetação conhecida como campos costeiros e uma variedade de outras plantas nativas raras podem ser encontradas tão perto do oceano. Não que alguém tenha planejado isso. No começo dos anos 1900, uma linha de trem atravessava essa área natural, mas os trilhos foram abandonados e arrancados. A terra esperou. Então, no fim dos anos 1950, a cidade deixou aquele corredor de transporte de lado, atribuindo-lhe o efêmero nome de Fay Avenue Extension. O plano era construir uma grande rua que atravessasse essa parte da cidade, mas a ideia perdeu força. Por quase meio século, enquanto a cidade prosperava ao redor, a área foi esquecida – com exceção da criação de uma ciclovia asfaltada que cobre a ferrovia fantasma.

Vestindo calça jeans, uma camisa de flanela velha e botas de caminhada, Brooks estava em um campo de cebolinha selvagem, figo-da-índia e maria-pretinha. O perfume agradável de alcaçuz era oriundo de um trecho de erva-doce mediterrânea, levada para a Califórnia pelos pioneiros nos anos 1800 e usada como condimento. O trigo-selvagem, também exótico, se avultava sobre as plantas nativas do deserto que ficam agarradas ao solo. Se você fosse uma planta nesse ambiente, seria mais seguro manter a cabeça baixa.

– Veja aqui a *native blue dicks** – ela exclamou, apontando para as flores roxas de caule longo ao lado dos crisântemos. Essas, ainda que não sejam nativas, são tão populares quanto as margaridas. É difícil não gostar delas.

Seria possível questionar: por que alguém passaria tantas horas e tantos dias no que, no fim das contas, não passa de um grande terreno baldio?

---

* *Dichelostemma capitatum*, espécie sem nome comum em português. (N.R.T.)

Uma resposta é que Brooks era uma raridade em sua profissão. Nos anos 1940 e 1950, o estudo de história natural – ciência delicada que se debruça sobre a demorada tarefa de coletar e nomear formas de vida – deu espaço à microbiologia, mais teórica e comercial. Algo parecido aconteceu com o movimento conservacionista, que foi de preservacionistas locais com terra no sapato para advogados ambientalistas em Washington, D.C. Brooks sentia-se desconfortável em ambas as áreas. Por anos, ela trabalhou no Scripps Institution of Oceanography como bióloga e oceanógrafa. Tornou-se especialista em plâncton.

No entanto, gostava mesmo era de dar aulas. Ela acreditava – como muitos norte-americanos – que devia transmitir seu amor pela natureza a outras pessoas. Além disso, dar aula em faculdades comunitárias garantia que ela tivesse o tempo que precisava para conhecer as colinas e os campos. Ninguém lhe pagava para estudar essas terras, mas tampouco lhe foi dito que não poderia fazer isso.

Brooks era uma relíquia. A tendência admirável em ecologia é se concentrar na conservação de mosaicos de corredores naturais, não em focos isolados de vida, que em geral estão condenados e são muito difíceis de salvar. Em princípio, ela concordava com essa filosofia. Mas acreditava que áreas de terra selvagem isoladas valem a pena ser conhecidas, assim como os povos isolados.

Esses fragmentos de natureza são mais importantes para os jovens que vivem nas áreas do entorno ou em locais subjacentes. Ela apontou para as marcas de uma escavadeira que passou por ali anos atrás. Apesar do que as incorporadoras dizem sobre recuperação, ela contou que, quando uma área é terraplanada, os microrganismos e a base do solo são destruídos.

– Ninguém sabe como recriar isso com facilidade, além de arrancar as ervas daninhas à mão durante anos. Deixar a área ao léu não funciona; as espécies nativas são dominadas pelas invasoras.

Ver escavadeiras em ação é algo comum no condado, mesmo em áreas supostamente protegidas.

– Boa parte dessa destruição é feita por uma questão de conveniência e ignorância – Brooks explicou. Ela acreditava ser improvável que as pessoas valorizem o que não conseguem nomear.

– Uma aluna me contou que toda vez que aprende o nome de uma planta, ela sente como se conhecesse uma nova pessoa. Dar nome a uma coisa é uma forma de conhecê-la.

Ela desceu por uma trilha estreita e, então, seguiu por uma colina. Um gavião-de-cauda-vermelha voava em círculos. Em uma ladeira adiante, uma moita de uma espécie exótica e resistente ao fogo tinha se espalhado por toda a encosta. No entanto, agrupamentos de agave nativa – planta suculenta que parece um cacto, a partir da qual se produz tequila – resistiram. A agave floresce uma vez apenas; ela cresce por duas décadas ou mais e, então, em uma última explosão de energia, gera um único talo de flor trêmulo, que pode alcançar seis metros de altura. Ao anoitecer, morcegos dançam ao redor dela e levam pólen para outras agaves florescerem.

Brooks parou ao pé de uma pequena encosta coberta com gramíneas de campos nativos, originais da Califórnia pré-espanhola, da época anterior à introdução do gado. Assim como o campo alto já cobriu os estados das Great Plains (Grandes Planícies), as gramíneas de campos nativos dominaram boa parte do sul da Califórnia. (Nas Grandes Planícies, os botânicos ainda encontram vestígios de campo alto em cemitérios abandonados dos pioneiros.) Há algo muito positivo em tocar essa vegetação, em conhecê-la.

Os fantasmas da Fay Avenue Extension

Enquanto continuávamos nossa caminhada pela Fay Avenue Extension, Brooks chegou até a colina mais alta. De lá, tinha a vista do oceano Pacífico. Ela muitas vezes ficava sentada sozinha nessa elevação, inspirando a natureza e a vista distante.

– Um dia, notei uma movimentação fora do meu campo de visão. Um pequeno sapo marrom estava sentado em um arbusto ao lado. Perguntei-lhe: – O que você está fazendo aqui?

Às vezes, enquanto estava sentada lá, ela se imaginava como sua própria ancestral distante: um passo adiante de algum animal grande e faminto, ela se atirava nos galhos e subia em uma árvore alta. Nessas ocasiões, olhava sobre o telhado das casas na direção do mar, mas não via a paisagem urbana. Ela via a savana – as planícies da África se movimentando, femininas, duras, porém acolhedoras. Sentia a velocidade da respiração diminuir, e o coração se acalmar.

– Quando nossos ancestrais subiam no topo das árvores, havia alguma coisa sobre olhar para a terra distante – algo que curava rapidamente – diz Brooks.

Descansar nos galhos altos talvez oferecesse um rápido relaxamento para a descarga de adrenalina de ser uma presa em potencial.

– Biologicamente, não mudamos. Ainda estamos programados para lutar ou fugir de grandes animais. Do ponto de vista genético, na essência, somos as mesmas criaturas que éramos. Ainda somos caçadores e coletores. Nossos ancestrais não eram mais rápidos que um leão, mas eram espertos. Sabiam como matar, sim, mas também sabiam correr e escalar – e como usar o ambiente para recuperar a sanidade.

Hoje estamos o tempo todo em alerta, perseguidos pela debandada interminável de automóveis de 900 quilos e veículos utilitários de 1.800 quilos. Mesmo dentro de casa, o ataque continua, com imagens perturbadoras e ameaçadoras que atravessam o cabo da televisão e entram nas salas e nos quartos. Ao mesmo tempo, a paisagem urbana e suburbana está rapidamente sendo despida de seus elementos pacificadores.

Um círculo cada vez maior de pesquisadores acredita que a perda do habitat natural, ou a desconexão com a natureza, mesmo quando ela está disponível, tem implicações enormes para a saúde humana e o desenvolvimento infantil. Eles dizem que a qualidade dessa exposição afeta nossa saúde em um nível quase celular.

Brooks ensinava aos alunos sobre a ecologia dos terrenos baldios pela lente da "biofilia", hipótese de Edward O. Wilson, cientista da Universidade Harvard e autor vencedor do prêmio Pulitzer. Wilson define biofilia como "o desejo de se afiliar com outras formas de vida"[1]. Ele e os colegas afirmam que os humanos têm uma afinidade inata com o mundo natural, provavelmente uma necessidade de origem biológica para seu desenvolvimento como indivíduos. A teoria da biofilia, apesar de não ter sido aceita por todos os biólogos, é amparada por uma década de pesquisas que revelam quão forte e positiva é a reação das pessoas às paisagens abertas e gramadas, com árvores espalhadas, campinas, água, trilhas sinuosas e vistas amplas.

Na vanguarda dessa fronteira, junto com a base mais antiga da psicologia ambiental, está o campo interdisciplinar relativamente novo da ecopsicologia. O termo ganhou notoriedade em 1992, pelo trabalho do historiador e crítico social Theodore Roszak. Em seu livro, *Voice of the Earth*, Roszak afirma que a psicologia moderna separou a vida interior da exterior e que reprimimos nosso "inconsciente ecológico", que fornece "nossa conexão com nossa evolução na terra"[2]. Em anos recentes, o significado do termo "ecopsicologia" evoluiu para incluir terapia natural, que não apenas pergunta o que fazemos com a terra, mas o que a terra faz por nós, por nossa saúde. Roszak considera isso uma extensão lógica de sua tese original.

Como ele deixa claro, a American Psychiatric Association lista mais de trezentas doenças mentais em seu *Diagnostic and Statistical Manual*, um grande número delas associadas à disfunção sexual.

– Psicoterapeutas analisaram exaustivamente toda forma de relações sociais e familiares disfuncionais, mas "relações ambientais disfuncionais" não existem nem como conceito[3] – diz ele.

O manual define o "transtorno de ansiedade de separação" como "uma ansiedade excessiva em relação à separação de casa e daqueles a que o indivíduo está ligado". Mas não existe separação mais universal nesta era da ansiedade do que nossa desconexão com o mundo natural. Ele continua dizendo que está na hora "de existir uma definição de saúde mental baseada no meio ambiente".

Reforçando a hipótese de biofilia de Wilson, a ecopsicologia e todas as suas ramificações em desenvolvimento alimentaram uma nova onda de pesquisas sobre o impacto da natureza na saúde física e emocional do ser humano. A professora Chawla, especialista internacional em crianças urbanas e natureza, é cética em relação a algumas das alegações feitas em nome da biofilia, mas também argumenta que ninguém precisa adotar sem reservas a tese para acreditar que Edward O. Wilson e o movimento da ecopsicologia têm seus méritos. Ela pede uma abordagem voltada para o bom senso, que reconheça "os efeitos positivos do envolvimento com a natureza para a saúde, a concentração, o brincar criativo e o vínculo com o mundo natural que pode formar a base para o desenvolvimento de uma consciência ambiental".

A ideia de que paisagens naturais ou pelo menos jardins podem ser terapêuticos e restauradores é, aliás, um conceito antigo, que foi reelaborado ao longo das eras. Mais de 2 mil anos atrás, os taoístas chineses criaram jardins e estufas que acreditavam ser benéficos para a saúde. Em 1699, o livro *English Gardener* aconselhava o leitor a passar algum "tempo livre no jardim, seja cavando, plantando, seja arrancando ervas daninhas; não existe maneira melhor de preservar a saúde".

Nos Estados Unidos, país pioneiro no campo da saúde mental, o Dr. Benjamin Rush (signatário da Declaração de Independência Americana) declarou que "cavar a terra tem efeito de cura nos doentes mentais". Começando nos anos 1870, o Quakers' Friends Hospital na Pensilvânia usava hectares de paisagem natural e uma estufa como parte do tratamento de doenças mentais. Durante a Segunda Guerra Mundial, o pioneiro em psiquiatria Carl Menninger liderou um movimento de terapia de horticultura no Sistema Hospitalar dos Veteranos. Na década de 1950, emergiu um movimento mais difundido, que reconhecia os benefícios terapêuticos da jardinagem para pessoas com doenças crônicas. Em 1955, a Universidade Estadual de Michigan ofereceu seu primeiro diploma em terapia ocupacional/horticultura terapêutica. Em 1971, a Universidade Estadual do Kansas criou o primeiro curso de graduação em horticultura terapêutica.

Hoje, a terapia com animais, ou zooterapia, se juntou à horticultura terapêutica como abordagem aceita de cuidado com a saúde, especialmente para idosos e crianças. Por exemplo, pesquisas demonstram que pessoas apresentaram consideráveis baixas de pressão sanguínea simplesmente observando peixes em um aquário[4]. Outros relatos ligam animais de estimação a uma diminuição da pressão alta e mais chances de sobrevivência depois de ataques cardíacos. Descobriu-se que o índice de mortalidade de pacientes com doenças cardíacas que possuem animais de estimação é um terço do índice de pacientes que não têm animais em casa. Aaron Katcher, psiquiatra e membro do corpo docente da Faculdade de Medicina, Odontologia e Veterinária da Universidade da Pensilvânia, passou mais de uma década investigando como as relações sociais entre seres humanos e outros animais influenciam a saúde e o comportamento humanos[5]. Katcher e Gregory Wilkins, especialista em zooterapia em centros residenciais de tratamento, contam a história de uma criança autista que passou várias sessões com cachorros passivos antes de encontrar Buster, um cachorro adolescente hiperativo saído de um abrigo de animais. De início, a criança autista ignorou os cachorros, mas, em uma sessão, "sem nenhuma outra mudança de tratamento, chegou animada à sala e, em questão de minutos, disse suas primeiras palavras em seis meses: – Buster, sente!". A criança aprendeu a jogar bola com Buster e a recompensá-lo com comida – além de ter aprendido a procurá-lo quando precisava de conforto.

As evidências do valor terapêutico dos jardins e dos animais de estimação são persuasivas. No entanto, o que sabemos sobre o passo seguinte, a influência de paisagens naturais não estruturadas e experiências na natureza na saúde e no desenvolvimento humanos? Poetas e xamãs reconhecem esse vínculo há milênios, mas a ciência começou a explorá-lo faz relativamente pouco tempo.

A maior parte das novas evidências que ligam a natureza ao bem-estar e à recuperação está voltada para os adultos. No *American Journal of Preventive Medicine*, o médico Howard Frumkin, presidente do Departamento de Saúde Ambiental e Ocupacional da Faculdade de Saúde Pública da Universidade Emory, escreveu que considerava essa uma área negligenciada da medicina moderna, ainda que muitos estudos creditem a aceleração da recuperação de um ferimento à exposição a plantas ou à natureza. Frumkin indicou um estudo de dez anos de pacientes de cirurgias de vesícula biliar, no qual comparavam-se aqueles que se recuperaram em quartos voltados para árvores a pacientes em quartos com vista para uma parede; os pacientes com vista para as árvores tiveram alta mais cedo[6]. Talvez não seja uma surpresa as pesquisas terem revelado que presidiários do Michigan cujas celas estavam viradas para o pátio tinham 24% mais doenças do que os detentos cujas celas tinham vista para uma área verde cultivada. Numa linha de raciocínio semelhante, Roger Ulrich, pesquisador da Universidade A&M do Texas, demonstrou que pessoas que assistem a imagens de paisagens naturais depois de uma experiência estressante se acalmavam notadamente em cinco minutos[7] – a tensão muscular, os batimentos cardíacos e os registros da condutância da pele diminuíam*.

Gordon Orians, professor emérito de zoologia da Universidade de Washington, afirma que essas pesquisas sugerem que o ambiente que visualizamos afeta profundamente nosso bem-estar físico e mental e que os seres humanos modernos precisam entender a importância do que ele chama de "fantasmas", vestígios evolutivos de experiências pregressas imbuídas no sistema nervoso de uma espécie[8].

O vínculo presente na infância entre atividades externas e saúde física parece claro, mas a relação é complexa[9]. O CDC - Centers for Disease Control

---

* Indicador de dor ou estresse. (N.R.T.)

and Prevention, relata que o número de adultos americanos com sobrepeso aumentou mais de 60% entre 1991 e 2000. De acordo com dados do CDC, a população de crianças que têm entre dois e cinco anos nos Estados Unidos e estão acima do peso aumentou quase 36% de 1989 a 1999. Nessa época, duas de cada dez crianças americanas eram clinicamente obesas – quatro vezes a porcentagem de obesidade infantil registrada no fim dos anos 1960[10]. Cerca de 60% de crianças acima do peso com idade entre cinco e dez anos têm pelo menos um fator de risco de doença cardiovascular, enquanto o *Journal of the American Medical Association* relatou uma tendência cada vez maior de pressão alta em crianças com idade entre oito e dezoito anos.

Por causa dessa preocupação fundamental, pediatras alertam que as crianças de hoje podem fazer parte da primeira geração de americanos desde a Segunda Guerra Mundial a morrer mais jovens do que os pais. Enquanto os mais novos em muitas partes do mundo enfrentam a fome e a inanição, a Organização Mundial de Saúde alerta que o estilo de vida sedentário também é um problema de saúde global; a inatividade é vista como um grande fator de risco em doenças crônicas não transmissíveis, responsáveis por 60% das mortes globais e 47% da carga de doença[11].

Além das ligações possíveis entre a obesidade infantil e diversas complexidades genéticas, um vírus comum e até privação de sono, o debate atual aponta para dois fatores óbvios: primeiro, a televisão e a *junk food* estão ligadas à obesidade infantil. O CDC descobriu que a quantidade de horas que as crianças passam assistindo à televisão está diretamente correlacionada à medida de gordura corporal que elas têm. Nos Estados Unidos, crianças com idade entre seis e onze anos passam cerca de trinta horas por semana olhando para uma tela de televisão ou de computador. Médicos pesquisadores em Seattle descobriram que, aos três meses, aproximadamente 40% dos bebês assistiam com regularidade a televisão, DVDs ou outros vídeos. O segundo fator: mais exercício seria um benefício.

Que tipo de exercício, e onde? Há uma recomendação comum para os pais desligarem a televisão e restringirem o tempo dos video games, mas pouco ouvimos falar sobre o que as crianças de fato deveriam fazer durante o tempo longe das telas. A sugestão mais comum são os esportes. Então, consideremos o seguinte: a epidemia de obesidade coincide com o maior aumento dos esportes organizados para crianças na história. Especialistas em obesidade infantil agora concordam que as abordagens atuais parecem não funcionar. O que as crianças estão perdendo que os esportes, incluindo futebol e beisebol, não conseguem oferecer?

Estranhamente, a palavra "natureza" aparece pouco na literatura sobre obesidade infantil, ainda que isso esteja mudando. De modo geral, atividade física é o ingrediente que falta à discussão. O exercício físico e a conexão emocional que as crianças desfrutam em brincadeiras não estruturadas são mais variados e menos relacionados ao tempo cronometrado do que o que as experiências nos esportes organizados. O tempo para brincar – em especial o brincar livre, não estruturado e exploratório – é cada vez mais reconhecido como componente essencial do desenvolvimento infantil saudável. As descobertas das pesquisas sobre brincar ao ar livre muitas vezes misturam tipos de atividades, como andar de bicicleta no bairro, com descobertas mais específicas sobre a experiência na natureza. Estudos adicionais rigorosos e controlados são necessários para entender a correlação, a causa e o efeito. No entanto, quando estudos recentes são considerados juntos, eles levam a hipóteses fortes.

– Brincar em ambientes naturais parece oferecer benefícios especiais[12]. Em primeiro lugar, as crianças ficam fisicamente mais ativas quando estão ao ar livre – uma dádiva em uma época de estilos de vida sedentários e sobrepeso epidêmico – afirma o médico Howard Frumkin, atualmente diretor do CDC - Centers for Disease Control and Prevention.

Estudos recentes descrevem evidências provocantes que ligam o tempo que se passa ao ar livre a outros benefícios à saúde, para além do controle de peso, que podem ser específicos à experiência na natureza[13]. Na Noruega e na Suécia, pesquisas com crianças em idade pré-escolar demonstram que brincar na natureza gera frutos. Os estudos comparam crianças que brincaram todo dia em playgrounds comuns com outras que brincaram pela mesma quantidade de tempo em meio a árvores, pedras e terrenos não modificados em áreas naturais. Ao longo de um ano, as que brincavam em áreas naturais tiveram resultados melhores em testes de coordenação motora, especialmente em equilíbrio e agilidade.

Adultos também parecem se beneficiar desse tempo aproveitado em ambientes naturais. Os pesquisadores na Inglaterra e na Suécia descobriram que corredores que se exercitam em áreas com árvores, folhagem e paisagens se sentem mais revitalizados e menos ansiosos, raivosos e deprimidos do que as pessoas que gastam a mesma quantidade de calorias em academias ou outros ambientes construídos. As pesquisas se aprofundam sobre o que ficou conhecido como "exercícios verdes"[14]. Tais estudos estão voltados principalmente para adultos.

E quanto à saúde emocional das crianças? Ainda que doenças cardíacas e outros efeitos negativos sobre a inatividade física em geral demorem décadas para se desenvolver, outro resultado da vida sedentária foi documentado mais prontamente: as crianças ficam deprimidas.

Biofilia e saúde emocional

A natureza costuma ser menosprezada em seu papel como bálsamo de cura para os problemas emocionais de uma criança. Você provavelmente nunca vai ver um comercial elegante sobre terapia na natureza, como os de antidepressivos farmacêuticos. No entanto, pais, educadores e profissionais de saúde precisam saber como a natureza pode ser um antídoto para o estresse físico e emocional. Especialmente hoje.

Uma pesquisa de 2003, publicada no *Psychiatric Services*, revelou que o ritmo em que antidepressivos são prescritos para as crianças americanas quase dobrou em cinco anos; o aumento mais considerável – 66% – foi entre crianças em idade pré-escolar[15].

– Uma série de fatores que atuam em conjunto ou de modo independente pode ter levado ao aumento no uso de antidepressivos entre crianças e adolescentes – diz Tom Delate, diretor de pesquisa na *Express Scripts*, empresa de benefícios farmacêuticos. – Esses fatores incluem um aumento no índice de depressão em grupos de idades sucessivas, uma conscientização sobre problemas relacionados à depressão por parte dos pediatras e a consequente triagem de pacientes, além da hipótese de que a eficácia que os adultos vivenciam com o uso de medicamentos antidepressivos vai ser transmitida para crianças e adolescentes.

O aumento nas prescrições médicas para crianças ocorreu apesar do fato de os antidepressivos nunca terem sido aprovados para menores de dezoito anos – com exceção do Prozac, que foi oficialmente liberado como tratamento infantil em 2001, depois que o aumento na prescrição dessas receitas começou. As descobertas foram anunciadas um mês depois que o FDA - Food and

Drug Administration (órgão do governo norte-americano responsável por regulamentar alimentos e medicamentos) pediu que as empresas farmacêuticas acrescentassem alertas explícitos no rótulo dos produtos sobre as supostas relações entre antidepressivos e comportamentos e pensamentos suicidas, especialmente em crianças. Em 2004, análises de dados da Medco Health Solutions, a maior administradora de benefícios farmacêuticos, descobriu que entre 2000 e 2003 houve um aumento de 49% no uso de medicamentos psicotrópicos – antipsicóticos, benzodiazepínicos e antidepressivos. Pela primeira vez, o gasto com tais medicamentos, se forem incluídos os remédios para distúrbios de atenção, ultrapassou o gasto com antibióticos e medicamentos para asma usados por crianças[16].

Ainda que incontáveis crianças que sofrem de doenças mentais e distúrbios de atenção se beneficiem dos remédios, o uso da natureza como terapia alternativa, adicional ou preventiva está sendo negligenciado. Aliás, novas evidências sugerem que a necessidade desses medicamentos seja intensificada pela desconexão das crianças com a natureza. Apesar de a exposição à natureza talvez não ter impacto na maioria das depressões severas, sabemos que experiências em ambientes naturais podem aliviar parte das pressões cotidianas que acabam levando à depressão infantil. Mencionei o estudo de Ulrich e alguns outros focados em adultos; em *The Human Relationship with Nature*, Peter Kahn aponta a existência de mais de cem pesquisas que confirmam que um dos principais benefícios de passar tempo em meio à natureza é a diminuição do estresse[17].

Psicólogos ambientais da Universidade Cornell relataram em 2003 que uma sala com vista para a natureza pode ajudar a proteger as crianças do estresse e que a natureza dentro ou ao redor de casa parece ser um fator significativo para o bem-estar psicológico das crianças em zonas rurais[18].

– Nosso estudo descobriu que os eventos estressantes da vida parecem não causar tanto dano psicológico nas crianças que vivem mais próximas da natureza, em comparação com as que não têm esse contato – diz Nancy Wells, professora assistente de análise arquitetônica e ambiental da Faculdade de Ecologia Humana da Universidade Cornell em Nova York. – O impacto protetor da proximidade com a natureza é mais forte para as crianças mais vulneráveis – as que sofrem os níveis mais altos de eventos estressantes.

Wells e seu colega Gary Evans avaliaram a quantidade de natureza dentro e ao redor da casa de crianças que vivem em zonas rurais, matriculadas do terceiro ao quinto ano escolar. Descobriram que as crianças com mais natureza perto de casa tinham índices menores de transtornos de comportamento, ansiedade e depressão do que as que viviam com menos natureza nas proximidades. Elas também obtiveram resultados mais altos em uma medida global de atribuição de valor a si mesmas.

– Mesmo em um ambiente rural com abundância de paisagens naturais, mais (natureza) parece ser melhor quando se trata de reforçar a resiliência das crianças contra o estresse ou a adversidade – Wells e Evans relataram.

Uma razão para os benefícios emocionais da natureza pode ser o fato de que o espaço verde promove a interação social e, desse modo, o apoio social. Por exemplo, um estudo sueco mostra que crianças e pais que vivem em lugares que oferecem acesso ao ar livre têm duas vezes mais amigos do que os que dependem do trânsito para ter acesso ao ar livre[19]. Claro, ninguém pode afirmar que o conforto oferecido pela natureza é *inteiramente* dependente da interação social que ela possa estimular.

A natureza também oferece uma solitude acolhedora[20]. Um estudo com adolescentes finlandeses demonstrou que eles muitas vezes iam para espaços onde havia natureza depois de eventos desconcertantes; ali, podiam clarear as ideias, colocar tudo em perspectiva e relaxar. Depois de uma discussão sobre natureza e infância em sala de aula na Universidade de San Diego, Lauren Haring, uma aluna de vinte anos, descreveu a importância da natureza em sua saúde emocional:

> Durante a infância e a adolescência (em Santa Barbara, Califórnia), eu morava em uma casa com um quintal relativamente grande, e havia um riacho do outro lado da rua. Era quando estava sozinha que o meio ambiente tinha mais significado para mim. A natureza era o único lugar aonde, quando tudo em minha vida ia mal, eu podia ir e não precisava lidar com mais ninguém.
>
> Meu pai morreu de câncer no cérebro quando eu tinha nove anos. Foi um dos períodos mais difíceis para minha família e para mim. Passar um tempo em contato com a natureza era minha grande válvula de escape, o que de fato me permitia obter calma, sem pensar nem me preocupar.
>
> Eu realmente acredito que existe alguma coisa na natureza que faz com que, ao estar ali, você se dê conta de que existem coisas muito maiores além de si mesmo. Isso ajuda a colocar os problemas em perspectiva. Para mim, é o único lugar onde as questões que estou enfrentando não exigem atenção nem resolução imediata. Estar em meio à natureza pode ser uma forma de escapar, sem de fato sair do mundo.

Richard Herrmann, fotógrafo da natureza, também entende esses poderes de cura, que o ajudaram durante um período trágico. Ele me contou:

> Minhas primeiras lembranças de ser afetado pelo mundo natural são da infância, no Pacific Grove, perto da fábrica queimada de conservas de Cannery Row. Eu me lembro de ter quatro anos, olhar para uma piscina natural e ficar maravilhado com os pequenos peixes nadando naquela água brilhante e com as anêmonas e os caranguejos por perto. Fiquei hipnotizado; eu podia olhar para a piscina por dias. Para mim, aquela água transmitia perfeição e calma. Também me lembro de meu pai voltando da pescaria na baía, carregando sacos de peixes coloridos... Eu os achava lindos. Eles eram como tesouros do mar.
>
> Eu era um garoto que não conseguia ficar sentado por mais de alguns minutos, então a escola era um ambiente difícil para mim. Mas a natureza sempre me proporcionou uma calma e uma alegria incríveis. Eu de fato conseguia sentar e pescar ou pegar caranguejos por horas, sem ficar entediado, mesmo que não capturasse nada.
>
> Mais tarde, aos catorze anos, precisei dessa calma de novo – foi quando meu pai morreu em um acidente de carro. Fiquei perdido, e as tentações e distrações eram muitas no fim dos anos 1960. As drogas estavam em todo lugar. Eu me lembro de sentir muita dor e estresse na maioria dos dias, mas encontrava conforto caminhando sozinho em uma área costeira florestada com carvalhos – apenas caminhava, olhando para a vegetação rasteira, observando salamandras, cogumelos coloridos e liquens. Tudo fazia sentido para mim. Sentia uma calma profunda ali, a qual eu não encontrava em nenhum outro lugar.
>
> Quando adulto, ao fazer apresentações em escolas de ensino médio da região, notei que consigo fazer os adolescentes se concentrarem e acalmarem mostrando imagens do mundo natural. Estar perto da natureza salvou minha vida.

A experiência de Herrmann o ajudou a encorajar a filha de catorze anos – que tem dislexia – a usar a natureza para equilibrar a vida e reduzir o estresse. Ele conta que encontrar conforto criando cordeiros em um programa específico para jovens "fez toda diferença para ela na escola".

Longe dali, em Wellesley, Massachusetts, o Institute For Child And Adolescent Development's Therapeutic Garden ganhou o President's Ayard for Excellence da American Society of Landscape Architects. Em uma entrevista para a publicação on-line *Massachusetts Psychologist*, Sebastiano Santostefano, diretor do instituto, explicou sua opinião sobre o poder da natureza de organizar a psique e afirmou que ela pode ter um papel significativo na ajuda a crianças traumatizadas. Ele descobriu que brincar ao ar livre, seja na margem de um rio, seja em uma alameda, "é uma forma de a criança lidar com as próprias questões".

– Em nossa propriedade há uma pequena colina, um monte – para uma criança, em determinado momento da terapia, aquilo significa um túmulo; para outra, a barriga de uma mulher grávida[21] – ele conta. – O argumento é óbvio: crianças interpretam e dão significado a determinada paisagem, e a mesma estrutura pode ser interpretada de maneira diferente. Em geral, se você (usar) bonecos e jogos comuns, existem limites. O boneco de um policial costuma ser um policial; a criança raramente o transforma em outra coisa. Com a paisagem, é muito mais envolvente; você dá para a criança maneiras de expressar o que ela sente.

A renaturalização da saúde da infância

Com sentimento de urgência, alguns profissionais de saúde dizem que precisamos agir já, com o conhecimento que temos. Por exemplo, Howard Frumkin, do CDC, sugere que especialistas em saúde pública ampliem sua definição de saúde ambiental para além, digamos, de depósitos de lixo tóxico e passem a considerar como o meio ambiente pode curar. Ele recomenda que pesquisas em saúde ambiental sejam feitas em colaboração com arquitetos, urbanistas, designers, paisagistas, pediatras e veterinários. Outros argumentam que o aumento da conscientização sobre o poder da natureza de melhorar a saúde física e emocional também deve orientar a maneira como as salas de aula são concebidas, as casas são construídas e os bairros são organizados. Como os capítulos a seguir explicam, as pesquisas em andamento podem nos ajudar a redescobrir o vínculo entre a criatividade humana e as experiências na natureza e oferecer um novo campo de terapia para síndromes como o transtorno do deficit de atenção.

Elaine Brooks ensinou aos alunos da faculdade comunitária que cada um de nós – adulto ou criança – precisa receber os presentes da natureza *conhecendo-a* diretamente, por mais difícil que seja promover esse encontro em um ambiente urbano.

É irônico, Brooks me disse certo dia, que a realidade na bela Califórnia "seja de raramente vivenciarmos essas paisagens naturais de maneira direta ou indireta; em vez disso, vivemos em áreas urbanas vastas e espalhadas". Mesmo quando dirigimos até as montanhas e o deserto, "não é incomum fazer um passeio de um dia, parando apenas para tomar um café ou um lanche no caminho. A experiência toda acontece dentro de um carro, olhando pela janela". No entanto, "a imagem, a sensação, o cheiro e os sons de uma paisagem cercam o indivíduo desde o começo da vida. A paisagem é onde existimos, onde nosso cotidiano real está estabelecido". Como espécie, ansiamos pelas formas que hoje permitimos que sejam destruídas.

Os alunos de Brooks são gratos pelo que aprenderam com ela. Eu também. Ela teria sido a primeira pessoa a deixar claro que o mundo natural não nos dá garantias. Elaine faleceu em 2003. Enquanto sua vida se esvaía por causa de um tumor no cérebro, entrando e saindo de um sono profundo, seus amigos penduraram fotos da Fay Avenue Extension nas paredes em volta da cama e se revezaram ao seu lado. Talvez, enquanto viajava por uma topologia de sonhos, ela tenha visto o futuro a partir dos galhos de uma árvore imaginária, acima da savana de La Jolla.

5. Uma vida de sentidos: a natureza *versus* a mentalidade sabe-tudo

> *Vou à natureza para me acalmar, me curar*
> *e para que meus sentidos fiquem sintonizados novamente.*
>
> — John Burroughs

As crianças precisam da natureza para um desenvolvimento saudável de seus sentidos e, portanto, para o aprendizado e a criatividade. Essa necessidade é revelada de duas maneiras: ao examinar o que acontece com os sentidos dos jovens quando perdem a conexão com a natureza, e observando a magia sensorial que ocorre quando eles – mesmo os que já passaram da infância – são expostos à mais ínfima experiência direta em um ambiente natural.

Os donos do mato

Em apenas algumas semanas, os "donos da rua" se tornaram os "donos do mato". Na Reserva Ecológica de Crestridge, que abrange 1.050 hectares de montanhas na Califórnia, entre as cidades de El Cajon e Alpine, uma dúzia de membros do Urban Corps, com idades entre 18 e 25 anos – apenas rapazes, com exceção de uma moça, e todos hispânicos – seguiram duas guias anglo-americanas de meia-idade por entre sálvias e arbustos de frutas silvestres.

Como membros do programa municipal Urban Corps, eles frequentam uma *charter school* – escola pública especial – que enfatiza o trabalho de campo em conservação da natureza. Eles passaram as últimas semanas em uma reserva natural abrindo trilhas, arrancando plantas exóticas, aprendendo a arte de rastrear pegadas com um lendário guarda de fronteira aposentado e vivenciando uma explosão de sentidos às vezes desconcertante. Os jovens vestem uniforme: camisa verde-clara, calça verde-escura, cinto de lona em estilo militar. Uma das guias usa um chapéu com aba larga e caída; a outra, uma camiseta folgada e uma mochila pequena.

– Vejam aqui o lar de um roedor – diz Andrea Johnson, uma das guias, que vive em um cume com vista para essa área.

Ela aponta para um monte de gravetos embaixo de uma erva rasteira. O ninho do rato silvestre parece a casa de um castor, contém diversos cômodos, incluindo latrinas internas e áreas onde as folhas são armazenadas até eliminarem as toxinas para depois serem comidas. Esses ninhos chegam a ter 1,80 metro de altura. Esses pequenos roedores tendem a receber visitas, explica Johnson.

– Besouros sugadores de sangue! Minha nossa – exclama ela. Esse inseto também é conhecido como barbeiro.

– Essa é a razão para você não querer o ninho de um desses roedores perto de casa. Barbeiros são atraídos pelo gás carbônico, que todos nós expiramos. Por isso, eles acabam mordendo as pessoas ao redor da boca – Johnson continua, se abanando devido ao calor matinal. – A mordida consome a carne; por causa disso, meu marido ficou com uma cicatriz grande no rosto.

Um dos jovens do Urban Corps sente um calafrio tão forte que sua calça, cuja cintura está abaixo do quadril, como é a moda, desce ainda mais.

Deixando a toca do roedor para trás, as guias levam os jovens por entre arbustos e pequenas árvores, até o frescor da mata, onde uma nascente forma um pequeno riacho. Carlos, sujeito robusto de 1,80 metro, que tem brincos e cabeça raspada, salta habilmente de uma pedra para a outra, com os olhos maravilhados. Ele exclama algo em espanhol enquanto agacha ao ver uma vespa-caçadora de cinco centímetros, um inseto com asas laranja, corpo azul-escuro e uma picada que é considerada uma das mais doloridas da América do Norte. Essa vespa não é tão inofensiva quanto parece: ela pode atacar e paralisar uma tarântula com cinco vezes o seu tamanho, enterrá-la, plantar um único ovo e vedar o buraco de saída. Depois, uma larva sai do ovo e come a aranha viva. A natureza é encantadora, mas nem sempre bela.

Vários desses jovens passaram a primeira parte da infância em zonas da América Central ou em fazendas no México. Carlos, que hoje trabalha como técnico em freios, descreve a fazenda da avó em Sinaloa, México. – Ela tinha porcos. E terras. Era legal.

Apesar de morarem em áreas urbanas, quando eram crianças esses imigrantes de primeira e segunda geração vivenciaram a natureza mais diretamente do que a maior parte dos norte-americanos.

– No México, as pessoas sabem como é difícil ter terra, então elas a valorizam. E cuidam dela. As pessoas que vivem deste lado da fronteira não valorizam tanto a posse de um pedaço de terra. Acreditam que ele sempre estará lá. É muita abundância, ou coisa assim.

Nesse momento, os "donos do mato" não estão tão sérios. Eles começam a zombar de um garoto de dezenove anos com um sorriso tímido e um chupão do tamanho de uma vespa-caçadora.

– Ele está dormindo com a janela aberta de novo – diz alguém. – Foi a Bruxa de Blair.

– Que nada – retruca Carlos, rindo. – Foi o *chupa-cabra* que o pegou – continua, fazendo referência à fera mitológica meio morcego, meio canguru, que possui garras afiadas e chupa o sangue de cabras; dizem que foi vista recentemente na Argentina. Talvez fosse apenas um barbeiro.

No decorrer das semanas, Carlos observou de perto as plantas e os animais e os desenhou em cadernos. Junto com os outros participantes, viu um lince perseguir uma presa, ouviu o súbito barulho que sai do ninho da cascavel quando ela é ameaçada e sentiu uma música elevada.

– Quando venho aqui consigo *soltar o ar* – disse ele. – Aqui você *ouve* coisas; na cidade não dá para perceber nada porque você ouve tudo. Na cidade tudo é *óbvio*. Aqui você chega mais perto e vê mais.

Perdendo nossos sentidos

Até pouco tempo atrás, a trilha sonora dos dias e das noites de um jovem era composta em grande parte pelas notas da natureza. A maioria das pessoas era criada na terra, trabalhava na terra e muitas vezes era enterrada nessa mesma terra. A relação era direta.

Hoje, os sentidos estão eletrificados. Uma razão óbvia são os aparelhos eletrônicos, como televisão e computadores. Mas tecnologias anteriores e mais simples tiveram papéis importantes – o ar-condicionado, por exemplo. O bureau de recenseamento dos Estados Unidos relata que, em 1910, apenas 12% das casas tinham ar-condicionado. As pessoas abriam as janelas de correr e deixavam entrar a brisa da noite e o barulho do vento nas folhas. Quando surgiu a geração de *baby boomers*, aproximadamente metade das casas tinha ar-condicionado. Em 1970, esse número chegou a 72%; em 2001, a 78%.

Em 1920, a maioria das fazendas ficava a quilômetros da cidade mais próxima, que podia ser pequena ou grande. Mesmo em 1935, menos de 12% das fazendas americanas tinham eletricidade (comparada aos 85% das residências urbanas); foi só em meados da década de 1940 que 50% das fazendas nos Estados Unidos ganharam eletricidade. Nos anos 1920, os fazendeiros se reuniam em mercearias e engenhos de algodão para ouvir rádio ou criavam suas próprias redes elétricas conectando diversas casas a um único rádio. Em 1949, apenas 36% das fazendas tinham telefone.

Poucos de nós estão dispostos a trocar o ar-condicionado pelo ventilador. Mas um preço a pagar pelo progresso raramente é mencionado: a diminuição dos sentidos. Assim como os "donos da rua", precisamos de experiências diretas e naturais; precisamos dos sentidos totalmente ativados para nos sentirmos plenamente vivos. A cultura ocidental do século XXI aceita a visão de que estamos imersos em dados por causa da tecnologia onipresente. Mas, nesta era da informação, faltam informações vitais. Natureza tem a ver com o olfato, a audição, o paladar, com enxergar embaixo do "papel transparente em que o mundo, como um bombom, está embalado com tanto cuidado", como escreveu D. H. Lawrence em uma descrição relativamente obscura, mas extraordinária, de seu próprio despertar para a dádiva sensorial da natureza. Lawrence descreveu seu despertar em Taos, Novo Mexico, como um antídoto para a "mentalidade sabe-tudo", aquela pobre substituta para a sabedoria e o fascínio:

> Superficialmente, o mundo se tornou pequeno e conhecido. Pobre globo terrestre, os turistas dão a volta em você com tanta facilidade quanto dão a volta no Bois ou no Central Park. Não restou nenhum mistério, já estivemos ali, já vimos aquilo, sabemos tudo sobre isso. Já estivemos no globo, e o globo acabou.
>
> Isso é bem verdade, superficialmente. Nas superfícies, na horizontal, estivemos em toda parte e fizemos tudo, sabemos tudo sobre o globo. No entanto, quanto mais sabemos superficialmente, menos nos aprofundamos verticalmente. É muito fácil passar pela superfície do oceano e dizer que se sabe tudo sobre o mar...

Aliás, nossos bisavós, que nunca iam a lugar algum, na verdade tinham mais experiência com o mundo do que nós, que vimos tudo. Quando ouviam uma palestra com um projetor de slides, realmente ficavam sem fôlego diante do desconhecido, enquanto estavam sentados em uma sala de aula do vilarejo. Nós, chacoalhando em um riquixá no Ceilão, dizemos para nós mesmos: "É basicamente o que eu esperava." Nós, de fato, conhecemos tudo.

Estamos errados. A mentalidade sabe-tudo é apenas o resultado de estar do lado de fora da embalagem de papel transparente que envolve a civilização. Lá embaixo está tudo o que não sabemos e temos medo de saber.[1]

Alguns de nós, adultos, reconhecemos a mentalidade sabe-tudo em nós mesmos, às vezes em momentos improváveis.

Todd Merriman, pai e editor de jornal, se lembra de uma caminhada reveladora com seu filho pequeno. – Estávamos andando em um campo nas montanhas. Olhei para baixo e vi rastros de puma. Eram recentes. Começamos a voltar para o carro imediatamente, e então vi outro conjunto de pegadas. Eu sabia que não estavam ali antes. O puma tinha nos rodeado.

Naquele momento de medo e tensão, ele ficou totalmente ligado ao entorno. Mais tarde, Merriman se deu conta de que não se lembrava da última vez em que tinha usado todos os sentidos de maneira tão aguçada. O quase encontro balançou e liberou alguma coisa.

Quanto da riqueza da vida ele e o filho trocaram pela imersão cotidiana em experiências indiretas e tecnológicas? Hoje, ele pensa com frequência nessa questão – em geral enquanto está sentado diante de uma tela de computador.

Não é preciso quase dar de cara com um puma para reconhecer que nosso mundo sensorial encolheu. A era da informação é, aliás, um mito, a despeito dos versos do cantor e compositor Paul Simon, "These are the days of miracle and wonder /[...]Lasers in the jungle"* e tudo o mais. Nossa vida confinada parece diminuída, como se tivesse perdido uma ou duas dimensões. Sim, somos apaixonados por nossas engenhocas – celulares conectados com câmeras digitais, conectadas com laptops, conectados com o satélite transmissor e receptor de e-mails pairando em algum lugar sobre Macon, na Geórgia. Claro, alguns de nós (e me incluo nisso) amam a tecnologia. No

---

* "Esses são dias de milagres e encantamento / [...] *Lasers* na selva", da canção *The Boy in the Bubble*. (N.T. - Nota da Tradução)

entanto, a qualidade de vida não é medida apenas pelo que ganhamos, mas também pelo que oferecemos em troca.

Em vez de passar menos tempo no escritório, trabalhamos no tempo da internet. Um outdoor na rodovia perto de minha casa anuncia um serviço on-line de banco. Mostra uma jovem alegre diante de um computador, dizendo: – Quero pagar contas às três horas da manhã.

A imersão eletrônica vai continuar a se aprofundar. Pesquisadores do Laboratório de Mídia do MIT (Instituto de Tecnologia de Massachusetts), trabalham para criar computadores domésticos invisíveis. Em Nova York, os arquitetos Gisue e Mojgan Hariri promovem a ideia de uma Casa Digital dos sonhos, com paredes feitas de telas LCD.

Enquanto a tecnologia eletrônica nos cerca, ansiamos pela natureza – mesmo que seja a natureza sintética. Muitos anos atrás, conheci Tom Wrubel, fundador da Nature Company, loja pioneira em imitações da fauna e da flora. No começo, a loja, que se tornou uma rede nacional, tinha como público-alvo as crianças. Em 1973, Wrubel e sua esposa, Priscilla, notaram uma tendência comum no varejo voltado à natureza: a ênfase era dada ao *chegar* à natureza.

– Quando você chega às montanhas ou onde quer que seja, o que você faz, além de caçar e colher coisas? – ele comenta. – Então, passamos a dar ênfase a livros e entretenimentos para aproveitar na natureza.

Os Wrubel pegaram a onda do que o presidente da Nature Company, Roger Bergen, chamou de "mudança do foco nas atividades, que prevaleceu nos anos 1960 e 1970, para o foco no conhecimento dos anos 1980". A Nature Company vende a natureza como estado de espírito, primeiro basicamente para crianças.

– Optamos por elementos verticais fortes feitos de pedra, arcos gigantescos. Isso cria a sensação de que você está entrando no Yosemite Canyon. Nas entradas, criamos córregos de pedra com água corrente – esses córregos são modernistas, o sonho de um arquiteto – explica Tom Wrubel.

A versão dele de natureza é ao mesmo tempo antisséptica e extravagante. Os visitantes passam por um labirinto de produtos: flores preservadas em cúpulas cristalinas; comedouros para pássaros feitos por designers; cobras e dinossauros infláveis; sacos da Nature Company feitos de lascas naturais de cedro oriundas das montanhas do Novo México; "pingentes de pinhas em latão de Actual Cones", de acordo com o cartaz. No ar: os barulhos do vento e da água, de camarões se movendo, de baleias assassinas – cortesia de *The Nature Company Presents: Nature* –, todos disponíveis em CD. Há também "gravações com atmosferas especiais", incluindo *Tranquilidade*, um vídeo de 47 minutos, com uma trilha sonora que o catálogo descreve como "estudo profundamente relaxante e belo sobre as formas e as cores das nuvens, das ondas, dos botões de flor se abrindo e da luz".

Wrubel acreditava sinceramente que suas lojas instigavam uma preocupação com o meio ambiente. Talvez ele estivesse certo.

Esse tipo de projeto hoje permeia shopping centers nos Estados Unidos afora[2]. Por exemplo, o Mall of America, em Minnesota, agora tem seu próprio UnderWater World. John Beardsley, curador que dá aulas na Escola de Design de Harvard, descreve essa atração natural simulada em *Earthworks and Beyond: Contemporary Art in the Landscape*: – Você está em uma melancólica floresta boreal no outono, descendo uma rampa que passa por um riacho borbulhante e tanques de vidro repletos de peixes de água doce nativos das florestas do norte. Ao final da rampa, você sobe por uma escada rolante e segue por um túnel transparente de noventa metros que atravessa um aquário de 4.542 metros cúbicos de água. À volta estão as criaturas de uma sucessão de ecossistemas: os lagos de Minnesota, o rio Mississippi, o golfo do México e um recife de corais.

Ali, de acordo com o slogan, você vai "encontrar tubarões, arraias e outros seres exóticos". Essa "área de natureza planejada", como Beardsley a descreve, "é emblemática de um fenômeno maior". Isso Beardsley chama de a crescente "transformação da natureza em commodity: a tendência comercial cada vez mais difundida que vê e usa a natureza como truque de vendas ou estratégia de marketing, muitas vezes pela produção de réplicas ou simulações". Isso pode ser apresentado em grande escala, mas com frequência o uso da natureza como commodity ocorre de formas menores e mais sutis. Ele explica que esse fenômeno é novo apenas em escala e na medida em que permeia o cotidiano. "Por pelo menos cinco séculos – desde que o monge franciscano do século XV Fra Bernardino Caimi reproduziu os altares da Terra Santa em Sacro Monte, Varallo, na Itália, por causa dos peregrinos que não podiam viajar para Jerusalém –, réplicas de locais sagrados, especialmente cavernas e montanhas sagradas, atraem os devotos", ele escreve. A Exposição Internacional Panama-Pacific realizada em 1915 em San Francisco incluiu uma pequena ferrovia, de acordo com Beardsley, que "apresentava elefantes fabricados, uma réplica completa do Parque Nacional Yellowstone com gêiseres que funcionavam e uma reprodução de uma aldeia Hopi". Hoje, "praticamente aonde quer que olhemos, de modo explícito ou não, a cultura das commodities está reconstruindo a natureza. Rochas sintéticas, imagens captadas de florestas, Rainforest Cafés".

O design de shopping centers e de lojas é uma forma de embalar a natureza para fins comerciais, mas o próximo estágio vai um passo além e usa a própria natureza como mídia de divulgação. Pesquisadores da Universidade do Estado de Nova York, em Buffalo, estão testando uma tecnologia genética com a qual podem escolher as cores que aparecem nas asas de uma borboleta. Esse anúncio em 2002 levou o escritor Matt Richtel a invocar um admirável novo meio de divulgação: "Existem incontáveis possibilidades de levar as peças de publicidade do mundo virtual para o real. Em termos de patrocínio, está na hora de deixar a natureza mostrar do que é capaz"[3]. Os publicitários já estampam suas mensagens na areia molhada das praias públicas. Prefeituras com dificuldades de orçamento torcem para que corporações concordem em gravar seus logos nos parques em troca de verba para a manutenção desses espaços públicos. "A popularidade absoluta" de simular a natureza ou usá-la como canal publicitário "exige que reconheçamos, e até respeitemos, sua importância cultural", sugere Richtel. Culturalmente importante, sim. Mas a extensão lógica da natureza sintética é a irrelevância da "verdadeira" natureza – a certeza de que nem vale a pena olhar para ela.

É verdade, nossa experiência de paisagem natural "muitas vezes ocorre de dentro de um carro, olhando pela janela", como disse Elaine Brooks. Mas agora até mesmo essa conexão visual é opcional. Uma amiga estava procurando um carro de luxo para celebrar seu meio século de sobrevivência neste mundo material. Ela optou por um Mercedes SUV com GPS: basta digitar o destino, e o veículo não apenas fornece um mapa na tela do painel, como dá instruções para chegar até lá. De qualquer maneira, ela sabia qual era o seu limite.

– O queixo do vendedor caiu quando eu disse que não queria um monitor de televisão no banco de trás para minha filha – contou. – Ele quase se recusou a me deixar ir embora da concessionária até entender o porquê. "Produtos de entretenimento multimídia", como são chamados, no banco traseiro e no painel estão rapidamente se tornando o acessório mais estiloso desde os enfeites para pendurar no espelho retrovisor. O público-alvo: pais dispostos a pagar mais por um pouco de paz no banco de trás. As vendas são rápidas, os preços estão caindo. Alguns sistemas incluem fones sem fio com conexão infravermelha. As crianças podem assistir à *Vila Sésamo* ou jogar *Grand Theft Auto* no playstation sem incomodar o motorista.

Por que tantos americanos dizem que querem que os filhos vejam menos televisão, mas continuam a expandir as oportunidades para que eles assistam? Mais importante, por que as pessoas não consideram mais que vale a pena observar o mundo natural? A beira das rodovias pode não ser perfeita como um cartão-postal. Mas, por um século, a primeira noção das crianças de como as cidades e a natureza se encaixam vinha do banco de trás: a casa de fazenda vazia no limite de uma cidade; a diversidade da arquitetura, aqui e ali; as árvores e os campos e a água para além das fronteiras descuidadas – tudo isso estava e está disponível aos olhos. Essa era a paisagem que víamos quando crianças. Era o filme que passavam em nosso carro.

Talvez um dia contemos aos nossos netos histórias sobre a nossa versão das carroças dos pioneiros do século XIX.

– Vocês faziam o *quê*? – eles vão perguntar.

– Pois é – vamos responder. – É verdade. A gente de fato *olhava para fora pela janela do carro*. Em nosso tédio útil, usávamos os dedos para desenhar figuras no vidro embaçado enquanto víamos postes passarem. Víamos pássaros nos fios elétricos e tratores nos campos. Ficávamos impressionados com animais mortos nas estradas e contávamos vacas, cavalos, coiotes e placas de propaganda de creme de barbear. Olhávamos com reverência para o horizonte, enquanto as nuvens carregadas e a chuva se moviam conosco. Brincávamos com carrinhos de plástico contra o vidro e fingíamos que eles também estavam correndo na direção de algum destino desconhecido. Nós considerávamos o passado e sonhávamos com o futuro; víamos tudo passar num piscar de olhos.

Sabão
Pode funcionar
Para rapazes com penugem
Mas o senhor não é
o garoto, o senhor usa
Burma-Shave.

A beira das estradas dos Estados Unidos se tornou tão tediosa? Em algumas regiões, sim, mas em geral elas são instrutivas em sua beleza, até em sua feiúra. Hugh A. Mulligan, em uma matéria para a *Associated Press* sobre viagens de trem, citou uma lembrança do escritor John Cheever sobre a "paisagem pacificadora" que era vista no passado pelos moradores dos bairros residenciais que pegam o trem para ir ao trabalho: "Parecia que os pescadores, os banhistas solitários, os guardas dos cruzamentos, os jogadores nos terrenos baldios, os donos dos pequenos barcos a vela e os velhos jogando cartas eram as pessoas que costuravam os grandes buracos do mundo feitos por pessoas como eu". Essas imagens ainda existem, mesmo nos Estados Unidos dos shopping centers. Existe um mundo real, para além do vidro, para as crianças que veem, para aquelas encorajadas pelos pais a olhar de verdade.

O surgimento do autismo cultural

Nos cantos mais desprovidos de natureza do nosso mundo, percebemos o surgimento do que pode ser considerado um autismo cultural. Os sintomas? Sentidos atrofiados e sensação de isolamento e confinamento. A experiência, incluindo o risco físico, está encolhendo até basicamente o tamanho de uma tela de televisão – ou um monitor de computador, se você preferir. A atrofia dos sentidos estava ocorrendo muito antes de sermos bombardeados com a última geração de computadores, televisões de alta definição e celulares. As crianças urbanas, e muitas crianças suburbanas, há tempos foram isoladas do mundo natural por causa de uma carência de parques nos bairros ou por falta de oportunidade – falta de tempo e dinheiro de pais que poderiam tirá-los da cidade se tivessem essas duas coisas. Mas a nova tecnologia acelera o fenômeno.

– O que vejo hoje nos Estados Unidos é quase um zelo religioso pela abordagem tecnológica de cada faceta da vida – diz Daniel Yankelovich, analista veterano de opinião pública. Essa fé, ele diz, transcende o interesse por novas máquinas. – É um conjunto de valores, uma forma de pensar, e pode se tornar ilusório.

O finado Edward Reed, professor associado de psicologia da Faculdade Franklin and Marshall, foi um dos críticos mais articulados do mito da era da informação. Em *The Necessity of Experience*, ele ecreveu: "Há algo de errado com uma sociedade que gasta tanto dinheiro, além de incontáveis horas de esforço humano, para tornar os menores vestígios de informação processada disponíveis para todo mundo em toda parte e, no entanto, que faz pouco ou nada para nos ajudar a explorar o mundo por conta própria". Nenhuma das maiores instituições ou da cultura popular presta muita atenção ao que ele chamou de "experiência primária" – aquela que vemos, sentimos, degustamos, ouvimos ou cheiramos por conta própria. De acordo com Reed, estamos começando a "perder a habilidade de vivenciar o mundo diretamente. O termo 'experiência' foi esvaziado de sentido. O que temos como experiência no cotidiano também está empobrecido". René Descartes argumentou que a realidade física é tão efêmera que as pessoas só podem experimentar suas interpretações pessoais e internas de informações que venham dos sentidos. A visão de Descartes "se tornou uma grande força cultural do mundo", escreveu Reed, um dos diversos psicólogos e filósofos que apontaram para a aceleração pós-moderna da experiência indireta. Eles propuseram uma visão alternativa – a psicologia ecológica (ou ecopsicologia) – alicerçada nas ideias de John Dewey, o educador mais influente dos Estados Unidos. Dewey alertou, um século atrás, que a adoração da experiência secundária na infância vinha com o risco da despersonalização da vida humana.

O professor da Universidade Estadual da Carolina do Norte, Robin Moore, coordena um programa de pesquisa e de projetos que promove o ambiente natural na vida de crianças. Ele leva Reed e Dewey a sério em sua análise do brincar na infância pós-moderna. A experiência primária na natureza está sendo substituída, ele escreve, "pela experiência secundária, substituta, muitas vezes distorcida, bissensorial (apenas visão e audição) e de mão única da televisão e de outras mídias eletrônicas". De acordo com Moore,

> As crianças vivem pelos sentidos. As experiências sensoriais ligam o mundo exterior da criança ao mundo interior, escondido, afetivo. Como o ambiente natural é a principal fonte de estímulo sensorial, liberdade para explorar e brincar com o mundo exterior pelos sentidos em seu próprio espaço e tempo são essenciais para o desenvolvimento saudável de uma vida interior... Esse tipo de interação automotivada e espontânea é o que chamamos de brincar livre. Cada criança testa a si mesma interagindo com o ambiente, ativando seu potencial e reconstruindo a cultura humana. O conteúdo do ambiente é um fator fundamental nesse processo. Um ambiente rico e aberto vai apresentar continuamente escolhas alternativas para um envolvimento criativo. Um ambiente rígido e insosso acaba limitando o crescimento e o desenvolvimento saudável do indivíduo ou do grupo.[4]

Pouco se sabe sobre o impacto das novas tecnologias na saúde emocional das crianças, mas temos algum conhecimento sobre as implicações para os adultos. Em 1998, um estudo polêmico da Universidade Carnegie Mellon descobriu que pessoas que passam até mesmo poucas horas na internet por semana têm níveis mais altos de depressão e solidão do que as pessoas que usam a internet com pouca frequência[5]. Psicólogos e psiquiatras empreendedores hoje tratam pacientes com dependência de internet.

Enquanto nos separamos cada vez mais da natureza, também nos separamos uns dos outros fisicamente. Os efeitos vão muito além da pele, diz Nancy Dess, cientista sênior da American Psychological Association.

– Nenhuma das novas tecnologias de comunicação envolve o toque humano. Todas elas tendem a nos colocar um passo mais longe do contato direto. Acrescente isso às mudanças voltadas para o controle no local de trabalho e nas escolas, onde as pessoas muitas vezes são proibidas, ou pelo menos desencorajadas, a manter qualquer tipo de contato físico, e surge um problema – diz ela.

Sem esse contato, bebês primatas morrem; adultos primatas com deficit de contato se tornam mais agressivos. Estudos sobre primatas também demonstram que o contato físico é essencial para o processo de pacificação.

– De modo perverso, muitas pessoas em um dia comum podem não trocar mais do que um aperto de mão – ela acrescenta.

A diminuição do contato físico é só um derivado da cultura do controle tecnológico, mas Dess acredita que isso contribui para os índices de violência em uma sociedade cada vez mais tensa.

Frank Wilson, professor de neurologia da Faculdade de Medicina da Universidade Stanford, é especialista na coevolução da mão e do cérebro do hominídeo. Em *The Hand*, ele defende que uma dessas partes não teria evoluído à atual sofisticação sem a outra. Ele diz: "Fomos enganados – especialmente os pais – sobre o valor da experiência informatizada. Somos criaturas identificadas pelo que fazemos com as mãos". Boa parte do aprendizado humano vem de fazer, de criar, de sentir com as mãos; e ainda que muitos preferissem acreditar que é diferente, o mundo não está totalmente disponível a partir de um teclado. Para Wilson, desprezamos o que é manual achando que ficaremos mais inteligentes. Professores em faculdades de medicina estão achando cada vez mais difícil ensinar que o coração funciona como uma bomba, ele diz, "porque esses alunos têm pouca experiência no mundo real. Eles nunca peneiraram nada, nunca consertaram um carro, nunca usaram uma bomba de combustível, talvez nem tenham conectado uma mangueira de jardim. Para uma geração inteira de crianças, experiências diretas no jardim, no galpão de ferramentas, no campo e no mato foram substituídas pelo aprendizado indireto, por meio de máquinas. Esses jovens são espertos, eles cresceram com computadores, deveriam ser superiores – mas agora sabemos que algo está faltando".

A reserva infinita

Não é surpresa que, conforme os jovens crescem em um mundo de estímulos sensoriais limitados que os sobrecarregam, muitos desenvolvem um jeito de ser tenso e sabe-tudo. O que não pode ser achado no Google não conta. No entanto, um mundo mais pleno, maior, mais misterioso, um mundo digno do fascínio infantil, está disponível para as crianças e para o resto de nós. Bill McKibben, em *The Age of Missing Information*, argumenta que "a definição de aldeia global da televisão é justamente o oposto – é um lugar onde existe o mínimo de variedade possível e onde o máximo de informação é eliminada para facilitar a 'comunicação'". Ele descreve sua experiência com uma montanha próxima: "A montanha diz que você vive em um lugar específico. Apesar de ser uma área pequena, apenas um e meio ou três quilômetros quadrados, tive que visitá-la muitas vezes para começar a aprender seus segredos. Aqui estão os mirtilos, e aqui estão os mirtilos maiores... Você passa por cem plantas diferentes pelo caminho – eu talvez conheça vinte. É possível levar uma vida inteira aprendendo sobre uma pequena cadeia de montanhas, e tempos atrás era o que as pessoas faziam".

Qualquer espaço natural contém uma reserva infinita de informações, portanto, um potencial para inesgotáveis descobertas novas. Como diz o naturalista Robert Michael Pyle, "um lugar natural me tira de mim mesmo, do escopo limitado da atividade humana, e isso não é misantrópico. O sentimento de pertencimento a um lugar é uma forma de abraçar a humanidade entre todos os seus vizinhos. É uma entrada para um mundo maior".

Durante minhas visitas a escolas de ensino fundamental, ensino médio e superior, uma discussão sobre os sentidos inevitavelmente surgia quando falávamos sobre a natureza. Às vezes eu perguntava de forma direta; outras vezes, os estudantes traziam o assunto à tona na sala de aula ou depois, por meio de redações e ensaios. As respostas faladas muitas vezes eram hesitantes, como que tateando algo. Pelo jeito, era um tópico que poucos, ou nenhum deles, tinha elaborado antes. Para alguns jovens, a natureza é tão abstrata – a camada de ozônio, uma floresta tropical distante – que existe para além dos sentidos. Para outros, a natureza é um simples pano de fundo, um item de consumo descartável. Um aluno de uma classe em Potomac, Maryland, descreveu sua relação com a natureza como instável, na melhor das hipóteses. – Como a maioria, eu exploro o que ela oferece e faço com isso o que eu quiser – disse.

O garoto pensava na natureza como um meio para um fim, como uma ferramenta, algo que foi feito para ser usado e admirado, não algo para ser vivido.

– A natureza para mim é como minha casa ou até como meu quarto bagunçado. Ela tem coisas em si que podem ser usadas. Eu digo: "use, faça o que quiser, a casa é sua".

Ele não fez menção aos sentidos, não viu ou não compreendeu nada da complexidade. Admirei sua honestidade.

No entanto, outros jovens, quando instigados, de fato descreveram como experiências na natureza despertavam seus sentidos. Por exemplo, um garoto recordou sua experiência sensorial ao acampar, "a chama vermelha e laranja dançando na escuridão, a fumaça subindo, meus olhos e minhas narinas ardendo...".

A experiência do irreprimível Jared Grano, aluno do nono ano cujo pai é diretor de escola, contém uma mensagem positiva para quem se preocupa em talvez alienar os filhos em relação à natureza ao levá-los nas temidas férias em família. Ele reclamou que, ainda que as férias devessem ser uma fuga de tudo, "infelizmente, precisei levar todos comigo! Meus pais, meu irmão e minha irmã mais novos viajaram comigo em um forno sobre rodas por mais de uma semana. O Grand Canyon? Eu não estava com pressa de ver. Imaginei que fosse estar lá me esperando depois". Quando a família chegou, Jared olhou para "os incríveis templos do cânion". Seu primeiro pensamento foi "parece uma pintura". Ele ficou impressionado com a beleza e a grandeza do entorno. "Mas, depois de ver o cânion de diferentes pontos, eu estava pronto para ir embora. Apesar de ser magnífico, senti que não fazia parte daquilo

– e, sem essa identificação, o local parecia pouco mais do que um buraco gigantesco no chão." Mas as férias estavam apenas começando, e a mentalidade sabe-tudo talvez pudesse ceder. Depois do Grand Canyon, a família foi para o Monumento Nacional Walnut Canyon, que é menor e fica perto de Flagstaff, no Arizona. Jared imaginou que o Walnut Canyon seria parecido com o Grand Canyon, "interessante de olhar, mas nada que prendesse minha atenção".

Novecentos anos atrás, o povo sinagua construiu casas sob as reentrâncias das falésias. Com 30 quilômetros de comprimento, 120 metros de profundidade e 400 metros de largura, o cânion é povoado por urubus, assim como alces e catetos. As diferentes zonas de vida se sobrepõem, fazendo com que espécies que normalmente vivem separadas estejam juntas. Cactos crescem ao lado de pinheiros. Jared descreveu detalhes da trilha que percorreu, como os arbustos eram baixos, desgrenhados e pareciam estar ali fazia muito tempo, além da forma dos pinheiros altos que ficavam no vale. "Enquanto seguíamos a trilha para entrar no cânion, o céu ficou escuro de repente. Começou a chover, e a chuva logo se tornou granizo", ele escreveu. "Encontramos abrigo em uma das antigas cavernas indígenas. Os raios iluminavam o cânion, e o som das trovoadas reverberava na caverna. Enquanto esperávamos a tempestade acabar, minha família e eu conversamos sobre os índios que já tinham morado ali. Discutimos como eles cozinhavam, dormiam e encontravam abrigo nas cavernas – assim como nós estávamos fazendo." Ele olhou para o cânion em meio à chuva. "Finalmente senti que fazia parte da natureza." O contexto de Jared mudou. Ele estava imerso em história viva, observando eventos naturais para além de seu controle, profundamente atento a tudo. Ele estava *vivo*.

Com certeza, esses momentos são mais do que memórias agradáveis. Os jovens não precisam de aventuras dramáticas nem de férias na África. Eles só precisam sentir o gosto, o toque, ouvir um som – ou, como no caso de Jared, tomar chuva – para se reconectar com o desvanecido mundo dos sentidos.

A mentalidade e o jeito sabe-tudo são, na verdade, bastante vulneráveis. Em um lampejo, pegam fogo, e algo essencial emerge das cinzas.

6. A "oitava inteligência"

QUANDO ERA CRIANÇA, Ben Franklin vivia a um quarteirão do porto de Boston. Em 1715, quando Ben tinha nove anos, seu irmão mais velho se perdeu no mar, mas Ben não foi impedido de continuar a conviver com o oceano. "Morando perto da água, fui muito envolvido e mobilizado por ela, aprendi a nadar bem, a manejar embarcações e, quando estava em um barco ou uma canoa com outros garotos, era comum que me deixassem no comando, especialmente em casos de dificuldade"[1], ele escreveria mais tarde.

Esse amor pela água e sua inclinação para a mecânica e pela invenção se fundiram e o levaram a um de seus primeiros experimentos.

Num dia de vento forte, Ben estava empinando pipa nas margens do Mill Pond, área de contenção de água da maré alta. Durante uma ventania quente, Ben amarrou a pipa a uma estaca, tirou a roupa e mergulhou.

"A água estava fresca e agradável, e ele ficou relutante em sair, mas queria empinar a pipa um pouco mais", escreveu o biógrafo H. W. Brands. "Ele ponderou sobre o dilema até lhe ocorrer que não precisava abrir mão de uma diversão pela outra." Ao sair do lago, Ben desamarrou a pipa e voltou para a água. "Quando o poder de flutuação da água diminuiu a força da gravidade em seus pés, Ben sentiu a pipa puxando-o para a frente. Ele se rendeu ao poder do vento, deitou de costas e deixou a pipa levá-lo pelo lago sem o mínimo esforço e com muito prazer."

Ele aplicou a mente de um cientista às lições dos sentidos e usou sua experiência direta com a natureza para resolver um problema. Hoje, claro, levamos boa parte dos experimentos científicos para o campo eletrônico, mas sem dúvida a base desses experimentos continua sendo o tipo de experiência que Ben desfrutou quando se rendeu ao poder do vento.

Inteligência naturalista: prestando atenção

Howard Gardner, professor de educação na Universidade Harvard, desenvolveu sua influente teoria das inteligências múltiplas em 1983. Gardner afirmou que a ideia tradicional de inteligência, baseada em testes de QI, era excessivamente limitada; em vez disso, ele propôs sete tipos de inteligência para dar conta de um espectro maior do potencial humano. São elas: inteligência linguística; inteligência lógico-matemática; inteligência espacial (pictórica); inteligência corporal-cinestésica; inteligência musical; inteligência interpessoal; e inteligência intrapessoal (do eu).

Mais recentemente, ele adicionou uma oitava inteligência: a naturalista (da natureza). Charles Darwin, John Muir e Rachel Carson são exemplos desse tipo de inteligência. Gardner explicou:

> O núcleo da inteligência naturalista é a habilidade humana de reconhecer plantas, animais e outros componentes do mundo natural, como nuvens ou rochas. Todos nós podemos fazê-lo; algumas crianças (especialistas em dinossauros) e muitos adultos (caçadores, botânicos, anatomistas) se destacam nessas áreas. Enquanto a habilidade sem dúvida evoluiu para lidar com os elementos naturais, acredito que ela tenha sido desviada para lidar com o mundo dos objetos feitos pelo homem. Somos bons em distinguir entre modelos de carros, tênis e joias, por exemplo, porque nossos ancestrais precisavam ser capazes de reconhecer animais carnívoros, cobras venenosas e cogumelos saborosos.[2]

O trabalho monumental de Gardner, que ajudou a moldar a educação pública e privada, fez uso de descobertas da pesquisa neurofisiológica para detalhar partes do cérebro que se correlacionam com cada inteligência identificada. Ele mostrou que os humanos podiam perder um dos tipos específicos de inteligência por causa de uma doença ou uma lesão. A inteligência naturalista não está tão claramente ligada a evidências biológicas.

"Se me fosse dada mais uma vida ou duas, eu gostaria de repensar a natureza da inteligência com relação a nosso novo conhecimento biológico, por um lado, e a nossa compreensão mais sofisticada sobre o campo do conhecimento e da prática social, do outro", ele escreveu em 2003[3].

O movimento montessoriano, junto com outras abordagens educacionais, faz essa conexão há décadas. No entanto, o impacto da experiência na natureza durante a primeira infância é, em termos da neurociência, pouco estudado. A designação de Gardner da oitava inteligência sugere outra rica área de pesquisa, mas sua teoria tem uma aplicação imediata para pais e professores que, de outra forma, poderiam menosprezar a importância da experiência com a natureza para o aprendizado e o desenvolvimento infantis.

A professora Leslie Owen Wilson dá cursos de psicologia educacional e teorias do aprendizado na Faculdade de Educação da Universidade de Wisconsin, que oferece um dos melhores programas em educação ambiental. Ela é uma das que aguarda evidências biológicas mais definitivas. Contudo, ela oferece uma lista de indicadores de crianças com a oitava inteligência. Essas crianças, explica a professora:

1. Têm habilidades sensoriais aguçadas, incluindo visão, audição, olfato, paladar e tato.
2. Fazem pronto uso de suas habilidades sensoriais aguçadas para notar e categorizar elementos do mundo natural.
3. Gostam de estar ao ar livre ou gostam de atividades externas, como jardinagem, caminhadas ou excursões voltadas para a observação da natureza ou de fenômenos naturais.
4. Notam com facilidade padrões do entorno – equivalências, diferenças, semelhanças, anomalias.
5. Têm interesse e se importam com animais ou plantas.
6. Notam coisas no ambiente em que outros não repararam.
7. Criam, mantêm ou têm coleções, cadernos, registros ou diários sobre objetos naturais – que podem incluir observações por escrito, desenhos, imagens ou espécimes.
8. Têm profundo interesse, desde cedo, em programas de televisão, vídeos, livros ou objetos sobre a natureza, a ciência ou os animais.
9. Demonstram uma consciência mais aguda e uma preocupação com o meio ambiente e/ou com as espécies em perigo de extinção.
10. Aprendem com facilidade características, nomes, categorizações e dados sobre objetos e espécies encontrados no mundo natural.

Alguns professores, como veremos a seguir, estão fazendo bom uso de seu conhecimento sobre a oitava inteligência. No entanto, o problema com uma lista tão útil de indicadores é que alguns adultos podem fazer um uso incorreto dela para interpretar a inteligência naturalista como uma modalidade distinta, que de alguma forma é relegada a um estereótipo: o menino ou a menina que gostam de natureza, as crianças que colecionam cobras ou ficam perto do aquário da sala de aula (se a escola tiver a sorte de ter um). É improvável que os professores de Ben Franklin pensassem nele como o menino que gosta de natureza, mas com certeza seus sentidos aguçados e sua habilidade de ver conexões naturais estavam ligados a suas experiências transcendentes na natureza. Se tiverem as experiências de desenvolvimento adequadas, as crianças são capazes de se sintonizar com todos os tipos de aprendizado.

Gardner atraiu a atenção necessária para o fato de que a inteligência não deve ser definida estritamente como linguística ou lógico-matemática. Além disso, ele enfatiza que as crianças podem ter várias das oito inteligências, ou todas elas, em diferentes graus. O primeiro indicador de Wilson é "habilidades sensoriais aguçadas". Com certeza, todas as inteligências ensinam as crianças a prestar atenção, mas, como veremos em outro capítulo, provavelmente existe alguma coisa peculiar nas experiências na natureza que funcionam bem para afinar a atenção – e não só porque a natureza é interessante.

Janet Fout, ativista ambiental da Virginia ocidental, me contou que, quando sua filha era pequena, ela a encorajava a reparar nos detalhes, a detectá-los com todos os sentidos. A afinidade da própria Janet com o mundo natural começou cedo. Hoje com cinquenta e poucos anos, Janet foi criada na casa da avó, na cidade. A avó se mudou para lá depois de viver quarenta anos na dura zona rural da Virgínia ocidental. A casa branca simples ficava de frente para uma das poucas estradas de terra remanescentes em Huntington. Dia e noite, ela e as outras crianças do bairro passavam horas brincando de esconde-esconde ou estátua. Uma árvore do jardim da entrada oferecia um galho longo o bastante para segurar, se pendurar e dar impulso, além de servir como esconderijo e refúgio, "um lugar onde eu podia contemplar a vida e meu futuro, sem interrupções, e alimentar meus sonhos mais loucos". Suas lembranças estão cheias de aprendizado sensorial e atenção:

> Em geral, minha avó me ameaçava com uma surra de vara para me fazer entrar, e um salgueiro sinuoso no quintal do vizinho fornecia todos os galhos finos de que ela precisava para me convencer – mesmo quando o tempo ficava "ruim". O que nós chamamos de tempo "ruim" agora era considerado por mim como oportunidade. Eu nunca julgava o tempo nessa época, mas aproveitava a mudança dos ventos. As chuvas de verão me faziam entrar correndo em busca de uma roupa de banho e sair de novo para me encharcar, totalmente vestida se a roupa de banho não fosse encontrada. A chuva na estrada de terra da Twelfth tinha um cheiro próprio – diferente ao cair sobre a terra do que sobre o asfalto, os tijolos ou o concreto.

Quando a tempestade era especialmente forte, eu ia para a Avenida Monroe, onde drenos cheios criavam uma "piscina" instantânea cheia de água e lá nadava e brincava. As folhas se tornavam barcos à vela que desviavam dos perigos de serem levadas pelo redemoinho do dreno de chuva. Uma boa chuva significava que poças de lama estavam se formando, e minha criatividade, como a chuva nas valetas, começava a fluir. Se uma tempestade desencadeava toda a fúria com raios e trovões, eu me aninhava corajosamente na grande varanda com as outras crianças, fazendo os barulhos adequados de espanto ou terror. Tempestades de granizo, associadas a frentes frias, que transformavam enormes gotas de chuva em gelo, eram as melhores de todas – o calor absurdo de um dia de verão magicamente desaparecia. Granizo do tamanho de bolas de golfe eram mísseis ótimos para atirar em inimigos imaginários.

Às vezes, em noites de verão, perto da hora de dormir, eu enchia um pote com vagalumes, levava para dentro do meu quarto escuro e ficava maravilhada com a iluminação iridescente e aleatória que esses insetos emanavam – soltando um no quarto e devolvendo os demais à liberdade. Em silêncio, eu ficava deitada na cama, vendo essa forma luminosa voar, isolada como eu, de seus demais. Logo, impressionada e acalmada pela luz ocasional, eu pegava no sono.

Quase desde o nascimento de sua filha, Julia Fletcher, mãe e filha passavam um tempo juntas na natureza, não só nas montanhas, mas também na natureza seminatural de seu próprio quintal. Essas ocasiões aumentavam os poderes de observação de Julia. Janet recorda:

– Uma de nossas brincadeiras favoritas era inventar nomes para cores incomuns que víamos na natureza. – Aquela se chama luz de vela – Julia dizia enquanto observávamos o pôr do sol. Eu costumava provocá-la, dizendo que ela podia arranjar um emprego dando nomes para a empresa de giz de cera Crayola!

Janet e Julia também inventavam jogos da natureza. Enquanto passeavam pelas matas, tentavam ouvir "os sons que não conseguiam escutar". Janet chamava esse jogo de "O som de uma criatura que não está se mexendo". A lista podia incluir:

seiva subindo
flocos de neve se formando e caindo
nascer do sol
lua surgindo
orvalho na relva
semente germinando
minhoca se movendo no solo
cacto assando sob o sol
mitose

maçã amadurecendo
penas
madeira petrificando
dente apodrecendo
aranha tecendo sua teia
mosca sendo presa pela teia
folha mudando de cor
salmão desovando

Então a lista crescia para além da natureza, como o som que ocorre...

depois que a batuta do maestro para de se levantar

Apesar de a vida adulta de Julia estar no início, Janet acredita que prestar atenção desde cedo aos detalhes da natureza teve um papel enorme no desenvolvimento da fala, da escrita e da aptidão artística da filha e que sua forte atenção aos detalhes vai continuar sendo útil.

– Ao contrário de muitos de seus colegas, Julia não se impressiona com facilidade – diz Janet. – O que é real, o que é perene – a vista do cume de uma montanha, uma ave de rapina voando, um arco-íris depois de uma chuva de verão – essas coisas deixam uma impressão duradoura nela.

A esfera da influência materna de Janet diminuiu, claro. Sua filha passa menos tempo ao ar livre. Mas Julia não perdeu o amor pela natureza, pela solitude e pelos prazeres simples.

– Esses valores estão profundamente enraizados naqueles primeiros anos – conta Janet sobre os anos em que ela e Julia ouviam os sons das criaturas que não se moviam.

Recobrando os sentidos

Um dos maiores especialistas em borboletas, Robert Michael Pyle, ensina crianças sobre os insetos colocando um espécime vivo no nariz delas a fim de que a própria borboleta ensine.

– O nariz parece ser o apoio perfeito para relaxar, e o inseto costuma ficar algum tempo ali. Quase todo mundo adora isso: as leves cócegas, as cores vistas de perto, o movimento de uma língua procurando gotículas de suor. Mas, em algum lugar além do prazer, há a iluminação. Fico estupefato com as pequenas epifanias que vejo nos olhos das crianças em contato genuíno e próximo com a natureza, talvez pela primeira vez. Isso também pode acontecer com adultos, fazendo-os lembrar de algo que nem sabiam que tinham esquecido[4].

Talvez a oitava inteligência seja a inteligência dentro da natureza, as aulas esperando para serem dadas se alguém aparecer.

É assim que Leslie Stephens vê a necessidade de natureza na educação. Mãe em tempo integral especialmente conectada com a natureza, ela cresceu em San Diego e se descreve como uma "moleca", zanzando pelo Tecolote Canyon com sua Weimaraner, Olga, ao lado. Naqueles anos, o Tecolote Canyon era um local selvagem, no limite da área residencial, coberto com chaparral* e repleto de sálvias. Coiotes e veados chegavam até lá pelas áreas de subúrbio. Sua família passava a maior parte das tardes de verão em Shell Beach, La Jolla, e todo mês de agosto ela viajava para a casa dos avós em Ryan Dam, nas Great Falls do rio Missouri, em Montana. Quando tinha treze anos, o braço do cânion onde ela costumava brincar foi arado por tratores e casas foram construídas no local.

Quando ela teve filhos, a família se mudou para os arredores de outro cânion, chamado Deer Canyon. Lá, ela conta, "é nossa pequena, estreita e profunda área de natureza selvagem". Stephens quer que os filhos aprendam com essa fronteira de um outro universo, assim como ela mesma fez. O cânion estimula não apenas o espírito das crianças, mas também seu intelecto. Ela conta como, quando era menina, seu cânion lhe ensinou uma definição mais ampla de abrigo e lhe deu "uma profunda compreensão de como o mundo funciona":

> Uma criança que pode correr livre por uma área natural rapidamente vai começar a olhar em volta em busca de um abrigo especial. A estrutura interior dos arbustos será inspecionada e avaliada para a criança saber se funciona como cabana. Árvores, especialmente as maduras, se tornam castelos imponentes, e os melhores galhos para escalar são reivindicados como "aposentos". Em contraste, a exposição que uma criança sente ao correr por uma encosta cheia de grama ensolarada ou por um descampado vasto e aberto permite que ela sinta a ausência de abrigo. É apenas vivenciando os dois opostos que as crianças começam a entender cada um deles com mais profundidade.
>
> A natureza também ensina, ou pode ensinar, sobre amizade. Claro que as crianças podem aprender sobre isso em qualquer lugar, mas existe alguma coisa de diferente na amizade que se forma ao ar livre.

---

* O chaparral da Califórnia é um dos ecossistemas mais ameaçados da América do Norte, caracterizado predominantemente por vegetação e clima mediterrâneos. (N.R.T.)

Quando eu tinha a idade de meus filhos, depois da aula ou nos fins de semana, todo mundo que queria fazer amigos simplesmente ia até o velho carvalho que crescia ao lado do riacho sazonal. Era uma árvore ótima para subir, e alguém tinha amarrado uma corda pesada em um dos galhos mais fortes. Nós corríamos, saltávamos e agarrávamos a corda para nos balançar loucamente, limpando as pedras lisas e as rochas do fundo do riacho. Não me lembro de ninguém se machucar ali e, quando penso no assunto, acho que mesmo que testássemos os limites uns dos outros, todo mundo conhecia os próprios limites. A ordem se estabelecia de um jeito não dito. Éramos amigos e nos aceitávamos. Estarmos juntos era suficiente. A dimensão selvagem do lugar nos unia, e sentíamos uma conexão que ia além da comunicação verbal para um conhecimento mais profundo.

As lembranças de Stephens fazem lembrar os estudos fascinantes, ainda que escassos, que sugerem que as crianças que passam mais tempo brincando ao ar livre têm mais amigos. Sem dúvida, as amizades mais profundas surgem da experiência compartilhada, em especial em ambientes em que todos os sentidos estão avivados. Em algum nível, descobrir – ou redescobrir – a natureza pelos sentidos é apenas uma forma de aprender, de prestar atenção. E prestar atenção é mais fácil quando você está de fato fazendo alguma coisa, não apenas considerando como essa coisa pode ser feita.

John Rick, professor dos anos finais do ensino fundamental que me ensinou sobre o número cada vez maior de restrições legais e regulatórias em relação ao brincar na natureza, cresceu nos anos 1960. Atrás da casa de sua família, havia um terreno baldio. Naquela época, eram três os canais de televisão locais, um deles em espanhol. Computadores e video games não existiam. Ele passava seu tempo livre explorando a área, assim como um número incontável de crianças fazia na época. Rick conta:

> Eu me lembro do quanto meu pai ficava furioso quando não havia uma pá na garagem. Era porque eu as tinha levado para cavar tocas de raposa fundas o bastante para agachar lá dentro e cobrir com compensados. Até nos dávamos ao trabalho de disfarçar tudo com plantas e terra. Na maioria das vezes, o telhado desabava sobre nós, mas fomos aprendendo. Havia também outras aventuras: balanços em árvores, pipas com sessenta metros de fio. Meu pai ajudava quando podia, mas na maior parte do tempo ele nos deixava experimentar: fazer experiências, testes, fracassar ou ter sucesso. Aprendemos muito mais do que teria acontecido se alguém tivesse nos mostrado o jeito certo de fazer as coisas toda vez. Nossos fracassos nos deram uma compreensão profunda e intrínseca de como as coisas funcionavam. Entendemos as leis da física muito antes de as aprendermos na escola.

Escola em uma árvore

A natureza pode estimular a oitava inteligência (e provavelmente todas as outras) de incontáveis maneiras. Mas meu coração tem um ponto fraco por casas na árvore, que sempre transmitiram certa magia e conhecimentos práticos.

A história de Rick me fez lembrar minha antiga carreira de arquiteto de casas na árvore, aos nove ou dez anos. Eu não era bom jogando bola, mas conseguia escalar um tronco de árvore e martelar pregos numa tábua com estilo. Um verão, coordenei uma equipe de cinco ou seis meninos para pegar a madeira que "tinha sobrado" de uma obra da região. Nos anos 1950 não considerávamos isso roubo – ainda que com certeza fosse. Pilhas de madeira, parte com concreto grudado, subiam ao lado dos buracos da fundação que se tornavam pequenas lagoas depois das tempestades de verão. Os pedreiros faziam vista grossa quando levávamos tábuas de 1,0 x 2,5 metros e ripas de 50 x 100 milímetros. Nossos bolsos ficavam cheios de pregos que recolhíamos do chão.

Nós pensávamos ter escolhido o maior carvalho da região: uma árvore que devia ter duzentos anos. Construímos uma casa de quatro andares com chão vedado, pelo qual entrávamos por um alçapão no piso do segundo andar. Cada andar se tornava mais elaborado e maior conforme as galhos da árvore se abriam. O último andar era um ninho de corvo que só podia ser alcançado saindo do terceiro andar e engatinhando três metros por um galho grosso, saltando para um galho mais alto, que descia até chegar perto do primeiro; então era preciso atravessar esse galho até o ninho – mais de doze metros acima do chão. A casa na árvore contava com cordas, polias e duas cestas. Esse espaço se tornou nosso navio, nossa espaçonave, nosso forte apache, e de lá podíamos ver ao norte, por cima dos milharais, a grandiosa floresta escura. Pensar naquela casa na árvore hoje, no contexto de nossa sociedade litigiosa, me dá calafrios.

Voltei anos depois, e a velha árvore estava bem. O único sinal de civilização em seus galhos eram duas ou três tábuas acinzentadas. Se você passar hoje pelo meio-oeste dos Estados Unidos ou, na verdade, por qualquer região florestada do país, vai ver artefatos parecidos, os esqueletos de casas na árvore do passado. Mas não vai ver muitas versões atuais. As que existem quase sempre foram construídas por adultos, às vezes para si mesmos.

Os adultos se apropriaram das casas na árvore, assim como do Halloween. (Talvez o termo seja "se reapropriaram": os Médici construíram uma casa de mármore em uma árvore durante a Renascença, e uma cidade perto de Paris ficou famosa em meados do século XIX pelos restaurantes que ficavam em árvores.) Livros elaborados para adultos orientam quem vai construir casas na árvore a colocar tábuas sobre os galhos maiores e mais próximos do tronco; a prender as tábuas de modo que resistam ao vento e ao empenamento; a usar cordas de fibra natural, não náilon. Eles aconselham que o piso da casa seja levemente inclinado para permitir o escoamento da água; que a escada não seja pregada ao tronco, mas amarrada à árvore, e seja independente; e assim por diante.

Como um arquiteto de casas na árvore, essas informações me teriam sido úteis, mas eu me virei sem elas. Construímos aquela casa na árvore suficientemente bem para nossas necessidades. Nenhum de meus companheiros de obra se machucou, pelo menos não de um jeito sério. Foi uma árvore de aprendizado. Com ela, aprendemos a confiar em nós mesmos e em nossas habilidades.

Recentemente, conversei sobre a arte de construir casas na árvore com um amigo, o arquiteto Alberto Lau, que também planeja a construção de diversas escolas novas em minha cidade. Alberto cresceu na Guatemala. – Só nessa sociedade de abundância as crianças conseguiriam esses materiais de construção de graça – ele comentou, balançando a cabeça.

Mais tarde, ele me mandou uma lista do que meus jovens sócios e eu devemos ter aprendido quando fizemos aquela casa na árvore:

- Os tamanhos mais comuns de tábuas, compensados de 1,2 x 2,4 metros e ripas de 50 x 100 milímetros, além do tamanho dos pregos.
- A amarração diagonal fortalece a estrutura, quer seja aplicada em um canto para sustentar a plataforma, quer seja o chão da casa na árvore.
- A função das dobradiças, se elas foram usadas na porta do alçapão.
- A diferença entre parafusos e pregos.
- Como fazer escadas, se era assim que vocês iam de um andar para outro.
- O funcionamento das polias.
- A inclinação do telhado, fosse para imitar as casas de verdade, ou porque vocês estavam começando a entender que a inclinação serve para escorrer a chuva.
- A colocação, o lado mais estreito da estrutura para cima; vocês estavam aprendendo sobre a "força dos materiais", matéria ensinada na Faculdade de Engenharia.

- O corte com serrote manual.
- As medidas e a geometria tridimensional.
- Como o tamanho de um corpo se relaciona com o mundo: seus braços e suas pernas em relação ao diâmetro do tronco da árvore; sua altura em relação à altura da árvore; suas pernas em relação ao espaçamento dos degraus da escada; seu alcance em relação ao espaçamento dos galhos das árvores; sua circunferência em relação ao tamanho da porta de alçapão; a altura a partir da qual era seguro pular etc.

– Mais uma coisa – ele acrescentou. – Vocês provavelmente aprenderam com seus fracassos mais do que com o sucesso. Talvez uma corda partida pelo excesso de peso; uma tábua ou uma ripa arrancada porque o prego usado era pequeno demais. Também aprenderam, na prática, um dos princípios essenciais da engenharia: você pode resolver qualquer problema complexo dividindo-o em problemas menores e mais simples. Vocês talvez tenham dividido o problema da construção da casa assim: que árvore escolher; como subir nela; em que lugar da árvore construir a casa; de que materiais precisariam; onde obter os materiais; de que ferramentas precisariam; onde conseguir as ferramentas; de quanto tempo precisariam; quantas pessoas são necessárias para fazer o trabalho; como levar os materiais para o alto da árvore; como cortar os materiais; como construir o piso, como construir as paredes, como construir as janelas, como construir o telhado.

A memória convencional sustenta que, em décadas passadas, a construção de casas na árvore e outras aventuras de engenharia na natureza eram realizadas principalmente por meninos; as meninas que participavam eram consideradas "molecas" – quando se pensa no assunto, é um termo estranho. O fato é que não sabemos se as meninas são tão recatadas. Na ausência de bons estudos longitudinais sobre como as crianças vivenciam a natureza, não podemos presumir que as meninas – em números significativos – não construíam casas na árvore, esconderijos subterrâneos nem realizavam diversos experimentos com lama. Janet Fout, por exemplo, não construía casas nas árvores, mas tecia elaboradas cabanas com capim em vãos nos confins de arbustos e matagais.

Quando mencionei minhas lembranças para Elizabeth Schmitt, assistente social, de que casas na árvore eram algo que os meninos construíam, ela se irritou e me fez um relato diferente:

Meus pais se casaram um dia depois que meu pai, piloto da Marinha na Segunda Guerra Mundial, se formou em Columbia, em 2 de junho de 1948. Como nova-iorquinos, eles foram jogados na vida rural da Pensilvânia, onde meu pai, engenheiro de mineração, foi contratado pela Bethlehem Steel Company. Em uma pequena cidade industrial que chamamos de "Cidade de Brinquedo", porque as habitações da companhia pareciam todas iguais, eu perambulava e brincava com todas as crianças. Nós jogávamos beisebol e construíamos cabanas e casas na árvore. Meninos e meninas faziam isso juntos. Eu era tão ativa quanto qualquer menino e não era uma "moleca".

Uma tendência positiva é que oportunidades ao ar livre estão se expandindo para as mulheres e, portanto, para as meninas. Em 2005, a Sporting Goods Manufactures Association relatou que as mulheres compunham 45% dos campistas e 36% dos praticantes de caminhada de longo percurso com acampamento. Se casas na árvore construídas por crianças fossem tão comuns hoje quanto eram quando Elizabeth Schmitt ou Janet Fout eram novas, eu me pergunto qual seria o equilíbrio de gênero das equipes de construção.

No fim das contas, a filha de Alberto Lau, Erin, estudante da Universidade do Sul da Califórnia, cresceu construindo casas na árvore em um cânion de Scripps Ranch. Mais tarde, a associação da comunidade local instituiu a prática de derrubar essas casas e cabanas. Mesmo assim, em sua casa na árvore e seu cânion, Erin acalentou um sonho:

> A sabedoria discreta da natureza não tenta enganar você como a paisagem da cidade, com outdoors e anúncios por toda parte. Ela não faz você sentir que precisa se adequar a uma imagem. Simplesmente está ali e aceita todo mundo. Viver onde vivi me permitiu estar ao ar livre construindo cabanas dos cinco aos catorze anos. Em uma conclusão mais ampla, isso influenciou a maneira como eu via o mundo artificial. Estudo paisagismo por causa da necessidade urgente de reintroduzir a paisagem natural no ambiente construído pouco acolhedor. Por que mini ecossistemas não podem ser introduzidos no meio da cidade? Podemos planejar parques para que sejam tão caóticos quanto a natureza e, ao mesmo tempo, seguros para uma caminhada noturna?

Idealista? Esperamos que sim, considerando a alternativa. O que nos leva de volta a Ben Franklin. Como H. W. Brands conta essa história, Ben e seus amigos gostavam de pescar pequenos peixes[5] em Mill Pond. Mas, ao se mover, eles levantavam lama, turvando a água, o que não ajudava na pesca.

A solução: construir um píer que se estendesse até o pântano. Ben, de olho nas pedras empilhadas em uma obra ali perto, disse ao grupo para esperar até os pedreiros irem embora. "Os meninos esperaram, os homens foram embora, e o processo começou", escreve Brands. "Depois de muitas horas e muito esforço, o píer foi concluído, para orgulho e satisfação dos meninos. O mestre de obras, ao chegar na manhã seguinte, ficou menos admirado. Uma investigação superficial revelou o paradeiro das pedras desaparecidas, o que o fez deduzir a identidade dos responsáveis pela remoção. Os meninos foram colocados sob a supervisão dos pais e houve uma consequente punição..." Ainda que o jovem Ben tenha alegado "a utilidade cívica da construção", o pai explicou que a primeira virtude cívica era a honestidade.

Se o menino aprendeu mais sobre honestidade cívica ou rebelião prática, não fica claro. Mas, para Ben, assim como para Erin, a natureza era um lugar para usar todos os sentidos – e para aprender fazendo.

7. A genialidade da infância: como a natureza nutre a criatividade

> *Eu brincava no quintal e conversava com os mourões da cerca, entoava canções e fazia o mato cantar...*
>
> — Woody Guthrie

O CRÍTICO DE ARTE BERNARD BERENSON, repetindo as palavras do psicólogo Erik Erikson, pai da teoria do desenvolvimento humano, defendeu que a criatividade começa "com a genialidade natural da infância e o 'espírito do lugar'[1]". Certa vez, Berenson descreveu como, ao pensar em seus setenta anos de vida, lembrou que os momentos de maior felicidade em geral eram ocasiões em que ele se perdia "quase totalmente em algum instante de perfeita harmonia":

> Na infância e na meninice, um êxtase tomava conta de mim quando eu estava feliz ao ar livre... Uma névoa prateada tremeluzia e bruxuleava sobre os limoeiros. O ar estava carregado com o perfume deles. A temperatura era como uma carícia. Eu me lembro... de subir em um toco e de repente me sentir imerso naquilo. Eu não chamava isso pelo nome. Eu não tinha necessidade de palavras. Aquilo e eu éramos uma coisa só. Com certeza, a maior parte das crianças é assim. Eu mantive essa capacidade no decorrer dos anos.

Robin Moore concordaria com Berenson. Especialista em design de ambientes para o brincar e para o aprendizado, Moore escreveu que ambientes naturais são essenciais para o desenvolvimento infantil saudável porque estimulam todos os sentidos e integram o brincar, informal, com o aprendizado, formal. De acordo com Moore, experiências multissensoriais na natureza ajudam a construir "as habilidades cognitivas necessárias para o desenvolvimento intelectual contínuo" e estimulam a imaginação ao oferecer para a criança o espaço e os materiais para o que ele chama de "a arquitetura e os artefatos" das crianças.

– Espaços e materiais naturais estimulam a imaginação sem limites das crianças e servem como meio para a inventividade e a criatividade observáveis em quase todo grupo que brinca em um ambiente natural[2] –, diz Moore.

Os primeiros trabalhos teóricos nessa área foram feitos pelo arquiteto de Cambridge Simon Nicholson[3], filho de dois dos artistas britânicos mais notáveis do século XX, Ben Nicholson e Barbara Hepworth. Em um artigo de 1990 sobre Nicholson, o jornal *The Guardian* de Londres descreveu a declaração que ele deu dizendo que todo mundo é inerentemente criativo, mas que a sociedade moderna reprime esse instinto enquanto promove os artistas como uma elite privilegiada, "que, no fim das contas, fica com toda a diversão". A teoria das "partes soltas" de Nicholson foi adotada por muitos paisagistas e especialistas nas temáticas da infância e do brincar. Ele a resumiu da seguinte maneira: "Em qualquer ambiente, tanto o grau de inventividade quanto o de criatividade, além da possibilidade de descoberta, são diretamente proporcionais ao número e ao tipo de variáveis nele". Um brinquedo com as "partes soltas", como Nicholson o definiu, é aberto a possibilidades; as crianças podem usá-lo de muitas maneiras e combiná-lo com outras partes soltas pela imaginação e pela criatividade. Uma lista típica de partes soltas para uma área natural de brincar pode incluir água, árvores, arbustos, flores e capim; um lago e os seres vivos que vivem nele; areia (melhor se for misturada com água); lugares para entrar, sentar e se esconder; estruturas que ofereçam privacidade e paisagens. Vá além dessa área de brincar, para florestas, campos e riachos, e as partes se tornam mais soltas e ainda mais potentes para a imaginação[4].

É possível argumentar que um computador, com suas possibilidades de codificação quase infinitas, é a caixa de partes soltas mais funda da história. Mas o código binário, composto por dois elementos – 1 e 0 – tem seus limites. A natureza, que estimula todos os sentidos, continua sendo a fonte mais rica de partes soltas.

A teoria das partes soltas é amparada por estudos sobre o brincar que comparam áreas verdes, naturais, com playgrounds de concreto. Estudos suecos descobriram que crianças em playgrounds construídos tinham brincadeiras muito mais interrompidas; elas brincavam em intervalos curtos. Em áreas mais naturais, as crianças inventavam sagas inteiras, que eram retomadas dia após dia – gerando e colecionando significado.

Enquanto isso, na Suécia, na Austrália, no Canadá e nos Estados Unidos, estudos realizados em pátios de escola tanto com áreas verdes quanto com áreas construídas revelaram que as crianças se envolvem em formas mais criativas de brincar nas áreas verdes. Um desses estudos constatou que um pátio mais natural encorajava particularmente atividades de fantasia e faz de conta, o que ofereceu maneiras de meninos e meninas brincarem juntos de modo igualitário; outro relatou que as crianças demonstraram mais encantamento. Os pesquisadores definiram o brincar criativo de modo amplo: o uso de bonecos; a dramatização em campos de batalha ou planetas imaginários com fadas e rainhas; brincadeiras de corda; construção de espaços e objetos a partir de materiais aleatórios; e a exploração do entorno. Na Dinamarca, um estudo mais recente comparou dois grupos de crianças, um de um jardim de infância tradicional e outro de um "jardim de infância natural", onde as crianças passavam todos os dias ao ar livre ao longo do ano letivo[5]. Descobriu-se que as crianças do jardim de infância na natureza eram mais alertas, possuíam mais entendimento do próprio corpo e inventavam mais seus próprios jogos.

Os pesquisadores também observaram que, quando as crianças brincavam em um ambiente dominado por brinquedos construídos, elas estabeleciam uma hierarquia social pela competência física; depois que um gramado com arbustos foi plantado, a qualidade do brincar no que os pesquisadores chamaram de "áreas naturais" foi modificada. As crianças passaram a fantasiar mais, e sua posição social se tornou menos baseada em habilidades físicas e mais em capacidade linguística, criatividade e inventividade[6]. Em outras palavras, as crianças mais criativas emergiram como líderes em espaços de brincar naturais.

Em uma revisão de estudos anteriores, Andrea Faber Taylor e Frances E. Kuo, do Laboratório de Pesquisa Homem-Ambiente da Universidade de Illinois, alertaram que, em alguns deles, as crianças estavam selecionando por conta própria o espaço onde brincar[7]. As crianças, quando lhes é dada a chance, podem optar por espaços naturais quando pretendem se envolver em atividades criativas. A pesquisa de Taylor e Kuo demonstrou que as crianças têm mais habilidade de se concentrar em espaços naturais. Nesse estudo, as crianças também selecionaram onde queriam brincar. A pesquisa dinamarquesa se concentrou em apenas 45 crianças e um ambiente relativamente restrito. Portanto, esses estudos não provam a relação direta entre o brincar na natureza e a criatividade. Contudo, a possibilidade de que crianças criativas prefiram áreas naturais para brincar faz surgir uma questão crucial: o que acontece quando as crianças criativas não podem mais escolher um espaço natural no qual exercer sua criatividade?

A natureza e os criativos famosos

Curioso sobre a influência da natureza no desenvolvimento inicial dos que são famosos pela criatividade, pedi a meu filho adolescente, Matthew, para passar parte do verão na biblioteca pesquisando biografias em busca de exemplos. Ele aceitou a tarefa com entusiasmo. Eu me ofereci para pagá-lo pelo tempo dedicado, mas ele recusou o dinheiro, como é de seu feitio. Sabendo quanto trabalho ele ia ter, insisti. E algum outro tipo de compensação?

– Que tal o StarCraft, pai? –, ele perguntou.

– Um video game?

– Jogo de computador.

Concordei. Ele seguiu para a biblioteca e pegou a primeira pilha de biografias. Animado, trouxe a primeira passagem que encontrou, sobre o grande autor de ficção científica – o homem que também deu origem aos princípios dos satélites de comunicação geoestacionários – C. Clarke. Clarke cresceu em Minehead, na Inglaterra, uma cidade litorânea no Bristol Channel, com "vistas para o oceano Atlântico que criavam a ilusão de um espaço infinito", como conta o biógrafo Neil McAleer. Naquela costa, o jovem Clarke "construiu campos de batalha na areia e explorou piscinas naturais".

> Durante os meses de inverno, [Clarke] costumava voltar de bicicleta para casa no escuro, com as estrelas e a lua iluminando seu caminho quando o céu estava limpo. Essas noites estreladas influenciaram sua consciência cósmica em formação. O céu noturno e silencioso sobre ele instigou sua imaginação e trouxe à tona imagens do futuro. Os homens andariam na lua um dia, ele sabia, e mais tarde deixariam pegadas nas areias de Marte. Até mesmo o abismo entre o Sol e os outros astros seria transposto em algum momento, e os planetas seriam explorados por nossos descendentes.[8]

Em seus últimos anos, Clarke admitiria que o único lugar onde se sentia totalmente tranquilo era na beira do mar; quando dentro dele, então, vivenciava a leveza.

Acrescentei a compilação de Matthew a outros exemplos que eu tinha encontrado. Joana d'Arc ouviu seu chamado pela primeira vez aos treze anos, "perto do meio-dia, no verão, no jardim de meu pai". Jane Goodall, aos dois anos de idade, dormia com minhocas embaixo do travesseiro (não façam isso em casa). John Muir descreveu como "se deliciava na maravilhosa natureza selvagem" perto da casa de sua infância em Wisconsin. Samuel Langhorne Clemens conseguiu um emprego em uma gráfica aos catorze anos; quando o expediente acabava, às três da tarde, ele ia para o rio nadar, pescar ou navegar em um barco "emprestado". É possível imaginar que foi ali, enquanto sonhava em ser pirata, caçador ou escoteiro, que ele se tornou Mark Twain. O poeta T. S. Eliot, que cresceu nas margens do rio Mississipi, escreveu: "Sinto que existe alguma coisa em passar a infância perto de um grande rio que não pode ser contada aos que não tiveram isso". E a imaginação do pai da biofilia, E. O. Wilson (cujo apelido de infância era Cobra), foi despertada enquanto ele explorava "florestas e brejos com um humor preguiçoso... [criando] o hábito da quietude e da concentração".

Em *Edison: Inventing the Century*, o biógrafo Neil Baldwin conta como o Little Al, como Thomas Edison foi apelidado, estava perambulando um dia enquanto visitava a fazenda da irmã. O marido dela o encontrou sentado em uma caixa de feno. O garoto explicou: – Vi pintinhos saírem de ovos sobre os quais a galinha estava sentada, então achei que podia fazer pequenos gansos saírem de ovos, se sentasse sobre eles. Se galinhas e gansas podem fazer isso, por que eu não posso?[9]

Mais tarde, vendo a mancha de ovo na calça de Al, e o quanto ele estava chateado, a irmã o confortou, supostamente dizendo: – Está tudo bem, Al... Se ninguém tentasse fazer as coisas, mesmo o que alguns dizem ser impossível, nunca aprenderíamos nada. Então continue tentando e talvez um dia você experimente algo que vai funcionar.

Podemos também pensar em Eleanor Roosevelt, uma das figuras públicas mais criativas da história americana. Em *Eleanor and Franklin*, Joseph P. Lash conta como, "enquanto passava da infância para a adolescência, a beleza da natureza falava com seus sentidos, que estavam desabrochando".

Ele continua:

> A mudança das estações, o jogo de luzes no rio, a cor e a temperatura da floresta começaram a ter um profundo significado para ela e continuariam a ter pelo resto de sua vida. Ela escreveria meio século depois que, quando era garota, "não havia nada que me trouxesse mais alegria do que convencer uma de minhas tias jovens a levantar antes do amanhecer para atravessarmos a floresta até o rio, remarmos nós mesmas os oito quilômetros até a vila em Tivoli a fim de pegar a correspondência e remar de volta antes que a família estivesse sentada à mesa do café da manhã.[10]

Ela desaparecia na floresta e nos campos por horas, onde lia livros e escrevia histórias repletas de encanto e enraizadas nas metáforas da natureza. Em *Gilded Butterflies*, conto especialmente rico que Lash apresenta em seu livro, Eleanor descreve, de maneira inconsciente, seu próprio futuro. Nele, ela está deitada de costas num grande gramado em um dia quente de verão, quando leva um susto ao ouvir a voz das borboletas.

– A curiosidade aguçando meus ouvidos, comecei a ouvir o que estavam dizendo. Uma borboleta dispara: – Ora! Não vou ficar sentada em uma margarida para sempre. Tenho aspirações maiores na vida. Vou desvendar muita coisa e ver tudo. Não vou ficar aqui e desperdiçar minha vida. Vou conhecer alguma coisa antes de morrer.

Para Eleanor, a literatura, a natureza e os sonhos estariam sempre conectados. Só podemos supor como essa menininha teria se desenvolvido sem seus momentos na natureza, mas sem dúvida seu frágil poder precisava de proteção, e tempo e espaço para ouvir sua voz interior.

Para Beatrix Potter, a conexão entre o mistério da natureza e a imaginação é ainda mais direto. Potter, uma das autoras de livros infantis mais famosas, demonstrava habilidades implacáveis como colecionadora. Como a biógrafa Margaret Lane conta, Beatrix e seu irmão "não tinham nojo, e havia uma obstinação em alguns de seus experimentos que teria surpreendido seus pais".

Os dois irmãos "contrabandearam incontáveis besouros, cogumelos venenosos, aves mortas, ouriços, sapos, lagartas, peixes e peles de cobra. Se os espécimes mortos ainda pudessem ter a pele esfolada, era o que faziam; se não fosse possível, eles os ferviam e conservavam os ossos. Em uma ocasião, depois de conseguirem uma raposa morta sabe-se Deus de onde, arrancaram a pele dela, ferveram o corpo, com sucesso e em segredo, e articularam o esqueleto".[11] Tudo o que levavam para casa, eles desenhavam ou pintavam; além disso, costuravam pedaços de papel para fazer seus livros da natureza. Os registros eram, na maioria, realistas, "mas aqui e ali nas páginas grudentas a fantasia se libertava. Apareciam cachecóis no pescoço de salamandras, coelhos caminhavam em duas pernas, patinavam no gelo, levavam guarda-chuva, andavam de gorro...".

A natureza é como um poço a partir do qual muitos, famosos ou não, extraem uma noção criativa de padrão e conexão. Como Moore destaca, as experiências na natureza "ajudam as crianças a entender a realidade dos sistemas naturais por meio de uma experiência primária. Elas demonstram os princípios naturais como as teias, os ciclos e os processos evolutivos e ensinam que a natureza é um processo regenerativo único". Uma apreciação desses padrões é essencial para alimentar a criatividade, o que, claro, não é domínio único das artes, mas da ciência e até da política.

Richard Ybarra, que atua na política da Califórnia e é genro do finado líder dos trabalhadores Cesar Chavez, descreve a força aparentemente inesgotável do espírito e da energia de Chavez e como sua primeira infância o preparou para uma compreensão profunda dos sistemas naturais – incluindo o humano:

> Ele sempre teve uma ligação com a natureza, desde quando viveu e cresceu em uma fazenda no rio Gila. Ele sempre teve essa relação com o rio. Até mesmo as reviravoltas mágicas da vida o fizeram completar o ciclo e voltar para a região onde sua vida começou. O pai dele o criou para entender o solo, a terra, a água e como essas coisas funcionam. A mãe o criou para entender de ervas e de tudo o que a natureza produz. É óbvio que a genialidade dele foi de muitas maneiras influenciada pelos processos e pelos sistemas mais simples e básicos da vida. Ele sempre conseguia ver com muita clareza, não importavam as complexidades nem os desafios.

Claro, nem todos os que têm experiências de infância na natureza são afetados desse modo específico, tampouco toda criança que tem essa experiência se torna Chavez, Roosevelt, Potter, Clarke – nem, por sorte, Joana d'Arc. A criatividade também vem de outras imersões. Quando Matthew e eu analisamos a biografia de pessoas criativas mais contemporâneas, menções à natureza como inspiração tornavam-se mais raras. Pessoas criativas que se tornaram adultas nos anos 1970 – inclusive astros do rock – raramente descreveram experiências de infância inspiradoras na natureza. Então, ao que parece, a criatividade ocorre sem influências naturais, mas pode ter um ritmo diferente.

Natureza, criatividade e espaços de êxtase

Certa vez, o economista Thorstein Veblen propôs uma forma alternativa de definir a pesquisa séria. O resultado, ele disse, "deve ser fazer duas perguntas surgirem onde antes surgia uma". Segundo essa definição, Edith Cobb era uma boa pesquisadora. Ela ofereceu uma caixa grande de partes soltas e influenciou uma geração de pesquisadores da infância.

Em 1977, depois de anos de pesquisa dedicada (quando não estritamente científica), Cobb publicou seu influente livro, *The Ecology of Imagination in Childhood*. Apesar de ter um diploma da Faculdade de Serviço Social de Nova York, ela não era socióloga; sua especialidade surgiu basicamente de muitas horas de observação e documentação de crianças brincando e anos de reflexão sobre o que aprendeu sobre as relações das crianças com a natureza. Ela baseou boa parte de sua análise no estudo de cerca de trezentos volumes de memórias de infância de pensadores criativos de diversas áreas e culturas. Cobb concluiu que a inventividade e a imaginação de quase todas as pessoas criativas estudadas tinham raízes em suas primeiras experiências na natureza[12].

Aproveitando suas observações sobre o comportamento das crianças, Cobb postulou que a "capacidade" da criança de "sair e ir além do eu deriva da elasticidade da reação ao ambiente na infância". Ela escreveu: "Nas percepções criativas do poeta e da criança estamos próximos da biologia do pensamento em si – perto, aliás, da ecologia da imaginação...". Os pensadores criativos, ela acreditava, retornam à memória para renovar o poder e o impulso de criar em sua fonte verdadeira, uma fonte que descrevem como a experiência de emergir não só à luz da consciência, mas em uma sensação viva de afinidade com o mundo externo. Cobb também acreditava que essas experiências acontecem principalmente nos anos intermediários da infância. "As lembranças de despertar para a existência de algum potencial, incitadas pelas primeiras experiências do eu e do mundo, estão espalhadas pela literatura de invenção científica e estética. As autobiografias repetidas vezes se referem à causa desse despertar como uma reação sensorial intensa ao mundo natural."

Muitos anos depois que Edith Cobb escreveu seu trabalho polêmico e pioneiro, a psicóloga ambiental Louise Chawla – que foi inspirada a se especializar na área por *The Ecology of Imagination in Childhood* – examinou de perto a pesquisa de Cobb. Apesar de ter considerado a técnica falha, ela ficou intrigada com as questões levantadas e concluiu que a teoria de Cobb deve receber um adendo para permitir diferentes graus de experiência[13]. Chawla escreve que é possível que a consciência em desenvolvimento das crianças envolva o que Cobb descreve como noção dinâmica de relação com o ambiente. "No entanto, apenas em algumas crianças essa experiência é tão intensa que permanece gravada a fogo na memória para motivar a vida adulta." Por exemplo, executivos e políticos relatam menos ênfase nas experiências na natureza no começo da infância do que artistas. Isso não significa que as experiências na natureza durante a primeira infância não contribuam na formação dos futuros políticos e dos líderes da indústria; talvez eles apenas estejam menos propensos a relatá-las. Com certeza, as biografias de Thomas Edison e Benjamin Franklin sugerem que as bases da indústria e do design modernos surgiram nas águas, nas florestas e nas fazendas da infância.

Chawla não rejeita a teoria de Edith Cobb, mas propõe que a relação entre a criatividade e o ambiente seja mais complexa do que Cobb imaginou. Por exemplo, experiências transcendentes na natureza durante a infância "nunca foram relatadas quando a criança não gozava de liberdade dentro de um ambiente natural ou urbano atraente". A transcendência não requer um cenário espetacular, "mas pode acontecer em ambientes tão pequenos quanto um pedaço de grama e ervas no canto de uma varanda ou no decorrer de uma liberdade tão fugaz quanto um passeio (pela natureza) durante uma excursão escolar".

A pesquisa da própria Chawla vai além e sugere uma compreensão profunda, ainda que vaga, do elo entre a criatividade e as primeiras experiências na natureza.

– A coisa boa, em relação ao que estamos descobrindo, é que a natureza não é só importante para os futuros gênios –, ela explica.

As chamadas pessoas normais também relatam esses momentos transcendentais na natureza.

– Muitos fios se juntam para formar o tecido criativo final, e a experiência na natureza é um deles.

Em seu trabalho mais recente, Chawla explora os "lugares de êxtase". Ela usa o termo "êxtase" em seu sentido original. Os sinônimos contemporâneos são "deleite" ou "prazer", mas as raízes gregas da palavra – *ekstatis* –, como algumas fontes afirmam, significam "extraordinário" ou "fora de nós mesmos". Esses momentos de êxtase, de prazer ou medo, ou ambos, "joias radioativas enterradas dentro de nós, emitindo energia ao longo dos anos em nossa vida", como Chawla explica com eloquência, são mais comumente vivenciados na natureza durante os anos de desenvolvimento.

A autora Phyllis Theroux escreveu uma tocante descrição de um momento de êxtase que teve na varanda, enquanto observava uma moita iluminada pelo sol da manhã,

> ... os carrapichos como abelhões tremendo nas cordas de uma harpa... feixes de trigo dourados, translúcidos, impressionantes. A luz descia pelos talos, criando um fogo brando do orvalho que se acumulou nas raízes. Meus olhos contemplavam o verde sem procurar adjetivos que mesmo agora me escapam. Eu apenas fiquei meio pendurada para fora do colchão, olhando aquilo e achando meu caminho, sem saber por quê.[14]
>
> – É possível, e essa é a pergunta de uma adulta especuladora e controlada, que todo ser humano receba alguns sinais como esse para nos tranquilizar quando crescemos? Todos nós temos um pouco ou uma parte de algo que instintivamente queremos retomar quando o coração deseja se romper e nos faz dizer: "Ah, sim, mas houve isso" ou "Ah, sim, mas houve aquilo", e então seguimos em frente?

Analisando as condições em que essas lembranças de êxtase são criadas, Chawla ficou "chocada com a fragilidade de seu cenário". Lembranças assim exigem espaço, liberdade, descoberta e "uma fartura para todos os cinco sentidos". Quando esses critérios são atendidos, mesmo nas cidades, a natureza nos alimenta. E, por trás desses requisitos, paira "aquela característica difícil de definir, mas bastante efusiva, de amorosidade... Essa combinação de condições não pode ser menosprezada". Lugares de êxtase oferecem para nossas crianças, e para nós, algo mais do que aquilo que Cobb sugeriu. Como Chawla explica, lembranças de êxtase ou epifanias nos dão "imagens significativas; um centro internalizado de calma; uma noção de integração com a natureza; e, para alguns, uma disposição criativa. A maior parte desses benefícios é vantajosa para todas as pessoas, independente se passamos pelo mundo como pensadores criativos".

Playgrounds para poetas

A maioria das crianças de hoje é pressionada para desenvolver uma noção de encantamento para induzir ao que Berenson chamou de o "espírito do lugar" enquanto joga video game ou está confinada em casa por medo da criminalidade. Quando alguém pergunta quais são seus lugares especiais e favoritos, as crianças muitas vezes descrevem o próprio quarto ou um sótão – algum local tranquilo. Uma característica comum desses ambientes é a quietude, a paz, Chawla enfatiza. Então, sem dúvida é possível encontrar maravilhamento fora da natureza. Mas aparelhos eletrônicos ou ambientes construídos não oferecem a gama de partes soltas nem o espaço físico para encantar.

Muitos anos atrás, entrevistei Jerry Hirshberg, diretor, fundador e presidente da Nissan Design International, centro de design da empresa automobilística japonesa nos Estados Unidos. Era um dos diversos centros estabelecidos por fabricantes de carros do Japão na costa da Califórnia. Quando perguntei por que esses centros existiam, ele explicou que os japoneses conhecem as próprias forças e a dos americanos: a especialidade deles era a manufatura eficiente e concisa; a dos americanos era o design. Segundo Hirshberg, os japoneses reconheceram que a criatividade americana vem em grande parte da liberdade e do espaço – o espaço físico e o espaço mental. Ele não disponibilizou estudos acadêmicos para amparar essa teoria; mesmo assim, a declaração me pareceu verdadeira – e eu a guardei. Enquanto crescíamos, muitos de nós fomos abençoados com espaço natural e imaginação para preenchê-lo.

A genialidade americana foi alimentada pela natureza – pelo espaço, tanto físico quanto mental. O que acontecerá com a criatividade intrínseca da nação e, portanto, com a saúde de sua economia, quando as gerações futuras forem restringidas a ponto de não ter mais espaço para se expandir? É possível argumentar que a internet substituiu as áreas naturais, em termos de espaço inventivo, mas nenhum ambiente eletrônico estimula todos os sentidos. Até o momento, a Microsoft não vende nada igual ao código da natureza.

A natureza é imperfeitamente perfeita, cheia de partes soltas e possibilidades, com lama e poeira, urtigas e céus, momentos práticos transcendentais e joelhos ralados. O que acontece quando todas as partes da infância são soldadas, quando os jovens não têm mais tempo nem espaço para brincar no quintal, voltar para casa de bicicleta no escuro, com as estrelas e a lua iluminando o caminho, deitar de costas na grama nos dias quentes de verão ou observar os carrapichos tremeluzindo em fios de harpa? E então?

A criatividade é difícil de categorizar e medir, é subjetiva por definição. Com certeza, isso limita nossa habilidade de fazer uso da investigação científica. Portanto, parte da discussão precisa acontecer onde grupos de controle nunca se aventuraram, no universo dos poetas, dos artistas ou dos filósofos. A natureza pode inspirar diferentes tipos de criatividade e de arte em relação ao ambiente construído. Poetas urbanos contemporâneos se afastaram de Wordsworth e dos românticos, cujas metáforas eram formadas pelas forças naturais sublimes, cujos ritmos eram tão frequentemente determinados pelos ciclos da natureza. A nova linguagem da arte emana do ambiente construído pelo homem, da rua, dos computadores. Essa expressão urbana de criatividade é feita para e conversa com os olhos e os ouvidos modernos e tem os próprios ritmos e as próprias metáforas.

Pais que desejam criar os filhos em um ambiente que conduza à criatividade moderna – ou pós-moderna – fazem bem em expô-los a esse mundo, mas sem excluir o mundo natural.

A natureza – o sublime, o inclemente e o belo – oferece algo que a rua, a comunidade fechada ou o jogo de computador não têm. A natureza apresenta aos jovens algo muito maior do que eles são e oferece um ambiente onde facilmente contemplam o infinito e a eternidade. Uma criança pode, numa rara noite clara, subir em um telhado no Brooklyn, ver as estrelas e perceber o infinito. A imersão no mundo natural vai direto ao ponto, expõe o jovem direta e imediatamente aos elementos a partir dos quais os humanos evoluíram: a terra, a água, o ar e os outros seres vivos, grandes e pequenos. Sem essa experiência, como diz Chawla, "esquecemos nosso lugar, esquecemos aquela trama mais ampla da qual nossa vida depende".

8. Transtorno do deficit de natureza e o ambiente restaurador

Com idealismo e hesitação, uma estudante universitária está se formando e se prepara para se tornar professora, mas está intrigada e incomodada com o ambiente escolar que vivenciou durante seu treinamento.

– Com todas as provas, mal sobra tempo para a educação física, muito menos para explorar a natureza – ela conta. – Em uma das salas de jardim de infância, as crianças correm até uma cerca e voltam. Essa é a atividade. Elas precisam ficar no chão de concreto ou podem usar um dos dois balanços disponíveis.

Ela não entende por que a educação física é tão limitada nem por que o playground não pode ser mais voltado para o brincar na natureza. Muitos educadores pensam o mesmo.

Pelo menos essa escola tem recreio[1]. No Estados Unidos, o governo federal, os governos estaduais e os conselhos escolares locais fizeram pressão durante a primeira década do século XXI por resultados mais altos nos testes e nas provas, e a partir disso quase 40% das escolas de ensino fundamental eliminaram, ou estão considerando eliminar, o recreio. Na era em que avaliações são a prioridade e em que há um medo cada vez maior em relação a responsabilidade civil, muitos distritos escolares* consideram o recreio um desperdício de tempo acadêmico em potencial ou algo muito arriscado.

---

* Unidade de organização regional das escolas públicas nos EUA. No Brasil seriam o equivalente às Delegacias de Ensino ou Diretorias Regionais de Educação. (N.R.T.)

– Até presidiários condenados à prisão perpétua têm mais tempo para se exercitar no pátio – comentou o colunista da *Sports Illustrated* Steve Rushin.

A educação física nas escolas já estava em declínio. Entre 1991 e 2003, o percentual de estudantes que participou das aulas de educação física caiu de 42% para apenas 28%. Alguns estados agora permitem que os alunos obtenham créditos de educação física on-line. Excursões também foram cortadas. Mesmo diminuindo as experiências dos estudantes para além das paredes da sala de aula, os distritos escolares aumentaram a quantidade de horas de aula. Ironicamente, o distanciamento da educação do universo físico não só coincidiu com o aumento dramático da obesidade infantil mórbida, mas também com um conjunto de evidências cada vez maior da relação entre o exercício físico e as experiências na natureza e a acuidade mental e a concentração.

Agora, as boas notícias. Estudos sugerem que a natureza pode ser útil como ferramenta terapêutica para o TDAH (transtorno do deficit de atenção e hiperatividade), em paralelo com ou, quando apropriado, até substituindo medicamentos ou terapias comportamentais. Alguns pesquisadores hoje recomendam que pais e educadores propiciem mais experiências na natureza – em especial lugares onde haja verde – para crianças com TDAH, oferecendo, assim, suporte para a função de atenção e minimizando os sintomas. Aliás, essa pesquisa inspira o uso do termo mais amplo "transtorno do deficit de natureza" como forma de entender melhor o que muitas crianças passam, quer tenham sido diagnosticadas com TDAH, ou não. De novo, o termo transtorno do deficit de natureza não está sendo usado com sentido científico ou clínico. Com certeza nenhum pesquisador acadêmico faz uso desse termo, ainda, nem atribui o TDAH totalmente ao deficit de natureza. No entanto, tendo como base cada vez mais evidências científicas, acredito que o conceito – ou a hipótese – do transtorno do deficit de natureza seja adequado e útil como descrição leiga a um fator que pode agravar as dificuldades de atenção de muitas crianças.

Primeiro, vamos considerar o diagnóstico e os tratamentos hoje disponíveis.

Quase 8 milhões de crianças nos Estados Unidos sofrem de transtornos mentais, e o TDAH é um dos mais comuns. Esse distúrbio muitas vezes se desenvolve antes dos sete anos e, em geral, é diagnosticado entre os oito e os dez anos. (Algumas pessoas usam o acrônimo TDA, transtorno do deficit de atenção, para se referir ao TDAH sem o componente da hiperatividade. Mas o TDAH é o diagnóstico médico mais aceito.) Crianças com esse transtorno são inquietas e têm dificuldade de prestar atenção, ouvir, seguir instruções e se concentrar em tarefas. Elas também podem ser agressivas, até antissociais, e têm que lidar com fracassos escolares. Segundo a American Psychiatric Association: "A característica essencial do TDAH é um padrão consistente de falta de atenção e/ou hiperatividade, impulsividade, revelado com mais frequência e de modo mais severo do que tipicamente é observado em indivíduos com um nível similar de desenvolvimento". Parte do público desinformado tende a acreditar que má criação e outros fatores sociais geram o comportamento imaturo associado ao TDAH, mas ele é hoje considerado por muitos pesquisadores um transtorno orgânico associado a diferenças na morfologia do cérebro das crianças.

Os críticos acusam que medicamentos estimulantes prescritos comumente, como o metilfenidato (Ritalina) e anfetaminas (Venvanse), ainda que necessários em muitos casos, são receitados em excesso, talvez de 10 a 40% das vezes. O metilfenidato é um estimulante do sistema nervoso central e compartilha muitos dos efeitos farmacológicos da anfetamina, da metanfetamina e da cocaína. Contrastando fortemente com as práticas da medicina de outras partes do mundo, o uso desses estimulantes nos Estados Unidos aumentou 600% entre 1990 e 1995, e os números continuam aumentando, em especial entre as crianças menores. Entre 2000 e 2003, os gastos relacionados ao TDAH em crianças de idade pré-escolar aumentaram 369%[2]. Tanto meninos quanto meninas são diagnosticados com TDAH[3], mas cerca de 90% dos jovens medicados – muitas vezes por sugestão da escola – são meninos.

Um psiquiatra infantil explica: – Meu preconceito é que garotas com TDAH cujos sintomas são semelhantes aos garotos com sintomas típicos de TDAH não são comuns. Vamos notar que ele disse "preconceito". Boa parte do TDAH continua sendo um mistério médico e político.

O enorme aumento nos diagnósticos e nos tratamentos de TDAH pode, aliás, ser questão de reconhecimento: o transtorno sempre existiu, conhecido por outros nomes e ignorado completamente, causando sofrimento a crianças e famílias. Outra explicação é a disponibilidade: três décadas atrás, os remédios em uso não eram tão conhecidos nem divulgados pelas empresas farmacêuticas, tampouco os médicos confiavam neles – e temos a sorte de tê-los hoje. Mesmo assim, o uso de tais medicamentos e as causas do TDAH ainda estão em debate. Enquanto este livro era escrito, o culpado mais recente era a televisão. O primeiro estudo que liga o hábito de assistir à televisão a esse transtorno foi publicado em abril de 2004. O Children's Hospital and Regional Medical Center em Seattle defende que cada hora que crianças em idade pré-escolar passam diante da televisão por dia, aumenta em 10% a probabilidade de que desenvolvam problemas de concentração e outros sintomas do transtorno do deficit de atenção por volta dos sete anos de idade[4].

Esse dado é chocante. Mas a televisão é só parte de uma mudança ambiental/cultural maior de nossa era, em que houve o rápido êxodo de uma cultura rural para uma altamente urbanizada. Em uma sociedade agrícola, ou durante uma época de exploração e assentamento, de caça e coleta – ou seja, a maior parte da história da humanidade – meninos cheios de energia eram especialmente valorizados por sua força, sua velocidade e sua agilidade. Como mencionado, nos anos 1950, a maior parte das famílias ainda tinha algum tipo de relação com a agricultura. Muitas dessas crianças, meninas e meninos, direcionavam sua energia e seu corpo físico de maneiras construtivas: em tarefas na fazenda, enrolando feno, brincando na água de uma poça ou em uma piscina natural, subindo em árvores, correndo por um descampado para jogar beisebol. O brincar não estruturado estava imerso na natureza.

O "ambiente restaurador"

Mesmo sem evidências ou ajuda institucional, muitos pais notam mudanças significativas no nível de estresse e de hiperatividade dos filhos quando passam tempo ao ar livre.

– Meu filho ainda toma Ritalina, mas ele está tão mais calmo ao ar livre que estamos considerando seriamente nos mudar para as montanhas – uma mãe comenta comigo.

– Talvez ele precise apenas de mais atividades físicas?

– Não, ele tem isso nos esportes – ela responde.

Da mesma forma, a contracapa de uma edição de outubro da revista *San Francisco* traz uma foto colorida de um menininho, olhos arregalados de empolgação e alegria, pulando e correndo em uma vasta praia da Califórnia, com nuvens de chuva e ondas altas atrás dele. Um artigo curto explica que o garoto era hiperativo, tinha sido expulso da escola e os pais não sabiam o que fazer com ele; no entanto, tinham notado como a natureza o envolvia e o acalmava. Então, por anos eles levaram o filho a praias, florestas, dunas e rios a fim de deixar a natureza fazer o seu trabalho.

A foto foi tirada em 1907. O garoto era Ansel Adams.

– Nosso cérebro está programado para uma existência agrária, voltada para a natureza, que entrou em foco 5 mil anos atrás – diz Michael Gurian, terapeuta familiar e autor dos best-sellers *The Good Son* e *The Wonder of Boys*. – Neurologicamente, os seres humanos não alcançaram o ambiente superestimulante de hoje. O cérebro é forte e flexível, então de 70 a 80% das crianças se adaptam bem. O restante, não. Colocar as crianças na natureza pode fazer diferença. Sabemos disso empiricamente, ainda que não possamos provar.

Estudos novos podem fornecer essas provas.

Essa área de pesquisa tem como base a bem estabelecida teoria da restauração da atenção, desenvolvida pelo casal de pesquisadores Stephen e Rachel Kaplan. Psicólogos ambientais da Universidade Estadual de Michigan, os Kaplan se inspiraram no filósofo e psicólogo William James. Em 1890, James descreveu dois tipos de atenção: a atenção direcionada e a fascinação (involuntária). No começo dos anos 1970, os Kaplan começaram um estudo de nove anos para o U.S. Forest Service. Eles seguiram os participantes em um programa na natureza que levava as pessoas para áreas selvagens por duas semanas, em estilo Outward Bound*. Durante essas caminhadas, ou depois delas, os participantes relataram uma sensação de paz e uma habilidade de pensar com mais clareza; também afirmaram que o simples fato de estar em meio à natureza era mais restaurador do que atividades fisicamente desafiadoras, como escalada em rocha – algo pelo qual esses programas são mais conhecidos. O efeito positivo do que os Kaplan passaram a chamar de "o ambiente restaurador" foi muito maior do que os pesquisadores esperavam. De acordo com a pesquisa dos Kaplan, o excesso de atenção direta leva ao que

---

* Programa de educação experiencial ao ar livre fundado na Inglaterra em 1941 e presente em mais de 70 países do mundo, inclusive o Brasil. (N.R.T.)

eles chamaram de "fadiga de atenção direta", marcada por comportamento impulsivo, agitação, irritação, e inabilidade de se concentrar. A fadiga causada pela atenção direcionada ocorre porque os mecanismos inibidores neurais cansam de bloquear os estímulos concorrentes. Como Stephen Kaplan explicou na publicação *Monitor on Psychology*, "se puder encontrar um ambiente em que a atenção seja involuntária, você permite que a atenção direta descanse. E isso significa um ambiente que seja forte em fascinação"[5]. O fator da fascinação associado à natureza é restaurador e ajuda a aliviar as pessoas da fadiga causada pela atenção direcionada. Aliás, de acordo com os Kaplan, a natureza pode ser a fonte mais eficiente desse alívio restaurador.

Em um artigo apresentado à American Psychological Society em 1993, o casal pesquisou mais de 1.200 funcionários públicos e corporativos. Aqueles que trabalhavam próximo a uma janela com vista para árvores, arbustos ou grandes gramados sentiam consideravelmente menos frustração e mais entusiasmo em relação ao trabalho do que os trabalhadores sem essa vista[6]. Como estudos semelhantes sobre redução de estresse, essa pesquisa demonstrou que uma pessoa não precisa viver em uma área selvagem para colher os benefícios psicológicos da natureza – incluindo a habilidade de trabalhar melhor e pensar com mais clareza.

Pesquisas posteriores ofereceram respaldo para a teoria da restauração da atenção dos Kaplan. Por exemplo, Terry A. Hartig, professor associado de psicologia aplicada do Instituto de Pesquisa Urbana e Habitação da Universidade Uppsala em Gävle, na Suécia, junto com outros pesquisadores, comparou três grupos de entusiastas de excursionismo em áreas selvagens; o grupo que participou de uma expedição com caminhadas e acampamento na natureza demonstrou melhor performance em tarefas de revisão, enquanto aqueles que tiraram férias urbanas ou não tiraram férias não revelaram essa mudança de desempenho. Em 2001, Hartig demonstrou que a natureza pode ajudar as pessoas a se recuperar do "desgaste psicológico normal", mas ela também melhora a capacidade de prestar atenção. Hartig destaca que não testa os extremos – digamos, as Sierras *versus* o leste de Los Angeles.

Em vez disso, seus estudos se concentraram no que ele descreve como "condições locais típicas". Como descrito em *Monitor on Psychology*, Hartig pediu aos participantes para completar uma sequência de tarefas de quarenta minutos criada para exaurir sua capacidade de atenção direta. Depois das tarefas, ele aleatoriamente designou os estudantes a passar quarenta minutos "caminhando por uma reserva natural, caminhando por uma área urbana ou sentados quietos enquanto liam revistas e ouviam música", diz a publicação. "Depois desse período, aqueles que tinham caminhado pela reserva natural tiveram um desempenho melhor do que os outros em tarefas de revisão padrão. Eles também relataram emoções mais positivas e menos raiva."[7]

A Ritalina da natureza

A teoria da restauração da atenção se aplica a todos, independentemente da idade. Mas e quanto às crianças, em especial aquelas com TDAH?

"Ao reforçar os recursos de atenção das crianças, os espaços verdes permitem que elas pensem com mais clareza e lidem de maneira mais eficiente com o estresse", escreveu Nancy Wells, professora assistente da Faculdade de Ecologia Humana de Nova York[8]. Em 2000, Wells conduziu um estudo que revelou que estar próximo da natureza, em geral, ajuda a melhorar a atenção da criança. Quando o funcionamento cognitivo infantil foi comparado antes e depois, de habitações mais pobres para locais de mais qualidade vizinhas de espaços naturais e verdes, "diferenças profundas emergiram nas capacidades de prestar atenção, mesmo quando os efeitos da melhoria nas casas eram levados em consideração", de acordo com Wells.

Pesquisadores suecos compararam crianças em dois ambientes de creche: em um, uma área tranquila para brincar era cercada por prédios altos, com vegetação baixa e uma trilha de tijolos; no outro, a área para brincar, baseada no tema "ao ar livre em todos os climas", ficava em um pomar cercado por pasto e floresta, ao lado de um jardim rústico com árvores altas e rochas. O estudo revela que as crianças na creche "verde", que brincavam ao ar livre todo dia, independentemente do clima, tinham mais coordenação motora e mais concentração[9].

Alguns dos trabalhos mais importantes nessa área foram feitos no Laboratório de Pesquisa Homem-Ambiente da Universidade de Illinois[10]. Andrea Faber Taylor, Frances Kuo e William C. Sullivan descobriram que espaços verdes ao ar livre promovem brincadeiras criativas, melhoram o acesso a uma interação positiva com os adultos e aliviam os sintomas do transtorno do deficit de atenção. Quanto mais verde a área, maior o alívio. Em comparação, atividades internas, como assistir à televisão, ou externas em áreas pavimentadas e não verdes, aumentavam esses sintomas nas crianças.

Em um estudo com famílias de crianças com TDAH entre sete e doze anos, pediu-se que pais ou responsáveis identificassem atividades extracurriculares ou de fim de semana que refletiam bem ou mal no comportamento da criança. As atividades foram marcadas como "verdes" ou "não verdes". Atividades verdes, por exemplo, incluíam acampar e pescar; atividades não verdes incluíam ver televisão, jogar video game, fazer lição de casa. Algumas atividades – por exemplo, andar de patins – foram marcadas como ambíguas. Os controles nesse estudo eram mais complexos do que o espaço me permite descrever, mas basta dizer que a equipe da pesquisa tomou o cuidado de contabilizar as variáveis. Descobriu-se que uma área verde no ambiente cotidiano da criança, até mesmo a vista de uma área verde pela janela, reduz especificamente os sintomas do deficit de atenção. Enquanto atividades externas em geral ajudam, espaços com árvores e grama eram os mais benéficos. Como foi relatado na publicação *Environment and Behavior*, "comparadas com brincadeiras em áreas externas pavimentadas ou áreas internas, atividades em ambientes naturais e verdes tinham muito mais probabilidade de desenvolver o foco e a atenção de crianças com TDA (transtorno do deficit de atenção). Atividades que ocorriam internamente ou em áreas externas desprovidas de natureza tinham mais chance de agravar o quadro das crianças com TDA"[11].

Também foi descoberto que a influência positiva da natureza perto de casa para a concentração pode ser mais pronunciada em meninas (de idade entre seis e nove anos) do que em meninos[12]. Em média, quanto mais verde a vista que uma menina tem de casa, mais ela se concentra, menos age com impulsividade e mais consegue prolongar a gratificação. Isso a ajuda a ter um desempenho melhor na escola, a lidar com a pressão dos colegas e a evitar comportamentos perigosos, não saudáveis e problemáticos. É mais provável que ela se comporte de maneiras que promovam seu sucesso na vida, de acordo com os pesquisadores. Talvez, se as meninas são menos propensas ao TDAH biologicamente, como alguns profissionais da área de saúde acreditam, podem apresentar sintomas mais leves e ter uma resposta mais robusta e saudável ao tratamento – seja farmacêutico, seja verde.

Com base nesse estudo, a Universidade de Illinois emitiu uma orientação informal com relação a meninas para pais e responsáveis. A orientação também se aplica a meninos:

- Encorajá-los a estudar ou a brincar em quartos com vista para a natureza.
- Encorajar as crianças a brincar ao ar livre em espaços verdes e defender o recreio em pátios verdes. Isso pode ser especialmente útil para renovar a concentração.
- Plantar e cuidar de árvores e de vegetação em sua residência.
- Valorizar e cuidar das árvores na comunidade. Cuidar das árvores significa cuidar das pessoas.

Além do trabalho em conjuntos habitacionais da grande Chicago, o Laboratório de Pesquisa Homem-Ambiente examinou o impacto da natureza nas crianças com TDAH em regiões de classe média. Ali, assim como em conjuntos habitacionais menos favorecidos, os pais relataram que os filhos apresentaram menos sintomas de TDAH depois de passar algum tempo em áreas verdes.

– Pode-se dizer que as crianças que contam com ambientes mais verdes eram mais ricas – diz Kuo. – Mas isso não explica o fato de que mesmo crianças mais ricas melhoram depois de estar em ambientes verdes...

No relatório:

> Foi perguntado aos participantes se tinham alguma experiência, positiva ou negativa, relacionada a quaisquer efeitos a posteriori de ambientes verdes na atenção da criança. A mãe relatou que tinha começado recentemente a levar o filho ao parque local por trinta minutos toda manhã antes da aula porque o tempo estava bom, e eles tinham "um pouco de tempo para matar". Então, ela disse: – Pensando bem, notei que o comportamento dele em relação a ir para a escola melhorou e que seu desempenho melhorou na última semana. Acho que é porque ir ao parque é prazeroso, pacífico, tranquilo, relaxante.[13]

Outro pai contou que o filho conseguia jogar golfe ou pescar por horas e que, durante esses momentos, o garoto ficava "muito relaxado" e os sintomas do seu deficit de atenção eram minimizados.

– Quando li os resultados de seu estudo, eles foram como um tapa – ele contou aos pesquisadores. – Pensei que, sim, eu já vi isso!

O mesmo ocorreu com alguns pais que entrevistei. Notando que os sintomas de TDAH dos filhos eram acalmados por ambientes naturais, eles usaram o bom senso – já estavam encorajando as crianças a passar mais tempo ao ar livre e se sentiram corroborados quando contei sobre os estudos de Illinois.

As descobertas da pesquisa mais recente de Taylor e Kuo são igualmente provocadoras. De acordo com um estudo não publicado (que Taylor enfatiza ser "um trabalho em andamento"), o desempenho da atenção em crianças não medicadas diagnosticadas com TDAH foi melhor depois de uma simples caminhada de vinte minutos pelo parque, em um ambiente natural, do que depois de uma caminhada por áreas centrais e residenciais, ainda que bem cuidadas.

Expandir esse conhecimento, e aplicá-lo de modo prático, vai ser o próximo desafio. Apesar de os remédios comuns da atualidade para TDAH oferecerem ganhos temporários, incluindo a manutenção da atenção e a produtividade acadêmica, esses medicamentos podem contribuir pouco para o sucesso de longo prazo de uma criança, seja social, seja educacional. Os remédios também podem ter efeitos colaterais desagradáveis, entre os quais está a interrupção do sono, a depressão e a supressão de crescimento de mais ou menos um centímetro e meio por ano em média, como foi relatado em um grande ensaio aleatório financiado pelo National Institute of Mental Health[14]. Uma segunda classe de tratamento – as terapias comportamentais – ensina as crianças a monitorar por conta própria a atenção e o comportamento impulsivo, mas o sucesso dessas terapias não tem sido tão explícito.

Mais tempo na natureza – combinado a menos televisão e mais brincadeiras estimulantes e ambientes educativos – pode ter grande efeito para reduzir o deficit de atenção nas crianças e ser igualmente importante para aumentar sua alegria de viver. Pesquisadores do Laboratório de Pesquisa Homem-Ambiente acreditam que suas descobertas apontam para a terapia na natureza como uma potencial terceira via de tratamento terapêutico, a ser aplicada junto com medicamentos e/ou terapia comportamental ou isoladamente. A terapia comportamental e a terapia na natureza, se aproveitadas de modo colaborativo, podem ensinar os jovens a visualizar experiências positivas na natureza quando precisarem de uma ferramenta para se acalmar. Um psiquiatra que trabalha com crianças com TDAH relata que às vezes tem crises leves de depressão.

– Cresci pescando em Michigan, e era assim que eu encontrava paz quando criança – ele conta. – Então, quando começo a ficar deprimido, uso a auto-hipnose para voltar para lá a fim de invocar essas memórias.

Ele as chama de "lembranças do campo". Apesar de acreditar fortemente no uso correto dos medicamentos disponíveis hoje para o TDAH, ele se sente encorajado pela possibilidade de que a terapia na natureza ofereça outra ferramenta profissional. E, como Kuo destaca, prescrever "tempo verde" para o tratamento de TDAH tem outras vantagens: é amplamente acessível, livre de efeitos colaterais, não estigmatizante e barato.

Se é fato que a terapia na natureza reduz os sintomas de TDAH, então o oposto também pode ser verdade: o TDAH pode ser um conjunto de sintomas agravado pela ausência de exposição à natureza. Seguindo essa linha de raciocínio, muitas crianças podem se beneficiar com medicamentos, mas o verdadeiro distúrbio está menos na criança do que no ambiente imposto e artificial. Visto por esse ângulo, a sociedade que desconectou as crianças da natureza com quase toda certeza está desajustada, ainda que bem-intencionada. Tirar a natureza e o brincar nela das crianças pode ser equivalente a tirar seu oxigênio.

Um uso expandido da teoria da restauração da atenção pode ser útil no desenho de casas, salas de aula e currículos. O Central Park, em Nova York, primeiro parque urbano projetado por profissionais dos Estados Unidos, era visto originalmente como ferramenta necessária tanto para consciência cívica quanto para a saúde pública. Ele foi construído como local onde todos os nova-iorquinos, independentemente de classe social, idade ou saúde, se beneficiassem do ar fresco. Se o transtorno do deficit de atenção, como condição hipotética, afeta todas as crianças (e adultos), quer exista alguma propensão biológica ao deficit de atenção, quer não, então a terapia na natureza em nível social e individual vai acarretar o bem para o maior número de pessoas.

Pesquisas sobre o impacto de experiências na natureza em distúrbios de atenção e em aspectos mais amplos da saúde e do desenvolvimento infantil estão dando seus primeiros passos e são facilmente contestadas. Cientistas que elaboraram alguns dos melhores estudos na área são os primeiros a dizer isso. "Para muitos de nós, a intuição afirma enfaticamente que a natureza é boa para as crianças", escrevem Taylor e Kuo, em um panorama da pesquisa até o momento. "Para além dessas intuições, existem argumentos teóricos bastante razoáveis que afirmam que os humanos – e, portanto, as crianças – podem ter necessidade inata de contato com a natureza."[15] Sim, mais pesquisas são necessárias, mas não precisamos esperar por elas. Como Taylor e Kuo argumentam, "considerando que o padrão de descobertas estatisticamente confiáveis aponta na mesma direção e é consistente em diferentes grupos de crianças e diferentes ambientes, apesar das falhas de elaboração, em algum momento se torna mais parcimonioso aceitar que a natureza de fato promove o desenvolvimento infantil saudável". Se, como um conjunto cada vez maior de evidências recomenda, "o contato com a natureza é tão importante para as crianças quanto uma boa alimentação e um padrão de sono adequado, então as tendências atuais no acesso delas à natureza precisam ser abordadas".

É improvável que até mesmo a pesquisa mais extensa capte todos os benefícios da experiência direta na natureza. Um aspecto que com certeza não pode ser medido – fenômeno que vai ser discutido nas páginas a seguir – é a contribuição da natureza para a vida espiritual da criança e, portanto, do adulto. Como indica a placa no escritório de Albert Einstein na Universidade Princeton: "Nem tudo o que conta pode ser contado, tampouco tudo o que pode ser contado conta". Não precisamos esperar por mais pesquisas, necessárias, para agir com bom senso ou para oferecer o presente da natureza – mesmo que pareça ser tarde demais.

Tocando o céu com um galho

Em uma tarde de domingo, alguns adolescentes se reuniram no escritório do advogado de defesa Daniel Ybarra, que fica perto de onde eu moro. Esses jovens – entre os quais, alguns diagnosticados com TDAH – estavam em liberdade condicional. Pareciam os adolescentes problemáticos de sempre: um membro de gangue usava um gorro branco e uma camisa de time preta; uma menina com cabelo laranja, as unhas roídas até a carne; outro garoto com um gorro preto e uma bandana. Ele usava uma bolsa pequena de couro de foca típica dos Tlingit ao redor do pescoço.

– Você vai levar as moedas para o ônibus nessa coisa agora? – um dos adolescentes brincou.

Eles tinham acabado de voltar de duas semanas sob supervisão em uma tribo em Ketchikan no vilarejo de Kake, com 750 habitantes, ambos no Alasca. Kake fica em uma ilha, acessível por uma balsa que passa a cada cinco dias. Os jovens foram mandados para o Alasca por um juiz interessado em punições alternativas.

Durante anos, Ybarra sonhou em tirar garotos em situação de risco do cenário urbano e expô-los à natureza. Com a permissão do juiz, ele agiu – persuadiu a Alaska Airlines a oferecer passagens baratas e conseguiu contribuições de colegas da Faculdade de Direito, de um jogador profissional de futebol americano e do United Domestic Workers Union.

Alguns desses adolescentes que Ybarra ajudou nunca tinham ido às montanhas ou saído do centro urbano em que moravam. O mais longe que uma menina tinha ido de seu bairro fora um passeio a uma zona residencial no subúrbio. De repente, eles estavam em um local de geleiras e *takus* – tempestades que surgem do nada, com ventos que chegam a derrubar árvores. Eles se viram em meio a ursos-pardos nas praias, elefantes-marinhos que surgiam no canal e revoadas de águias-americanas que pousavam em galhos, tão comuns quanto pardais.

As aldeias tlingit estão há milhares de anos de frente para o mar, e lá a vida gira em torno da pesca. Apesar de os tlingits terem seus próprios problemas com o abuso de drogas, eles mantêm contato com alguns elementos que tantos jovens desconhecem. O menino com o gorro preto disse: – Eu nunca tinha visto um lugar tão escuro à noite. Vi foca, urso, baleia, salmão – e peguei caranguejo e ostra; assim que a gente pegava, a gente comia. Eu me senti numa outra época.

Uma menina com roupa neo-hippie acrescentou: – Eu nunca tinha visto um urso. Tenho medo, mas quando o vi, não fiquei tensa. Eu estava calma, livre. Sabe o que foi ótimo? Colher frutas silvestres. Era viciante. Como cigarros. – Ela riu. – Só de colher, de estar ao ar livre nos arbustos.

Um dos rapazes disse que quase se recusou a embarcar no avião para voltar para casa. Mas voltou determinado a se tornar advogado especialista em direito ambiental.

Eles aprenderam sobre *sha-a-ya-dee-da-na*, termo tlingit que, em tradução livre, significa "respeito próprio" por estar na natureza e por se associar com pessoas que nunca se separam dela.

– Conheci um menininho e passei bastante tempo com ele – contou uma das participantes. Ele tinha cabelo comprido e escuro e olhos tão brilhantes quanto o sol do meio-dia. – Um dia, eu estava lá fora – isso foi logo antes de irmos a uma cerimônia de purificação – e ele me perguntou: – Você pode tocar o céu com um galho? Respondi: – Não, sou muito baixa.

Ele me olhou com desprezo e disse: – Você é fraca! Como você sabe que não consegue tocar o céu com um galho sem nem tentar?

Ao se lembrar dessa charada, os olhos da garota se arregalaram.

– Foi a primeira vez que uma criança de quatro anos falou assim comigo.

Quando voltou para casa, sua mãe não estava no aeroporto para pegá-la. Ela voltou para uma casa vazia.

– Ontem à noite, olhei para as árvores e pensei em Kake – ela contou.

Qualquer um que tenha passado muito tempo com viciados ou membros de gangue entende como eles podem ser sedutores e manipuladores. No entanto, naquela tarde, não vi traços de malandragem nos olhos deles. Pelo menos por um tempo – um dia, uma semana, um ano ou talvez até pela vida toda – eles mudaram.

Parte III

As melhores intenções: por que João e Maria não brincam mais lá fora

Nossas crianças não aprendem mais a ler
o grande Livro da Natureza
a partir de sua própria experiência direta ou como interagir
de maneira criativa com as transformações sazonais do planeta.
Raramente aprendem de onde vem sua água ou para onde ela vai.
Não coordenamos mais nossa celebração humana
com a grande liturgia dos céus.

— Wendell Berry

9. Tempo e medo

AGORA QUE SABEMOS MAIS sobre o amplo valor da experiência direta na natureza, está na hora de lançarmos um olhar aprofundado sobre as barreiras que precisam ser transpostas para aumentar esse contato. Alguns dos obstáculos para que isso aconteça são culturais ou institucionais, como o aumento das ações litigiosas e as tendências educacionais que marginalizam a experiência direta na natureza; outros são estruturais, têm a ver com a maneira como as cidades são formadas. Há também empecilhos mais pessoais ou familiares – as pressões de tempo e o medo, por exemplo. Uma característica comum a essas barreiras é o fato de terem sido criadas por nós com as melhores intenções.

Quando meu filho Jason tinha nove anos, fui buscá-lo na escola uma tarde, e paramos em um parque do bairro para jogar bola. A imensidão de grama estava repleta de times infantis de futebol. Jason e eu fomos do centro para o canto do parque e encontramos uma área verde sem jogadores. Começamos a bater a bola um para o outro. A mãe de um dos colegas de Jason se aproximou. Eu conhecia a mulher, ela era extremamente comprometida com as realizações acadêmicas e esportivas dos filhos e se esforçava bastante.

– O que vocês estão fazendo? – ela perguntou, com um sorriso. – Esperando para formar um time?

– Não. Estamos só jogando bola –, respondi, arremessando a bola para Jason.

– Ah, matando tempo – disse a mulher.

Desde quando jogar bola no parque tinha se tornado uma forma de matar o tempo?[1] Essa mãe tinha a melhor das intenções, claro. A maioria de nós tem. No entanto, como a velocidade da vida, em especial para as crianças, aumentou – enquanto lutamos para melhorar as escolas, aumentar a produtividade, acumular riquezas e oferecer uma educação mais tecnológica –, as consequências de nossas intenções nem sempre são o que pretendemos.

Podemos ter uma vida mais produtiva, mas menos criativa. Em um esforço de valorizar e estruturar o tempo, alguns de nós, mesmo sem querer, podem matar o tempo que serviria aos devaneios. Com a preocupação em relação à segurança das crianças, às vezes tomamos atitudes que, de alguma forma, diminuem a segurança delas. As instituições que tradicionalmente apresentam os jovens ao universo ao ar livre agora estão adotando políticas que, em alguns casos, na verdade os afastam da natureza. Até mesmo algumas organizações ambientais estão acelerando essa separação – de modo inconsciente, com a melhor das intenções – e colocando em risco o futuro do ambientalismo e a saúde da própria terra.

Certo, vamos voltar para o parque.

Meu propósito ao contar o ocorrido não é diminuir a importância do futebol. Sem dúvida, esportes organizados tiram as crianças de casa, e essas atividades oferecem benefícios. Ainda assim, precisamos encontrar um equilíbrio maior entre atividades organizadas, o ritmo de vida das crianças e suas experiências na natureza. Será uma missão difícil, mas é possível.

80% dos norte-americanos vivem em áreas metropolitanas, e muitas desses regiões sofrem com a ausência de parques. O apoio aos parques que existem atrofiou nas últimas décadas. Por exemplo, apenas 30% dos moradores de Los Angeles vivem a uma curta distância de um parque, de acordo com a organização TPL - Trust for Public Land[2].

Sendo mais específico, os parques favorecem cada vez mais o que Robin Moore chama de "comercialização do brincar"[3]. Moore mapeou uma ampla "tendência internacional de investir recursos públicos em áreas para a prática de esportes em vez de espaços polivalentes que ofereçam múltiplas opções para o brincar livre". Ele acrescenta: "Espaços privados e fechados voltados para o brincar estão se proliferando mundo afora. Até o momento, eles ofereceram uma gama restrita de atividades que trabalham a coordenação motora grossa". Enquanto isso, terrenos baldios estão desaparecendo, e as características do desenvolvimento dos subúrbios está mudando. Nessas áreas, campos que eram deixados abertos em décadas passadas estão sendo eliminados, substituídos por empreendimentos imobiliários mais compactos e planejados, com áreas verdes cuidadosamente mantidas por meio de regulamentos rígidos. "A maioria dos países não tem nem orientações gerais para a alocação de espaços para o brincar", explica Moore.

De 1981 a 1997, a quantidade de tempo que as crianças passaram praticando esportes organizados aumentou 27%[4]. Em 1974, a U.S. Youth Soccer Association tinha cerca de 100 mil membros; hoje, tem quase 3 milhões. A demanda por áreas esportivas está alta. Os gastos com parques estão diminuindo. Quando há parques disponíveis, os arquitetos se concentram em reduzir os riscos legais. Encorajar a diversidade de estilos do brincar não é prioridade. Uma área plana de grama natural ou sintética (aprovada para diversos parques pela prefeitura de Seattle) pode ser perfeita para esportes organizados, mas não para o brincar não estruturado ou na natureza. Quando um parque é nivelado para a instalação de uma quadra, as crianças ganham em termos de futebol, mas perdem espaço para o brincar autônomo e espontâneo. Aliás, as pesquisas sugerem que as crianças, quando são deixadas por conta própria, são atraídas para as áreas mais remotas desses parques, as ravinas e os declives, a vegetação natural. Um parque pode ser muito bem planejado e aparado, mas os cantos e as áreas naturais onde as crianças um dia brincaram talvez se percam no processo.

Ironicamente, como já foi mencionado, a epidemia de obesidade infantil (com um complexo conjunto de causas) coincide com um aumento considerável dos esportes organizados para crianças. Isso não significa, claro, que os esportes organizados contribuam para a obesidade, mas que uma infância cheia de atividades e hiper organizada talvez, sim. Tal infância, sem natureza, carece de vários ingredientes vitais.

LEVA TEMPO – um tempo solto, sem estrutura, como num devaneio – para vivenciar a natureza de modo significativo. A menos que os pais sejam vigilantes, esses períodos se tornam um recurso cada vez mais escasso, porque o tempo é consumido por múltiplas forças invisíveis, uma vez que a cultura atual atribui tão pouco valor ao brincar na natureza. Durante as viagens que fiz pelos Estados Unidos para realizar as pesquisas que resultariam no livro

Childhood's Future, pedi aos alunos de quinto e sexto anos da Escola de Ensino Fundamental Jerabek, em San Diego, que descrevessem sua agenda. O comentário de uma garota foi clássico:

> Não tenho muito tempo para brincar porque faço aula de piano. Minha mãe me faz praticar por mais ou menos uma hora todo dia, depois faço lição de casa, o que leva mais ou menos uma hora, a seguir jogo futebol, das cinco e meia até às sete, então não sobra tempo para brincar. Nos fins de semana, em geral tenho jogos de futebol, preciso tocar piano e cuidar do jardim e tenho outras tarefas. Só então fico livre para brincar – por umas duas, três horas, ou algo assim.[5]

Fiquei intrigado com a maneira como as crianças definiram o brincar: muitas vezes, não incluíram o futebol nem as aulas de piano. Essas atividades se parecem mais com obrigações.

Como os mais jovens se sentem quando têm tempo extra, sem atividades?

– Eu meio que me sinto livre, como se pudesse fazer qualquer coisa no mundo. É uma sensação boa –, um garoto disse. – Se não tenho lição de casa para fazer e não tenho futebol nem nada assim, sinto uma sensação boa por poder sair para caminhar ou andar de bicicleta.

Em uma sala de aula da Escola de Ensino Fundamental Kenwood em Miami, perguntei se alguém se preocupava em entrar em boas universidades ou conseguir bons empregos no futuro. Mais da metade das crianças levantou a mão. Eram alunos do quarto ano. Uma garotinha séria, sobrancelhas grudadas atrás dos óculos, explicou: "Bom, você não deve ficar olhando pela janela nem sonhando. Você deve manter a cabeça no trabalho porque não vai conseguir uma boa formação universitária de outro jeito". Uma preocupação central é como os pais organizam o uso do seu próprio tempo – a atitude deles sobre como o tempo se encaixa em sua vida ocupada. Em uma sala de aula em Potomac, Maryland, Courtney Ivins, do nono ano, expressou claramente esse efeito. Conforme as pessoas ficam mais velhas, o esplendor da natureza "se torna mais fácil de menosprezar", ela resume. "A neve não é só uma chance de não ir para a escola, mas também é um meio de ter aventuras... bonecos, iglus e guerra de bola de neve". Mas, para muitos adultos, "a neve é só mais uma das complicações da vida. As estradas ficam escorregadias, o trânsito aumenta, e é preciso limpar as calçadas".

Onde todo o tempo foi parar, ou no que foi transformado? Nos anos recentes, diversos estudos ofereceram um retrato claro do uso do tempo[6]. Os pesquisadores da Universidade de Maryland descobriram que, entre 1981 e 2003, as crianças, durante uma semana típica, perderam mais de nove horas de tempo livre (isto é, não passadas na escola nem na creche). Elas passam menos tempo brincando de forma não estruturada, em espaços internos ou externos, e o tempo de uso do computador dobrou. Os estudos de análise do tempo realizados no Institute for Social Research da Universidade de Michigan demonstraram que, de 1981 a 1997, a quantidade de tempo que as crianças americanas de até doze anos passam estudando aumentou 20%[7]. Assim como o crescimento dos esportes organizados, o aumento do tempo de estudo e de lição de casa não é necessariamente ruim – exceto pelo fato de, com frequência, a pressão cada vez maior ofuscar o tempo livre e o brincar na natureza.

A televisão continua sendo o ladrão mais eficiente de tempo. Estudos realizados em associação com a Kaiser Family Foundation, em 2005 e 2006, revelaram que quase um terço das crianças de seis meses a seis anos vivia em casas em que a televisão estava constantemente ligada, ou quase. Crianças com idade entre oito e dezoito anos passavam em média seis horas e meia por dia conectadas eletronicamente; são 45 horas por semana, mais tempo do que um dia foi considerada a jornada de trabalho adulta. O estudo também indicou que, durante cerca de um quarto do tempo, os jovens usavam mais de uma mídia ao mesmo tempo, o que levou os pesquisadores a chamar os jovens de hoje de Geração M – inicial do termo "multitarefas"[8].

Em relação aos pais, conforme o uso da internet aumenta, os adultos em geral passam mais tempo trabalhando para seus empregadores, ainda que de casa, sem diminuir as horas que passam no escritório[9]. Enquanto a expansão imobiliária força os limites urbanos, os americanos passam mais tempo na estrada; a proporção de trabalhadores que se desloca por trinta minutos diários ou mais saltou 14% apenas entre 1990 e 2000. Americanos típicos passam 101 minutos no carro todo dia, cinco vezes a quantidade de tempo que passam se exercitando. Também tiram menos dias de férias e trabalham mais que os japoneses ou os europeus[10]. (Na Alemanha, na França, na Dinamarca, na Áustria, na Suécia e em diversas nações do Leste Europeu, as horas de trabalho diminuíram entre 2000 e 2005. Enquanto este livro era escrito, a França estava legislando uma semana de trabalho de no máximo 35 horas.) Os fins de semana não são mais para o lazer, mas para as tarefas não realizadas que se acumulam durante a semana. Em uma pesquisa de referência canadense, descobriu-se que ambos os pais diminuíram suas horas de sono para lidar com todas as responsabilidades[11]. Não há tempo para dormir. Nem para a neve.

Ao menos, é o que parece.

O tempo na natureza não é tempo de lazer

Nossa aparente incapacidade de dominar o controle remoto com certeza é uma causa, uma das principais, de nossa suposta escassez de tempo[12]. Mas outros fatores também atuam: empregadores que tentam arrancar até a última gota de energia dos funcionários, espaços recreativos restritos e parques perigosos em áreas de baixa renda. Como o *Pediatrics*, publicação oficial da American Academy of Pediatrics, relatou em 2007, a maioria das famílias tem um ou dois responsáveis trabalhando; a pressão dos processos seletivos para universidades começa mais cedo e a crença de que bons pais equipam os filhos com todas as habilidades e aptidões possíveis aumentou. "Até pais que desejam seguir uma abordagem mais contida na criação dos filhos têm medo de desacelerar quando se dão conta de que todo mundo está na via expressa", afirma Kenneth R. Ginsburg, que assina o relatório.

É difícil não ceder a essas forças, em especial quando a segurança econômica da família parece estar constantemente em risco. No fim das contas, queremos fazer o que é melhor para as crianças. Se trabalhar mais nos ajuda a fazer isso, que seja. Se matricular Ana no método Suzuki de violino desenvolve suas habilidades musicais e sua disciplina, que seja.

Esse impulso compreensível é uma das razões pelas quais o surgimento de evidências da necessidade da natureza para o desenvolvimento saudável das crianças é tão importante. Podemos olhar para isso da seguinte forma: *o tempo na natureza não é de lazer, é um investimento na saúde infantil* (a propósito, na nossa também). Os pais americanos se habituaram demais ao mantra da mídia que nos trata como profissionais egoístas que se importam mais com os nossos carros do que com os nossos filhos. Mas, de alguma forma, a maioria dos pais tem uma noção de responsabilidade profundamente afinada – a ponto de considerar o descanso e o lazer, para si mesmos e para os filhos, um luxo condescendente. Ao tirarmos a experiência na natureza do âmbito do lazer e a colocarmos no da saúde, é mais provável que levemos as crianças para uma caminhada – é mais provável, assim, que consigamos nos divertir. Essa mudança de percepção é fundamental. As apostas são altas, e as consequências, ainda mais evidentes quando as crianças chegam à adolescência. Tonia Berman, professora de biologia do ensino médio em minha cidade, descreve a lista de problemas comuns aos adolescentes. Ela vê jovens que não comem o suficiente em casa, que enfrentam a violência do bairro depois da escola e cada vez mais é testemunha de outro tipo de sofrimento: o que ela chama de síndrome da supercriança.

– Todo mundo já ouviu falar da supermãe – ela diz – a mulher que tenta fazer tudo com perfeição, que tem uma carreira sujeita a muita pressão, que se preocupa com o cardápio do jantar, que faz exercícios com os filhos, que corre para eventos beneficentes... e assim por diante.

De fato, reportagens sobre a criação de filhos estão repletas de histórias sobre como as supermães (e os superpais) podem ficar esgotados. "Mas e as crianças que estão correndo na mesma esteira, às vezes ainda mais rápido?"

Quando Berman pediu aos alunos que escrevessem sobre as pressões do tempo, uma adolescente listou suas tarefas. Esta, ela conta, é uma lista parcial: "Jogo tênis durante a temporada, sou líder de um clube de trabalhos comunitários, ajudo na creche do lugar de culto que frequento, faço seis disciplinas avançadas (para ter crédito extra quando for me matricular na faculdade), sou uma boa amiga e aconselho meus colegas".

Nas férias de inverno e primavera, essa aluna continua o trabalho voluntário e estuda a fim de se adiantar para o semestre seguinte. Ela tem orgulho de sua honestidade, mas chora por dentro quando vê estudantes que colam tendo resultados melhores nas provas. "Sou uma pessoa muito preocupável (essa palavra existe?)", ela escreveu. "Sou o tipo de pessoa que pensa muito nas coisas." Depois de algumas semanas especialmente estressantes, ela teve uma crise. E se não conseguisse dar conta da sua agenda de atividades? E aí? "Pensei em me matar. Eu não me importo muito comigo e prefiro me machucar a magoar meus pais e meus amigos. Eu sofri para que eles não precisassem saber o que eu estava passando – minhas fraquezas, meus fracassos, o ódio que eu sentia do mundo." Essa não é só uma reflexão da eterna angústia adolescente, mas um exemplo singular de por que existe um índice cada vez maior de suicídios e tentativas de suicídio adolescente. Ela podia recorrer aos pais? A garota sentia que não. "Eles passam batido por mim e só veem o que querem ver." Ela diz que talvez não estivesse aqui hoje se não fosse por pessoas como Tonia Berman, professora de biologia, que conseguiu se aproximar a tempo.

Ensinar a autodisciplina é um valor essencial no processo de criar filhos, mas nutrir a criatividade e o encantamento também. Com mais conhecimento sobre o valor mensurável de expor as crianças à natureza, pode ser mais fácil para os pais encontrar o equilíbrio. Com certeza, muitos deles estão preocupados em sobrecarregar os filhos e ansiosos por uma abordagem diferente. Tina Kafka, mãe de dois estudantes universitários, se pergunta se os filhos vão lembrar das muitas coisas que ela agendou na vida deles:

> Quando penso em minha própria infância, me lembro em particular daqueles momentos em que eu estava subindo na minha árvore, brincando de pirata no córrego atrás da minha casa ou descendo as colinas com um pedaço de papelão. Hoje me dou conta, depois de conversar com minha mãe – que disse que programava muito da minha infância, como a que horas meus amigos podiam me visitar, essas coisas –, de que meu tempo livre brincando na água talvez não ocupasse tantas horas quanto eu lembrava. Mas essas horas são os momentos de que tenho as recordações mais vívidas. Mesmo com meus próprios filhos, muitas vezes fico impressionada como alguma atividade que planejei com cuidado perde força na memória de longo prazo deles em comparação com outra atividade totalmente espontânea e que quase não é memorável para mim. Como adultos, podemos planejar um milhão de coisas para ocupar o tempo de nossos filhos de modo significativo, mas o que de fato clica dentro do ser deles está além do nosso controle. Às vezes eu me pergunto por que achamos que precisamos de tanto controle.

10. O retorno da síndrome do bicho-papão

O coração do homem, longe da natureza, torna-se duro; [os Lakota] sabiam que a falta de respeito pelas coisas vivas, que crescem, logo levaria também à falta de respeito pelos humanos.

— Luther Urso em Pé (c.1868-1939)

O medo é a força mais potente que impede os pais de permitir aos filhos a liberdade que eles mesmos tiveram quando eram jovens. O medo é a emoção que separa uma criança em desenvolvimento dos benefícios plenos e *essenciais* da natureza. O medo do trânsito, da criminalidade, de desconhecidos – e da própria natureza.

A vida das crianças está se tornando cada vez mais restrita. Em uma pesquisa nacional da TNS Intersearch (empresa especializada em pesquisas de mercado) para a revista *American Demographics*, feita em 2002, 56% dos pais nos Estados Unidos disseram que, aos dez anos, já podiam ir a pé ou de bicicleta para a escola, mas apenas 36% desses mesmos pais disseram que os próprios filhos tinham permissão para fazer o mesmo[1]. Essa tendência também está documentada em outros países[2]. Por exemplo, em Amsterdã, na Holanda, a pesquisadora Lia Karsten comparou o uso que as crianças fazem do espaço ao longo de várias décadas e descobriu que, nos anos 1950 e 1960, "brincar implicava estar ao ar livre" e que as crianças tinham uma liberdade considerável para se deslocar por conta própria, dispunham de um território relativamente vasto para percorrer, brincavam com crianças de diversas origens e faziam uso do espaço público urbano para muitas de suas atividades. Em contraste, Karsten descobriu que as crianças em 2005 não brincavam tanto ao ar livre, nem por períodos tão longos, podiam se mover livremente por uma área mais restrita, tinham menos colegas com quem brincar e a diversidade de pessoas com que tinham contato era menor. Na Grã-Bretanha, pesquisadores determinaram que a mobilidade usufruída por uma criança entre nove e dez anos em 1990 era comparável à liberdade de uma criança de sete anos em 1971[3].

Em termos de desenvolvimento infantil[4], a diminuição do espaço de mobilidade doméstico não é uma questão menor. Uma infância passada em espaços confinados (ou no banco de trás de um automóvel) de fato reduz alguns perigos para as crianças, mas outros riscos aumentam, incluindo riscos à saúde física e psicológica, riscos à percepção de comunidade da criança, riscos à confiança e à habilidade de discernir o perigo real – e a beleza. O psicólogo infantil Erik Erikson descreveu a necessidade que a criança tem, em especial durante os anos finais do ensino fundamental, de estabelecer certa independência para além do controle adulto e o importante papel de esconderijos e outros refúgios perto de casa. Stephen Kellert, professor de ecologia social na Universidade Yale e um dos principais pensadores da biofilia, descreve como a experiência nas vizinhanças, em especial na natureza, ajuda a amadurecer a cognição das crianças, incluindo sua habilidade de análise, síntese e avaliação. "Um grande desafio da infância é desenvolver a habilidade de traduzir e interpretar as experiências avaliando sistematicamente evidências objetivas e empíricas", ele escreve. "Aliás, nenhum outro aspecto da vida de uma criança oferece esse grau de oportunidades consistentes, mas variadas, para o pensamento crítico e a resolução de problemas – uma dieta regular tanto para a mente quanto para o corpo."

Quando estudou a região da baía de San Francisco em 1980, o educador e paisagista Robin Moore combinou descobertas com uma análise das pesquisas internacionais e chegou a "uma conclusão inevitável": o aumento do trânsito local e regional "foi o grande fator universal que restringiu o desenvolvimento do alcance espacial das crianças, limitando assim o conhecimento que elas têm do ambiente comunitário – incluindo suas características e seus componentes naturais". Outros pesquisadores apontaram para a deterioração dos parques e a tendência a construção de casas maiores, repletas de brinquedos e aparelhos eletrônicos.

Meu palpite não científico, no entanto, é que desde 1980 o medo de desconhecidos – e, para além disso, um medo generalizado e sem foco – desbancou o medo do trânsito. Por essas razões, muitas crianças não têm a chance de conhecer o próprio bairro, nem o parque, nem as áreas naturais remanescentes ao seu redor.

Anos antes que o terror do 11 de setembro potencializasse nosso medo generalizado, eu passei um dia com a família Fitzsimmons em Swarthmore, na Pensilvânia. Eles viviam em uma casa vitoriana; o balanço da varanda na entrada rangia um pouco com o vento. Swarthmore é uma cidade idílica cheia de árvores antigas, crianças e calçadas largas, onde existe uma regra que Beth Fitzsimmons me contaria depois: ninguém pode fazer mal às árvores nem às crianças. É, em resumo, o último lugar onde se esperaria que os pais demonstrassem medo. No entanto, ela disse:

> Quando eu era pequena, havia florestas no fim da rua, e eu me levantava às seis da manhã para passar duas ou três horas lá colhendo mirtilos, e ninguém se preocupava com isso... Armas e drogas são as razões pelas quais dizemos não para coisas que as crianças provavelmente gostariam de fazer. Existem muitos malucos por aí. É tão diferente. Mesmo se [minha filha] Elizabeth for até o riacho, atrás da faculdade, quero que ela leve o cachorro e esteja acompanhada de pelo menos um amigo.[5]

Fiquei surpreso ao encontrar um medo tão intenso no Kansas quanto na Pensilvânia.

> Tenho uma regra. Preciso saber onde meu filho está 24 horas por dia, sete dias por semana. Quero saber onde ele está. Em que casa. Em que metro quadrado. Qual é o telefone desse lugar. É o meu jeito de lidar com as coisas. Meus dois filhos já me ouviram dar sermão dizendo que o mundo está cheio de loucos. E está mesmo. Os malucos estão à solta. Pessoas que precisam passar por anos de terapia e precisam ser encarceradas. Elas estão por aí dirigindo carros e portam armas. Estão por aí. E você precisa lidar com essa situação. Eu ficaria hesitante em deixar meus filhos irem ao parque sozinhos. Todo mundo diz para você nunca deixar seus filhos sozinhos.

Também no Kansas, uma simpática professora de meia-idade falou com tristeza sobre como o cotidiano está tomado pelo medo.

> Outro dia eu estava na fila no aeroporto, e um garotinho estava indo olhar atrás do balcão quando a mãe dele disse: "Quer que alguém leve você? Não se afaste de mim desse jeito". E lá estava eu atrás deles, na fila, pensando "Bom, eu não pareço uma sequestradora de crianças". Ensinamos nossas crianças desde tão

cedo a tomar cuidado com tudo. Elas perdem a chance de ser inocentes. Meus alunos de sétimo ano tiveram de lidar com situações que não conhecíamos até nos tornarmos adultos. Ensinar as crianças a ter cuidado perto de desconhecidos sem dúvida é importante – assim como dizer "não" a agressores em potencial é fundamental. Mas precisamos ter uma visão equilibrada do perigo. Qual é o dano causado quando as famílias ensinam os filhos a nunca falar com outros adultos em uma sociedade em que você precisa desesperadamente de mais comunicação? O que isso faz com a criança?

Dos modos mais estranhos, a visão de muitos americanos sobre as áreas naturais se tornou uma antiga irracionalidade, evocando o medo atrás dos galhos das árvores.

A estupidez do medo

No começo dos anos 1990, Joel Best, à época professor e diretor do Departamento de Sociologia da Universidade do Estado da Califórnia, em Fresno, realizou um estudo sobre o perigo em relação a desconhecidos – em especial, o terrorismo do Halloween. Havia histórias sobre doces com drogas ou alfinetes, lâminas ou veneno. Ele analisou 76 rumores específicos relatados de 1958 a 1984 nos periódicos *The New York Times*, *Chicago Tribune*, *Los Angeles Times* e *Fresno Bee*. "Não encontramos um único caso de criança morta ou gravemente ferida pela contaminação de doces", diz ele. "O sádico do Halloween é uma lenda urbana." Em 2001, Best – hoje professor da Universidade de Delaware – atualizou suas descobertas no livro *Damn Lies and Statistics*. "Todo ano, desde 1950, o número de crianças americanas mortas por armas dobrou." Esta é uma declaração amplamente difundida, que teve origem no relatório do Children's Defense Fund publicado em meados da década de 1990. Best a considera a estatística social mais inexata que já circulou. "Se o número dobrou a cada ano, devia ter havido duas crianças baleadas em 1951, quatro em 1952, oito em 1953, e assim por diante", ele escreve. Em 1983, o número de crianças americanas mortas por armas teria sido 8,6 bilhões (cerca de metade da população da Terra na época). Nesse processo de multiplicação, só em 1987 o número de crianças americanas baleadas teria sido maior do que o total estimado da população mundial – desde os tempos dos primeiros humanos. "Uma campanha monstruosa", é como Best define isso.

Na época, apelidei o fenômeno de "síndrome do bicho-papão".

No auge da primeira onda de pânico a respeito de crianças desaparecidas, uma década atrás, algumas organizações locais afirmavam que 4 mil crianças por ano estavam sendo sequestradas por desconhecidos e mortas. Não, disse David Finklehor, um dos diretores do Laboratório de Pesquisa da Família da Universidade de New Hampshire, que realizou o National Incidents Study of Missing Children do Departamento de Justiça em 1990, que é considerado o relatório mais exato e abrangente sobre o tema. Por uma vasta margem, a maior parte dos sequestradores não eram desconhecidos, mas familiares ou alguém que a família conhecia. Além disso, a estatística anual de sequestro por desconhecidos era de duzentos a trezentos casos – e continua sendo.

Em 2005, os índices de crimes violentos contra jovens tinha diminuído para bem abaixo dos níveis de 1975, de acordo com o Child and Well-Being Index de 2007 da Universidade Duke[6]. Em 2006, o relatório da Divisão de Justiça Criminal do estado de Nova York sobre crianças desaparecidas descreveu um panorama da questão: "Ocorrências de sequestro contabilizaram cerca de 1% do total de casos, e sequestros realizados por membros da família são a forma mais comum desses crimes"[7]. Um caso de sequestro por desconhecido já é demais, claro, mas vale registrar que no estado de Nova York apenas três crianças foram levadas por desconhecidos em 2006. Os autores do relatório alertaram que podia não ser o número exato, por causa da maneira como os casos são relatados. Mesmo assim, o número registrado é muito menor do que a maioria das pessoas acredita. Pode-se argumentar que é porque as crianças passam mais tempo em ambientes fechados e controlados. Pode haver alguma verdade nisso. Mas muitas outras variáveis estão atuando, entre elas a redução demográfica na proporção de jovens do sexo masculino, o aumento do policiamento nos bairros etc. O maior risco para as crianças está em outro âmbito. Os autores do Child and Well-Being Index da Universidade Duke afirmam que "a descoberta mais alarmante" não foi em relação à violência nem aos sequestros, mas ao fato de "que a saúde infantil chegou ao ponto mais baixo nos trinta anos de história do censo, devido em grande parte a um aumento alarmante no número de crianças obesas e a um declínio menor nos índices de mortalidade infantil do que o alcançado em anos recentes".

Hoje, Finklehor chama a epidemia do medo do rapto por desconhecidos de "ilusão de ótica" provocada por uma ansiedade social generalizada, uma nova coordenação entre as autoridades e os grupos de crianças desaparecidas e pela atuação da mídia. Vamos chamar de atuação da mídia movida pelo mercado. Em um estudo que avaliava cinco anos das transmissões exibidas em Los Angeles na década de 1990, Frank Gilliam, professor de ciência política da Universidade da Califórnia - Los Angeles e diretor associado do Centro para o Estudo de Políticas Americanas e Políticas Públicas, descobriu que o noticiário local cria um poderoso "roteiro de crime" na mente do público – uma estenografia distorcida que levamos conosco. "O noticiário noturno, muito mais visceral e poderoso do que a mídia impressa, efetivamente promove o racismo e a violência", ele conta. "Os espectadores agora conectam automaticamente etnias com crimes."

Não estaria a televisão simplesmente noticiando coisas desagradáveis, mas corretas? "Não", responde Gilliam. "A cobertura de crimes violentos ligados a etnias passou a dominar o noticiário local de modo desproporcional." Em Los Angeles, a cobertura da violência ultrapassa de maneira impressionante os incidentes de crimes violentos – por um fator que chega a 30 para 1 no caso de assassinatos. Algumas redações trabalham duro para oferecer equilíbrio e contexto à cobertura criminal. Mas Gilliam insiste que as notícias de "sacos de cadáveres", ao nos condicionar a "estereótipos vulgares de membros de grupos de minorias raciais" moldam as políticas públicas e espalham um medo infundado.

Esse medo pode, na verdade, deixar nossas crianças menos seguras. Em 1995, um "inventário da timidez" revelou que 48% das pessoas entrevistadas se descreveram como tímidas – um aumento em relação aos 40% de meados dos anos 1970. "As pessoas veem as interações sociais como mais perigosas do que são de fato", diz Lynn Henderson, psicóloga e pesquisadora visitante da Universidade Stanford. Ela se preocupa com o fato de que, quanto mais os pais mantêm os filhos dentro de casa ou sob um controle rígido, mais os jovens são privados da chance de adquirir confiança e discernimento, de interagir com vizinhos ou de aprender como construir uma verdadeira comunidade – o que seria uma defesa contra sociopatas.

O medo excessivo pode transformar uma pessoa e modificar um comportamento; ele pode mudar a estrutura do cérebro. Isso pode refletir em uma cultura inteira. Como vai ser para as crianças crescer em situações social e ambientalmente controladas – condomínios e conjuntos habitacionais planejados e regidos por regulamentos, cercados por muros, portões e sistemas de vigilância, em que as normas impedem que as famílias cultivem hortas? É de se perguntar como as crianças que crescem nessa cultura vão definir liberdade quando forem adultas.

Hoje existe um bracelete colorido que pesa 85 gramas e funciona como localizador pessoal de GPS. Se o bracelete à prova d'água for cortado ou retirado à força, um alarme dispara e notifica os operadores de emergência do fabricante. Pelo menos à primeira vista, a resistência ao rastreamento pessoal global parece não só inútil como também egoísta – porque amamos nossos filhos e queremos protegê-los. Mas a garantia de segurança, ou a ilusão dessa segurança, tem um preço perigoso. Imagine crianças que foram criadas para aceitar a inevitabilidade de ser rastreadas eletronicamente todo dia, todo segundo, em cada canto da vida, no não admirável mundo novo. Essa tecnologia pode funcionar em um curto prazo, mas também pode criar uma falsa sensação de segurança e funcionar como substituto negativo aos antídotos comprovados para a criminalidade: uma comunidade ativa, mais olhos humanos nas ruas e crianças confiantes.

Quando a natureza se torna o bicho-papão

O perigo em relação a desconhecidos não é a única razão pela qual as famílias determinam limites mais rígidos para a vida das crianças. Crianças e adultos também estão começando a ver a natureza como inimigo natural – um bicho-papão, um substituto para outros medos menos identificáveis.

Será que a nossa relação com o ambiente ao ar livre foi invertida ou, para ser mais exato, regrediu? Gerações mais antigas de americanos não eram tão otimistas sobre suas chances de sobrevivência na natureza selvagem. Conforme o desenvolvimento invade seus territórios, às vezes animais selvagens de fato atacam os humanos – e nos fazem lembrar por que nossos antepassados viam a natureza como uma ameaça.

Parques que já foram vistos como refúgios para as mazelas urbanas estão se tornando suspeitos – pelo menos na mídia. Alguns anos atrás, um ajudante geral de hotel de beira de estrada confessou para o FBI que tinha assassinado três visitantes de Yosemite do lado de fora do Parque Nacional e, mais tarde, decapitado um naturalista dentro dele. Outras histórias recentes podem ter abalado a confiança dos americanos na natureza. No Parque Nacional Olympic em Washington, em 1998, houve 82 roubos de carro, 47 casos de vandalismo, 64 incidentes envolvendo abuso de drogas e álcool, uma agressão sexual e uma agressão armada. Os guardas do parque agora carregam pistolas semiautomáticas. Também em 1998, nas Great Smoky Mountains, um louco que gostava de cantar música gospel atirou e matou o guarda do National Park Service Joe Kolodski. Além desses casos, dois guarda-parques foram baleados no Parque Estadual Oswald West no Oregon; um deles morreu.

Os filmes também alimentam esse medo. O *Lobisomem* de 1930 parece tranquilo comparado ao terror explorado nos diversos títulos envolvendo chacinas em acampamentos de verão ou em *A bruxa de Blair*, filme de terror que se passa na floresta.

Jerry Schad, renomado naturalista e autor da série de guias *Afoot and Afield* sobre o interior do sul da Califórnia, trabalha incessantemente para ajudar os jovens a se conectar com o mundo natural. Ele relata:

> Todo semestre eu convido os alunos da disciplina de pesquisa em ciência física na Faculdade de Mesa para uma viagem ao Observatório Mt. Laguna. Os alunos precisam escrever um curto relato sobre o que aprenderam ou o que os impressionou mais. Conforme os anos passam, cada vez menos alunos têm qualquer noção do que há ali, uma hora a leste de San Diego. Hoje relativamente poucos já viram a Via Láctea até (talvez) fazerem essa viagem. A maioria fica muito impressionada com o que vê e aprende, mas, para um número considerável, o passeio é totalmente assustador. Diversos já compararam as árvores na floresta ao entardecer com cenas de *A bruxa de Blair*.

Existem de fato perigos reais na natureza, mas a ameaça é muito exagerada pela mídia. A realidade é diferente. Vamos considerar o medo que as pessoas têm dos parques, por exemplo.

Joe Kolodski foi o terceiro guarda-parque do U.S. Park Service morto durante o trabalho, em 82 anos de história da instituição. Como o *Seattle Times* relatou, o índice de criminalidade do Parque Nacional Olympic "não é exatamente uma onda de crimes", considerando que o parque contabilizou 4,6 milhões de visitas. Nenhuma cidade desse tamanho pode declarar ter tão poucos crimes.

Aliás, o índice de criminalidade está diminuindo na maior parte dos parques. De 1990 e 1998, os roubos relatados em parques nacionais caíram de 184 para 25; os assassinatos, de 24 para 10; e os estupros, de 92 para 29.

O Yosemite é, inclusive, um dos parques mais seguros dos Estados Unidos. A morte do jovem naturalista em Yosemite, ainda que trágica, foi o primeiro assassinato relatado ali em uma década.

Preocupado com leões, tigres e ursos? O número de ataques é minúsculo. Com o vírus do Nilo Ocidental? Os mosquitos, que adoram a luz noturna, podem aparecer em ambientes internos também. E a aranha marrom – muita vezes mais mortal que uma cascavel – prefere ambientes internos. Trata-se de uma espécie que se refugia em roupas deixadas no chão; então, pica quando fica presa entre a pele do indivíduo e a roupa. Podemos temer a natureza selvagem, mas as crianças podem enfrentar outros perigos dentro de casa[8]. A EPA - Environmental Protection Agency hoje alerta que a poluição *interna* do ar é a ameaça ambiental número um da nação – e é de duas a dez vezes pior que a poluição do ar em ambientes externos. Uma criança dentro de casa está mais suscetível a esporos de mofo tóxico que crescem sob tapetes felpudos, a bactérias ou a alergênicos transmitidos por vermes domésticos, ou a monóxido de carbono, radônio e pó de chumbo. O nível alergênico das construções mais novas e vedadas pode chegar a duzentas vezes mais do que o existente em estruturas antigas. A publicação *Pediatric Nursing* relata que as piscinas de bolinha dos restaurantes de *fast-food* podem transmitir doenças infecciosas sérias: "Ainda que esses estabelecimentos comercias precisem aderir ao modelo do FDA - Food and Drug Administration de higienização e proteção alimentar", nenhuma de suas orientações segue as "recomendações que o CDC - Centers for Disease Control and Prevention. faz para limpeza ou desinfecção das áreas em que as crianças brincam".

Ironicamente, uma geração de pais obcecados com a boa forma está criando uma geração de crianças fracas. Dois terços das crianças americanas não passam em um exame físico básico: 40% dos garotos e 70% das garotas de idade entre seis e dezessete anos não faz mais do que uma flexão na barra; e 40% demonstra sinais precoces de problemas cardíacos e circulatórios, de acordo com um relatório recente do presidente do Council on Physical Fitness and Sports.

Então, onde está o perigo maior? Ao ar livre, nas florestas ou nos campos? Ou no sofá, diante da televisão? Um cobertor enrolado bem apertado tem suas próprias consequências. Uma delas é que podemos ensinar às crianças, de uma só vez, que a vida é arriscada demais, e não é real – que existe uma solução farmacêutica (ou, se ela falhar, jurídica) para todo erro. Em 2001, o *British Medical Journal* anunciou que não permitiria mais que a palavra "acidente"aparecesse em suas páginas, porque a maior parte das coisas ruins que acontecem com pessoas boas poderia ser prevista ou evitada se medidas adequadas tivessem sido tomadas[9]. Esse pensamento absolutista não é só uma ilusão, é um perigo.

11. Não saber muito sobre história natural: a educação como barreira para a natureza

Para uma pessoa sem instrução sobre história natural, um passeio pelo campo ou pelo litoral é uma caminhada por uma galeria cheia de obras de arte maravilhosas, das quais 90% estão viradas para a parede.

— Thomas Huxley

David Sobel conta a seguinte história: um século atrás, um garoto corria pela praia com sua arma, feita com um pedaço de cano de chumbo. De vez em quando, ele parava, mirava e atirava em uma gaivota. Hoje essa atividade seria motivo para uma temporada em um centro de detenção juvenil, mas para John Muir era só uma maneira de se conectar com a natureza. (Muir, é preciso destacar, tinha mira ruim – assim, é provável que nunca tenha matado uma ave.) Ele viria a se tornar um dos precursores do ambientalismo moderno.

"Sempre que leio para meus alunos o relato de Muir sobre atirar em gaivotas, eles ficam chocados. Não conseguem acreditar", conta Sobel, codiretor do Centro para a Educação Baseada no Território do Programa de Pós-Graduação da Universidade Antioch na Nova Inglaterra. Ele usa esse exemplo para ilustrar quanto a interação entre as crianças e a natureza mudou. Profissionais dos novos campos de estudo – psicologia da conservação (que se concentra em estudar como as pessoas se tornam ambientalistas) e ecopsicologia (estudo de como a ecologia interage com a psique humana)

– notam que, conforme os americanos se tornam mais urbanizados, suas atitudes em relação aos animais muda de maneira paradoxal.

Para pessoas urbanizadas, a fonte de alimento e a realidade da natureza estão se tornando mais abstratas. Ao mesmo tempo, estas pessoas têm mais probabilidade de construir uma relação protetora em relação aos animais – ou de temê-los. A boa notícia é que as crianças hoje têm menos propensão a matar animais por diversão; a má notícia é que elas estão tão desconectadas da natureza que a idealizam ou a associam ao medo – dois lados da mesma moeda, uma vez que temos a tendência de temer ou romantizar o desconhecido. Sobel, um dos pensadores mais importantes do universo da educação e da natureza, vê a "ecofobia" como uma das origens do problema.

Explicando a ecofobia

Ecofobia é o medo da deterioração ecológica, segundo a definição de Sobel. Em uma acepção mais antiga e poética, a palavra "ecofobia" significaria "medo de casa". Ambas as definições estão corretas.

"Assim como os etnobotânicos vão a florestas tropicais em busca de plantas para usos medicinais, ambientalistas, educadores, pais e professores vão até estudantes de segundo e terceiro anos para lhes ensinar sobre as florestas tropicais", escreve Sobel no volume *Beyond Ecophobia: Reclaiming the Heart in Nature Education*[1]. "De Brattleboro, em Vermont, até Berkeley, na Califórnia, as crianças em idade escolar assistem a vídeos sobre a luta de populações indígenas desalojadas pelo desmatamento e pela exploração do petróleo. Os alunos aprendem que, entre o fim do recreio da manhã e o começo da hora do almoço, mais de 4 mil hectares de floresta tropical serão cortados, abrindo caminho para o gado que vai se tornar hambúrguer."

Em teoria, essas crianças "vão aprender que, reciclando revistas e embalagens de leite, podem ajudar a salvar o planeta"; vão crescer e se tornar guardiões da terra, "votando em candidatos ambientalistas, comprando carros movidos com energia eficiente". Mas talvez não. De acordo com Sobel, o oposto pode ser verdadeiro. "Se apresentarmos em sala de aula exemplos de abuso ambiental, podemos gerar uma forma sutil de dissociação. Em nosso entusiasmo para torná-los conscientes e responsáveis, acabamos cortando o contato das crianças com suas raízes."

Carentes de experiências diretas com a natureza, as crianças começam a associá-la a medo e apocalipse, não a alegria e encantamento. Sobel oferece a seguinte analogia de dissociação: em resposta ao abuso físico e sexual, as crianças aprendem a se afastar da dor. Do ponto de vista emocional, elas se fecham. "Meu medo é que, da mesma forma, nosso currículo ambientalmente correto acabe afastando as crianças do mundo natural em vez de conectá-las a ele. O mundo natural está sendo violentado, e elas simplesmente não querem ter que lidar com isso."

Para alguns ambientalistas e educadores, esse é um pensamento divergente – até uma blasfêmia. Para outros, a tese da ecofobia faz sentido. As crianças aprendem sobre a floresta tropical, mas em geral não sobre as florestas da própria região nem, como afirma Sobel, "sobre o gramado do lado de fora da sala de aula". Ele comenta que "já é difícil para as crianças entender o ciclo de vida dos esquilos e das margaridas, organismos que elas podem estudar de perto. Essa é a base sobre a qual a compreensão sobre jaguatiricas e orquídeas pode ser construída".

Por um lado, tratar da floresta tropical é, do ponto de vista do desenvolvimento, apropriado aos anos finais do ensino fundamental e ao ensino médio, não muito antes disso. Alguns educadores não chegam tão longe, mas concordam com a premissa básica de Sobel de que a educação ambiental está desequilibrada. Essa questão está no ponto crucial da guerra dos currículos, em particular na área de ciências. Um professor me disse: "A estrutura do ensino de ciências que circula pelos conselhos educacionais estaduais e locais pende entre uma abordagem experiencial prática e o aprendizado por factoides de livros teóricos.

Se contamos com os educadores para ajudar a curar o vínculo rompido entre os jovens e o mundo natural, eles e o resto de nós precisamos confrontar as consequências não intencionais de uma educação científica excessivamente abstrata: a ecofobia e a morte dos estudos sobre história natural. Tão importante quanto, a onda de reformas educacionais baseada em avaliações que se tornou dominante no fim dos anos 1990 deixa pouco espaço para a experiência prática na natureza. Ainda que alguns educadores de vanguarda nadem contra essa maré, participando de um esforço internacional para estimular o aumento da educação natural dentro e fora das salas de aula (o que será descrito em capítulos posteriores), muitas instituições de ensino e tendências educacionais atuais são, de fato, parte do problema.

Fé no silício

John Rick, que foi citado em páginas anteriores por causa das restrições de sua comunidade em relação ao brincar na natureza, é um educador dedicado que abandonou a engenharia para dar aulas de matemática ao nono ano. Rick está consternado por a natureza ter praticamente desaparecido da sala de aula, surgindo como tema apenas em discussões sobre catástrofes ambientais.

Pedi a Rick que descrevesse uma sala de aula imaginária repleta de ciências naturais e aprendizados práticos sobre a natureza.

– Fico voltando para uma sala de aula desprovida de natureza –, ele responde. – Infelizmente, uma aula desprovida de natureza parece qualquer sala de aula em que você pode entrar hoje em dia. Nós industrializamos a escola a ponto de não haver espaço para a natureza no currículo.

Os padrões curriculares adotados em nome da reforma escolar restringem muitos distritos ao básico da leitura, da escrita e da matemática. Claro, essas são disciplinas vitais, mas na opinião de Rick – da qual eu compartilho – a reforma educacional se afastou demais do que costumava ser chamado de educação equilibrada. Rick elaborou:

> A sociedade, na direção em que estamos moldando essas crianças, valoriza a viabilidade do consumo. Os trabalhos de John Muir, Rachel Carson ou Aldo Leopold são raramente transmitidos aos alunos nas escolas públicas. Mesmo nas ciências, quando a natureza poderia desempenhar um papel importante, as crianças a estudam de forma árida e mecanizada. Como o sonar do morcego funciona, como uma árvore cresce, como os nutrientes do solo ajudam as colheitas? As crianças veem a natureza como experiência de laboratório.
>
> A alternativa? Imagino uma sala de aula que se volte para fora, tanto literal quanto no sentido figurado. O chão se tornaria a sala de aula, as construções teriam vista para fora e jardins cobririam o campus. O trabalho dos naturalistas seriam o veículo através do qual ensinaríamos a leitura e a escrita. A matemática e a ciência seriam ensinadas como forma de entender as complexidades da natureza, o potencial de atender às necessidades humanas, e como todas as coisas estão interligadas. Uma educação equilibrada significaria aprender o básico para se tornar parte de uma sociedade que preza a natureza enquanto, ao mesmo tempo, contribui para o bem-estar da humanidade. O progresso não precisa ser patenteado para ter valor; ele pode ser medido por nossas interações com a natureza e sua preservação. Podemos ensinar as crianças a olhar para uma flor e ver tudo o que ela representa: a beleza, a saúde de um ecossistema e o potencial de cura.

O ensino público está apaixonado, até fascinado, pelo que pode ser chamado de fé no silício – a cegueira de considerar a alta tecnologia como salvação. Em 2001, a Aliança pela Infância, organização sem fins lucrativos de College Park, Maryland, lançou *Fool's Gold: A Critical Look at Computers in Childhood*, relatório apoiado por mais de 85 especialistas em neurologia, psiquiatria e educação, incluindo Diane Ravitch, ex-assistente da secretaria de educação americana; Marilyn Benoit, presidente-eleita da American Academy of Child and Adolescent Psychiatry; e a pesquisadora de primatas Jane Goodall. Nesse relatório, afirmou-se que trinta anos de pesquisa sobre tecnologia educacional produziram apenas um elo claro entre os computadores e o aprendizado das crianças². (Em algumas avaliações padronizadas, "programas de exercício e prática parecem melhorar um pouco os resultados – ainda que não tão intensamente nem de modo tão barato quanto aulas particulares"). Os cossignatários do relatório *Fool's Gold* chegaram a pedir moratória ao uso de computadores na educação infantil, até que se possa determinar se são equipamentos nocivos para a saúde de crianças pequenas. A reação do público foi surpreendente. Depois que *Fool's Gold* foi lançado, a MSNBC* realizou uma pesquisa on-line entre assinantes, perguntando se apoiavam a moratória. Das 3 mil pessoas que responderam, 51% concordavam. E eram usuários de internet.

O problema dos computadores não são os computadores – que são apenas ferramentas –, o problema é que a dependência acaba substituindo outras fontes de ensino, das artes até a natureza. Conforme investimos dinheiro e atenção em aparelhos eletrônicos educativos, permitimos que outras ferramentas menos modernas, mas eficientes, atrofiem. Eis um exemplo: é comprovado que as artes estimulam o aprendizado. Uma análise de 1995 do College Board** mostrou que alunos que estudam artes por mais de quatro anos atingiam 44 pontos a mais em matemática e 59 pontos a mais na seção verbal do SAT – Standart Admission Test. Mesmo assim, na última década, um terço dos programas de música das escolas públicas dos

---

* Rede de televisão paga. (N.R.T.)

** Organização sem fins lucrativos que reúne mais de 6.000 instituições educacionais de nível superior e tem como objetivo auxiliar o processo de seleção e admissão de estudantes. (N.R.T.)

Estados Unidos foi eliminado. Durante o mesmo período, os gastos anuais com tecnologia triplicaram nas escolas, chegando a US$6,2 bilhões. Entre o começo de 1999 e setembro de 2001, a tecnologia educacional atraiu cerca de US$1 bilhão de capital de risco em investimentos, de acordo com a Merrill Lynch & Company. Há uma empresa de software que hoje tem como público-alvo bebês de até um ano. Enquanto isso, muitos distritos de escolas públicas continuam a sabotar as artes[3]. Cada vez mais um número maior de distritos não consegue oferecer algo que se aproxime de educação experiencial, com base no ambiente ou no território. Alguns políticos sugerem que o público escolha entre uma educação ambiental dentro da sala de aula e uma educação experiencial para além dessas paredes. Esta escolha deve ser vista como falsa, porque ambas merecem mais apoio. Os proponentes de um retorno das artes nas escolas oferecem um bom modelo de ação. Em alguns distritos, esses proponentes argumentaram que a arte e a música estimulam o aprendizado em matemática e ciência, e esse discurso ajudou na causa. Da mesma forma, hoje é possível defender que a educação na natureza estimula o aprendizado cognitivo e a criatividade, além de reduzir o deficit de atenção.

Contudo, o distrito escolar em meu condado – o sexto maior dos Estados Unidos – ilustra a falta de sincronicidade mais frequente. O condado de San Diego, maior em área e população do que alguns estados, é um microcosmo ecológico e sociológico do país. Aliás, é o lugar com mais espécies ameaçadas e em perigo de extinção do que qualquer outro condado na parte continental dos Estados Unidos. A ONU o declarou um dos 25 *hot spots* de biodiversidade da Terra. No entanto, enquanto este livro era escrito, nenhum dos 43 distritos escolares em San Diego oferecia uma disciplina optativa sobre a flora e a fauna locais. Há voluntários, incluindo monitores do Museu de História Natural local, que fazem o que podem. Por toda a nação, essa negligência é a regra.

A morte da história natural

Ainda que as tendências atuais de reformas do currículo escolar não sejam de fato voltadas para a natureza, há professores – com a ajuda de pais, e monitores dos museus de história natural e outros voluntários – que conseguem fazer muitas coisas para informalmente melhorar a situação. Mas, para ser de fato eficiente, precisamos ir além da dedicação individual de professores e voluntários e questionar as hipóteses e o contexto do distanciamento, da lacuna entre os estudantes e a natureza. Precisamos fazer tudo o que pudermos para encorajar o movimento do que às vezes é chamado "educação experiencial". Também precisamos desafiar algumas das forças motrizes por trás da abordagem atual em relação à natureza, incluindo a perda de respeito por ela e o desaparecimento da história natural no ensino superior.

Alguns anos atrás, sentei no escritório amontoado de Robert Stebbins, professor emérito do Museu de Zoologia de Vertebrados da Universidade da Califórnia, em Berkeley. Ele cresceu andando pelas montanhas de Santa Monica, onde aprendeu a curvar as mãos ao redor da boca e "chamar as corujas". Para ele, a natureza ainda era mágica. Por mais de vinte anos, o principal trabalho de Stebbins, *A Field Guide to Western Reptiles and Amphibians*, que ele escreveu e ilustrou, continuou sendo uma bíblia irrefutável da herpetologia e inspirou incontáveis jovens a se interessar por cobras. Para Stebbins, nossa relação com a natureza foi prejudicada por uma mudança de valores.

Por uma década, ele percorreu o deserto da Califórnia, junto com alunos, a fim de registrar rastros de animais em áreas frequentadas por veículos apropriados a todo tipo de terreno, os quadriciclos ou ATVs. Stebbins descobriu que 90% dos invertebrados – insetos, aranhas e outros artrópodes – foram dizimados das áreas desertas marcadas pelos rastros dos ATVs. Enquanto conversávamos, ele colocou slides em um antigo projetor. – Veja. Fotos tiradas em um intervalo de dez anos –, ele disse. Sulcos e recortes, marcas que vão permanecer por séculos. A crosta árida coberta de marcas de borracha, grandes nuvens de terra subindo, uma tartaruga-do-deserto com marca de bala e uma única marca de pneu atravessando as costas; fotografias aéreas tiradas nas proximidades de Blythe, na Califórnia, de entalhes indígenas antigos e misteriosos, imagens tão grandes que só podem ser vistas do alto. Pelos flancos, pelas costas e pela cabeça do entalhe que tem a forma de um cervo havia marcas deixadas por ATVs. – Se essas pessoas soubessem o que estavam fazendo...[4] –, disse Stebbins.

O que mais o chateava não era a destruição que já tinha ocorrido, mas a devastação que ainda estava por vir e a sensação de encantamento – ou simples respeito – em relação à natureza que ele sentia e que era perdida a cada geração. "Uma vez, observei os ATVs. Vi dois garotos subindo uma duna. Corri atrás deles. Eu queria perguntar se eles sabiam o que havia ali no deserto, se tinham visto algum lagarto. 'Sim', um deles respondeu. 'Mas lagartos sempre saem correndo.' Os garotos estavam entediados, não estavam interessados. Se eles soubessem..."

Mesmo entre crianças que participam de atividades na natureza, a ética de conservação não é garantida. Em uma sala de aula em Alpine, na Califórnia, visitei alunos dos primeiros anos do ensino fundamental que passavam muito mais tempo ao ar livre do que me tinha sido relatado na maior parte das regiões do país. Alguns dos alunos tinham visto linces brincando nos espinhaços; um garoto tinha visto um puma atravessar a propriedade de seus pais. Muitos desses jovens cresciam fora do perímetro urbano, em áreas abastadas nas montanhas, porque os pais os queriam expostos a mais natureza. Um deles disse: – Minha mãe não gostava da cidade porque quase não tinha natureza, então meus pais decidiram se mudar para Alpine. Moramos em um apartamento. Minha avó mora em uma área ainda mais distante e tem um terreno enorme – a maior área é um gramado, mas há uma parte só de árvores. Gosto de ir para lá, porque às vezes um filhote de puma desce até o quintal. No domingo, estávamos indo alimentar as cabras e vimos um lince tentando pegar pássaros. Foi muito legal.

Fiquei feliz de encontrar um grupo de crianças que parecia gostar da natureza tanto quanto eu, mas, enquanto elas falavam, ficou claro que, para quase metade delas, a interação favorita com a natureza era motorizada, em pequenos ATVs, os *quads*. – Meu pai e eu andamos no deserto e na maior parte do tempo não seguimos as trilhas. Meu pai corre com veículos *off-road*. Ele diz que é legal sair por aí mesmo que você esteja em uma trilha, porque dá para ver animais – e também é divertido correr. Outro garoto relatou: – Todo mês de agosto vou com minha família para Utah; um amigo da minha mãe tem três *quads*, e andamos neles por diversão – na maior parte das vezes, à noite, vamos ver veados e gambás, e se você espalhar vísceras de peixe, consegue ver ursos-negros. É o máximo. Um terceiro garoto contou: – Vamos para o deserto todo fim de semana e apostamos corrida; tem uma colina onde ninguém anda porque há muitas rochas, então mudamos as coisas para que você possa subir e depois pular dessa colina; lá em cima vemos cobras e buracos de cobra. Em dias quentes, saímos para caçar lagartos. Uma garota acrescentou, com certo grau de ironia: – Meu pai tem um 4x4, e em geral vou com ele para o deserto, não para a natureza nem nada.

Depois que o sinal tocou e os alunos saíram, Jane Smith, professora da escola há cinco anos, e assistente social antes disso, jogou as mãos para o alto em sinal de exasperação. – Fico impressionada. A maioria desses alunos não se dá conta de que existe um conflito entre esses veículos e a terra. Mesmo depois de um projeto que fizemos por uma semana sobre conservação de energia, eles não entenderam. Não enxergavam – e ainda não enxergam. Todo fim de semana, Alpine fica vazia. As famílias vão para o deserto e para as dunas. É assim que funciona.

Alguns dos jovens e dos pais provavelmente conhecem mais os modelos de ATVs do que o nome de lagartos, cobras, gaviões e cactos do deserto. Como minha amiga bióloga Elaine Brooks disse: "É raro os humanos valorizarem aquilo que não sabem nomear". Ou que não vivenciam. E se, em vez de navegar até Galápagos e sujar as mãos e molhar os pés, Charles Darwin tivesse passado os dias enfurnado em algum cubículo de escritório olhando para uma tela de computador? E se uma árvore caísse na floresta e ninguém soubesse seu nome científico? Ela existiu?

– A realidade é a autoridade final; a realidade é o que está acontecendo lá fora, não o que está em sua mente nem em sua tela de computador –, diz Paul Dayton, que há anos ferve de raiva sobre a mudança de direção em grande parte não documentada sobre como a ciência – especificamente o ensino superior – vê e representa a natureza. Essa mudança vai formar – ou deformar – a percepção que as futuras gerações terão da natureza e da realidade.

Dayton é professor de oceanografia do Scripps Institute of Oceanography em La Jolla. Ele é reconhecido mundialmente como ecologista marinho e é famoso por seus estudos ecológicos seminais realizados sobre as comunidades bentônicas (do fundo do mar) na Antártica, iniciados na década de 1960. A Ecological Society of America prestigiou Dayton e seus colegas com o Cooper Ecology Award – pela primeira vez o prêmio foi para uma pesquisa sobre um sistema oceânico – por abordar "questões fundamentais sobre sustentabilidade de comunidades diante dos distúrbios nos gradientes ambientais". Em 2004, a American Society of Naturalists o agraciou com o E. O. Wilson Naturalist Award.

Atualmente, ele fica no escritório em dias chuvosos da primavera, olhando para o oceano Pacífico, escuro e frio para além do píer Scripps. Dayton tem um terrário na sala, no qual há uma lacraia chamada Carlos, que ele alimenta com ratos. Dayton lida com a natureza com fascínio e respeito, mas não romantiza a relação. Quando era novo e crescia em áreas de corte de madeira cobertas de neve, sua família não comia se o pai não caçasse. Um homem de porte atlético, com cabelo grisalho, sorriso contagiante e a pele queimada pelo vento frio e pelo sol quente, Dayton às vezes deve sentir como se tivesse dormido durante uma noite longa e dura no Ártico e despertado em um futuro estranho em que nada tem nome e a natureza é vendida em lojas ou desconstruída e transformada em matemática pura. Ele me conta que a maior parte de seus alunos de pós-graduação em ecologia marinha não demonstra "ter formação nenhuma em história natural". Poucos estudantes de graduação em ecologia ou ecologia marinha "conhecem os maiores filos, como artrópodes ou anelídeos".

Sentado a poucos metros dele (e mais longe de Carlos), Bonnie Becker, bióloga marinha do National Park Service que trabalha no Monumento Nacional Cabrillo, concorda com Dayton. Recentemente, ela se deu conta de que – apesar de sua formação – era capaz de identificar poucas das mais de mil espécies de invertebrados marinhos que vivem em Point Loma.

Então, começou um grupo de estudos informal, quase sempre com alunos ensinando outros alunos. – A informação se espalhou –, ela conta. – Sabe, tome uma cerveja e me ensine tudo o que você sabe sobre as espécies de moluscos.

As pessoas que dão nome aos animais, ou mesmo as que sabem os nomes, estão rapidamente se extinguindo. Nos condados de San Diego e Orange, é raro quem saiba os nomes de um número significativo de invertebrados marinhos – na maioria, apenas funcionários e monitores de museus e alguns funcionários do governo local que monitoram o tratamento de água e esgoto conseguem. Essas pessoas têm poucas oportunidades de transmitir conhecimentos para uma nova geração.

– Em alguns anos, não vai sobrar ninguém para identificar diversos grupos de organismos marinhos –, diz Dayton. – Eu gostaria que esse pensamento fosse exagero.

O que não conhecemos pode nos fazer mal.

– Um sujeito em Catalina me mandou fotos de um caracol que encontrou –, conta Dayton. – O caracol estava se movendo para o norte, mas não devia estar onde o sujeito o encontrou. Alguma coisa está acontecendo com esse caracol ou com o meio ambiente. – Aquecimento global? Talvez. – Mas, se você não sabe que se trata de uma espécie invasora, você não detecta a mudança.

É fácil culpar as escolas públicas por uma ignorância disseminada, mas Dayton coloca a responsabilidade na predominância da biologia molecular no ensino superior. Não que ele tenha algo contra a biologia molecular ou que não haja professores que resistam a essa tendência. Mas ele relata que o objetivo claro da nova filosofia da formação em ciência da universidade moderna é levar as "logias" – zoologia dos invertebrados, ictiologia, primatologia, ornitologia e herpetologia – "de volta ao século XIX, onde deveriam ter ficado". Pouco depois de conversarmos em seu escritório, Paul Dayton apresentou um artigo, agora com alta demanda de reimpressão, no American Society of Naturalists Symposium. Nele, ele relata a maior ameaça:

> No século passado houve uma enorme degradação ambiental: muitas populações estão em drástico declínio, e seus ecossistemas foram profundamente alterados... Essas crises ambientais coincidem com a quase eliminação das ciências naturais da academia, o que elimina a oportunidade, tanto para jovens cientistas quanto para o público em geral, de aprender os fundamentos que nos ajudam a prever os níveis populacionais e as reações de sistemas complexos à variação ambiental. Os grupos trabalhando com biologia molecular e ecologia teórica têm tido sucesso em seus próprios círculos e se ramificaram em muitas especialidades. Esses especialistas conseguiram diversos avanços importantes para seus respectivos campos. No entanto essa abordagem reducionista contribuiu bem pouco com as soluções de fato para as realidades globais cada vez mais severas das populações em declínio, extinções ou perda de habitat. Precisamos restabelecer os cursos de ciência natural em todas as instituições acadêmicas para garantir que os estudantes vivenciem a natureza em primeira mão e aprendam os seus fundamentos.[5]

– O que especificamente pode ser feito para melhorar a situação? – perguntei a Dayton.

A resposta dele não foi otimista:

– Não só existe um grande preconceito elitista contra a história natural e em favor da microbiologia, como a questão orçamentária praticamente coíbe uma mudança, porque boas turmas de história natural precisam ser pequenas.

Mesmo assim, ele torce para que o conhecimento do público em geral sobre o deficit de natureza geracional encoraje os políticos a "exigir que as universidades ensinem os fundamentos da biologia e definam explicitamente esses fundamentos de forma a incluir a verdadeira história natural".

Infelizmente, encontrar alguém com conhecimento suficiente de história natural para dar essas aulas vai ser difícil. Dayton sugere que o ensino superior "ofereça as disciplinas e contrate jovens professores interessados em fazer a coisa certa", recrutando os naturalistas mais antigos para servir de mentores aos "que não tiveram a oportunidade de aprender história natural". Pelo menos uma organização, a Western Society of Naturalists, se manifestou em apoio ao treinamento de jovens naturalistas. Se a educação e outras forças, de modo intencional ou não, continuarem afastando os jovens das experiências diretas com a natureza, o custo disso para a ciência será alto. A maioria dos cientistas hoje começou a carreira na infância, perseguindo insetos e cobras, colecionando aranhas e se maravilhando na presença da natureza. Uma vez que atividades tão espontâneas estão desaparecendo com rapidez, então como os futuros cientistas vão aprender sobre a natureza?

– Temo que não vão aprender –, diz Dayton, vislumbrando um horizonte perdido. – Ninguém nem sabe que esse conhecimento sobre o mundo foi tirado dos estudantes.

RASHEED SALAHUDDIN, diretor de uma escola de ensino médio que coordena um programa de uma semana de educação ao ar livre em meu distrito, enxerga o efeito corrosivo do medo da natureza.

– Muitas crianças estão associando a natureza ao medo e à catástrofe e não têm contato com o que está ao ar livre –, ele diz.

Salahuddin faz um passeio com alunos de sexto ano, levando-os para as montanhas a fim de lhes apresentar maravilhas.

– Algumas crianças vêm da Europa Oriental, da África e do Oriente Médio. Elas veem o que está lá fora, ao ar livre, e o mato, como um lugar perigoso e associam isso à guerra, a esconderijo – ou olham para a natureza de forma unicamente utilitária, como um lugar onde pegar lenha para o fogo.

Crianças urbanas de todas as origens étnicas têm reações semelhantes, ele conta. Algumas nunca foram para as montanhas nem para a praia – tampouco ao zoológico, mesmo que fique perto de casa. Algumas passam a infância inteira dentro do apartamento, com medo. Elas associam a natureza ao parque do bairro, que é controlado por gangues.

– O que isso indica? – pergunta Salahuddin. – A natureza foi tomada por bandidos que não dão a mínima para ela. Precisamos recuperá-la.

12. De onde virão os futuros guardiões da Natureza?

[O que significa a] extinção de um condor para uma criança que nunca viu um sabiá?*

— NATURALISTA ROBERT MICHAEL PYLE

RECENTEMENTE, FIZ A SEGUINTE pergunta a um ambientalista comprometido – uma pessoa ativa na criação do San Dieguito River Park, um corredor do mar para as montanhas no sul da Califórnia:

– Quando o parque for concluído e os vastos trechos de terra e água estiverem preservados, como as crianças vão brincar lá?

– Bom, elas vão caminhar com os pais... – Ele fez uma pausa.

– Uma criança vai poder perambular livremente pela área e, digamos, construir uma casa na árvore? – Meu amigo ficou pensativo.

– Não, acho que não – quer dizer, existem diversas outras maneiras construtivas de vivenciar a natureza.

Quando perguntei como ele começou a interagir com o mundo ao ar livre, o ambientalista respondeu, encabulado: – Eu construía esconderijos e casas nas árvores.

Ele entende esse paradoxo, mas não sabe exatamente como solucioná-lo. Muitas atividades tradicionais na natureza são destrutivas. Para algumas pessoas, construir uma casa na árvore ou uma cabana na mata não é muito

---

* A ave original citada por Robert Pyle é *wren*. (N.R.T.)

diferente de andar de quadriciclo pelas dunas. A diferença é que a primeira atividade de prazer na natureza desperta os sentidos, a outra os afoga em barulho e fumaça, deixando marcas que vão durar anos.

Trabalhar com essas distinções não é fácil, mas conforme o cuidado com a natureza se torna um conceito intelectual separado da experiência de prazer ao ar livre, é preciso se perguntar de onde virão os futuros ambientalistas.

Se grupos de ambientalistas, junto com escoteiros e outras organizações voltadas para o universo ao ar livre, desejam transmitir a herança de seu movimento e do cuidado constante com a terra, eles não podem ignorar a necessidade das crianças de explorar, sujar as mãos e molhar os pés. Precisam ajudar a reduzir o medo que afasta cada vez mais as crianças da natureza.

Até pouco tempo atrás, a maior parte das organizações ambientalistas dava uma atenção simbólica para as crianças. Talvez essa falta de zelo derive de uma ambivalência inconsciente em relação a elas, que simbolizam ou representam a superpopulação. Então, vale o mantra "conhecemos o inimigo; é nossa prole". Theodore Roszak, autor de *The Voice of the Earth*, afirmou: "Ambientalistas, na grande maioria, estão muito envolvidos nas táticas que funcionaram para eles nos últimos trinta anos, especificamente assustar e constranger as pessoas. Venho questionando se é possível fazer isso para sempre, (instigando) o mesmo mecanismo de medo-culpa sem parar. Como os psicólogos dizem: quando um paciente chega com um vício, ele já está envergonhado. Você não deve constrangê-lo ainda mais"[1].

Que os ambientalistas precisam da boa vontade das crianças parece evidente – mas, com muita frequência, as crianças são vistas como acessórios ou extrínsecas ao trabalho sério de salvar o mundo. Menospreza-se o fato de que elas formarão o futuro grupo de eleitores políticos, e sua atenção e seu voto – que, em última instância, se baseia mais na experiência do que em decisões racionais – não estão garantidos.

Tomemos, como exemplo, os parques nacionais.

Bem-vindo ao Parque Nacional Matrix

Para uma nova geração, a ideia de acampar em Yosemite é algo exótico e que remete às imagens de Lucy, Desi, Fred e Ethel, de *I Love Lucy**, se divertindo no trailer Airstream. Nos últimos anos, alguns dos maiores parques têm registrado queda no fluxo de visitação – tendência anterior aos ataques de 11 de Setembro em Nova York e Washington, D.C. Esse declínio pareceria uma boa notícia para os parques lotados e poluídos com fumaça de escapamento. Mas existe um perigo de longo prazo nesse panorama.

Primeiro, os números. Em geral, a visitação aos parques nacionais, que cresce de maneira regular desde os anos 1930, caiu aproximadamente 25% entre 1987 e 2003. Com 3,4 milhões em 2006, o Parque Nacional Yosemite atraiu cerca de 20% menos pessoas do que em seu pico de frequência dez anos antes – isso apesar de a Califórnia aumentar em 7 milhões de habitantes nesse período. O número de visitantes chegou ao limite no Grand Canyon em 1991, em Yellowstone em 1992 e no Parque Nacional Crater Lake, no Oregon, em 1995. A visitação no Parque Nacional Mount Rainier caiu de 1,6 milhão de pessoas em 1991 para 1,3 milhão em 2002. Desde o fim dos anos 1980, o número de visitantes do Parque Nacional Carlsbad Caverns caiu para quase metade.

A razão mais importante para o declínio da visitação, acredito eu, é a ruptura do vínculo entre os jovens e a natureza – a transição da experiência no mundo real para a natureza virtual[2]. Em 2006, Oliver Pergams, biólogo da conservação da Universidade de Illinois em Chicago, e Patricia Zaradic, pesquisadora associada, analisaram os números. Eles registraram que 97,5% da queda na visitação se deve ao aumento na quantidade de tempo que os americanos passam conectados a aparelhos eletrônicos. Os dois descobriram que, em 2003, o americano médio dedicou 327 mais horas a atividades eletrônicas do que em 1987. Pergams e Zaradic alertaram para o que chamam de "videofilia" – mudança do amor pela natureza (biofilia) para o amor pelas telas. Em paralelo, um estudo da Universidade do Norte do Arizona sobre os parques dos Estados Unidos aponta duas barreiras centrais: a escassez de

---

* Aclamada série de televisão exibida entre 1951 e 1960 nos EUA. (N.R.T.)

tempo passado em família e uma percepção amplamente difundida de que os parques são apenas para observar a paisagem. Outras razões incluem férias mais curtas; diminuição das viagens pelas estradas (de três dias e meio para dois e meio); declínio no orçamento e nos serviços oferecidos pelos parques; e aumento no valor das entradas, que enquanto este livro era escrito, chegava a 25 dólares por carro.

A ideia de trabalhar em um parque nacional um dia evocou um romantismo rústico no coração dos jovens americanos[3]. Essa noção pode ter mudado. Em 2007, o *Los Angeles Times* relatou um novo fenômeno: "Os gerentes dos serviços terceirizados dos Parques Nacionais Yosemite, Grand Canyon e Yellowstone contratam centenas de trabalhadores estrangeiros da Europa Oriental, da América do Sul, da Ásia e do sul da África todo ano porque, dizem eles, não conseguem recrutar jovens americanos para preencher as vagas de trabalho nas cozinhas e nos hotéis".

O que os funcionários dos parques chamam de "visitas de para-brisa" está substituindo a prática de camping. Em 2001, o número de visitantes que acampou em parques nacionais caiu quase um terço, chegando a seu índice mais baixo em um quarto de século. Essa queda na atividade de camping fica especialmente evidente entre as pessoas com menos de trinta anos, talvez porque ninguém as tenha levado para acampar quando eram crianças. Como consequência, elas não levam os próprios filhos para acampar. Uma pesquisa da Califórnia, citada pelo repórter do *Oregonian* Michael Milstein, revelou que mais de oito em dez campistas tornaram-se interessados pelo mundo ao ar livre quando crianças, mas mais da metade dos grupos de campistas que participaram da pesquisa não tinham levado crianças.

Os parques ainda *são* para as crianças? Para a geração *Matrix*, muito do mistério natural e do risco do mundo ao ar livre for removido. Enquanto os funcionários trabalham para tornar os parques mais seguros e mais acessíveis, a paisagem muitas vezes acaba parecendo *mais* a Disneylândia do que a natureza selvagem e original. Algumas crianças acabam decepcionadas porque os parques não são mais parecidos com o mundo da Disney. Entre os alunos dos anos finais do ensino fundamental que me mandaram suas reflexões sobre a natureza, um menino relatou ter visitado o Monumento Nacional Rainbow Bridge, em Utah, a maior ponte natural do mundo, que foi entalhada nas encostas acima do Lake Powell ao longo de milhares de anos.

"A ponte foi um pouco decepcionante. Não era tão perfeita quanto no folheto." Os pais melhoraram as férias familiares alugando jet skis.

Eis, então, o perigo disfarçado. Se a visitação a parques e florestas nacionais estagnar à medida que a idade dos visitantes aumenta, o que acontecerá com o futuro apoio político a essas áreas protegidas? Pouca coisa, se a queda na visitação for a única mudança. Mas o fenômeno parece ocorrer no exato momento em que os interesses em desenvolvimento e geração de energia rapidamente aumentam a pressão sobre o ambiente natural.

O ambientalista em perigo de extinção

A questão mais ampla envolve o futuro da ética do cuidado e da defesa, em especial a diminuição do grupo de ambientalistas, conservacionistas e outros guardiões da natureza.

Em 1978, Thomas Tanner, professor de estudos ambientais da Universidade Estadual de Iowa, analisou as influências na formação dos ambientalistas[4]. Ele investigou o que na vida deles os havia atraído para o ativismo ambiental, partindo de entrevistas com membros da equipe e coordenadores de programa das principais organizações ambientais. "De longe, a influência citada com mais frequência foi a experiência na natureza, em zonas rurais ou outros habitats relativamente intocados. Mas, por alguma razão, você não ouve muitos ambientalistas expressando tanta preocupação com o fator da intimidade entre as crianças e a natureza", diz Tanner. Para a maioria desses profissionais, os habitats naturais estavam acessíveis para o brincar não estruturado e para descobertas quase todos os dias de suas infâncias.

Desde então, estudos na Inglaterra, na Alemanha, na Suíça, na Grécia, na Eslovênia, na Áustria, no Canadá, em El Salvador, na África do Sul, na Noruega e nos Estados Unidos confirmaram e expandiram as descobertas de Tanner[5]. Em 2006, Nancy Wells e Kristi Lekies, pesquisadoras da Universidade Cornell, foram além de estudar a influência da infância na formação de ambientalistas; elas olharam para uma vasta amostragem de adultos que vivem em zonas urbanas, com idade entre dezoito e noventa anos. Perceberam que a preocupação dos adultos pelo meio ambiente, e o comportamento relacionado a ele, deriva diretamente da participação nessas "atividades na natureza selvagem", como brincar com liberdade no mato, fazer caminhadas, pescar e caçar antes dos onze anos. O estudo também sugeriu que o *brincar livre* na natureza é muito mais eficiente do que atividades obrigatórias e organizadas por adultos. Paradoxalmente, isso indica que os organizadores de atividades na natureza deveriam lutar para tornar a experiência o menos estruturada possível – mas, ainda assim, significativa. Não é uma tarefa fácil.

Claro, as crianças precisam de adultos de referência. Em outras pesquisas com líderes ambientais, de acordo com a psicóloga ambiental Louise Chawla, a maioria atribui seu comprometimento a uma combinação de duas fontes na infância e na adolescência: muitas horas passadas ao ar livre em lugares selvagens "dos quais há lembranças vívidas" e um adulto de referência que lhes ensinou a ter respeito pela natureza[6].

"Em uma história após a outra, os ativistas contaram sobre um membro da família que levava a criança para florestas ou jardins e lhe ensinava a prestar atenção às plantas e aos animais ali encontrados. O adulto *não* demonstrava medo nem destruição descuidada. Mesmo quando as pessoas descreviam caçadas ou pescarias com a família na infância, os pais demonstravam uma qualidade de atenção que não era puramente instrumental", escreve Chawla. Ela conta que "um advogado do Kentucky que se tornou um dos principais ativistas na luta para salvar a paisagem cênica do Red River do represamento refletiu sobre o que o tornava diferente dos proponentes da represa. Muitas dessas figuras, como ele, devem ter crescido pescando e fazendo caminhadas nas florestas e nos campos. 'Talvez tenha a ver com a pessoa com quem você vai pescar', ele sugere, 'ou com quem você conversa quando está caminhando'. No caso do advogado, ele pescava com um pai que se dava ao trabalho de 'apreciar o que estava ali', que não simplesmente pegava as iscas de pesca, mas observava os insetos e as minhocas e notava os detalhes das plantas e das árvores do entorno". Chawla chama isso de "atitude de consideração contagiosa".

A infância dos conservacionistas e dos naturalistas está repleta de histórias de inspiração precoce, que levam diretamente ao ativismo que surgiu depois. E. O. Wilson, o pai da biofilia, contou suas memórias em *Naturalist*: "A maioria das crianças tem uma fase de insetos, e eu nunca superei a minha. A experiência prática em uma época crítica, não o conhecimento sistemático, é o que conta na formação de um naturalista. Melhor ser um selvagem sem instrução por um tempo, não saber o nome nem os detalhes anatômicos. Melhor passar longos períodos de tempo apenas procurando e sonhando"[7].

A descrição que Edmund Morris fez dos anos de infância do patrono presidencial da conservação, Theodore Roosevelt, sugere um início semelhante:

"Teedie", que gostava de livros, se conscientizou dos "prazeres cativantes" de construir cabanas na floresta, colher nozes e maçãs, caçar sapos, pegar feno, correr descalço por áreas extensas e cobertas de folhas... Mesmo nesses primeiros anos, o conhecimento dele de história natural era anormal. Não há dúvida de que a maior parte foi adquirida durante os invernos [lendo], mas foi complementada, todo verão, pelas longas horas de observação da flora e fauna à volta.

O interesse de Teedie perto das "curiosidades e coisas vivas" se tornou uma espécie de complicação para os mais velhos. Ao encontrar a sra. Hamilton Fish em um bonde, ele distraidamente levantou o chapéu, de onde vários sapos saltaram, para o choque dos demais passageiros... Um protesto da camareira forçou Teedie a tirar o Museu de História Natural Roosevelt de dentro de seu quarto e levá-lo para o hall dos fundos do andar de cima. "Como posso lavar roupa", reclamou a lavadeira, "com uma tartaruga amarrada às pernas do tanque?".[8]

Talvez nós tenhamos Yosemite graças a essa tartaruga. Como Roosevelt, o escritor Wallace Stegner encheu sua infância com criaturas coletadas, muitas vezes sem pensar no bem-estar dos bichos[9]. Era assim naquela época. Em seu ensaio *Finding the Place: A Migrant Childhood* ele descreveu a cidade na planície em Saskatchewan, que foi seu lar na infância. Seus animais de estimação incluíam corujas, gralhas e um furão de pata preta. Ele passou muitos de seus dias de juventude "fazendo armadilhas, atirando, capturando, envenenando ou afogando as marmotas que se juntavam no campo de trigo... Ninguém poderia ter sido mais descuidado ou imoralmente destrutivo. No entanto, também havia amor ali".

De alguma forma, organizações ambientais enfrentam a mesma força de desgaste que os jornais enfrentam hoje com o envelhecimento dos leitores. Em média, os assinantes americanos de jornais impressos têm cinquenta e poucos anos, e continuam envelhecendo, à medida que o número de assinaturas cai. A média etária dos membros do Sierra Club está chegando aos cinquenta e continua subindo. Em um país cuja juventude é mais cultural e etnicamente diversa do que nunca (e a natureza é valorizada de modos e graus radicalmente diferentes entre algumas dessas culturas), os ambientalistas parecem cada vez mais velhos e brancos. Mais razão ainda para que as organizações ambientalistas e de conservação tripliquem os esforços a fim de alcançar os jovens – mas esse é um tópico a ser abordado em um capítulo posterior. O desafio imediato, no entanto, é que tais organizações se perguntem se suas políticas e suas atitudes culturais contribuem de alguma forma para a ruptura entre a infância e a natureza.

Outras organizações, que tradicionalmente ligam as crianças à natureza, precisam se fazer a mesma pergunta.

Investigando o futuro do escotismo

Madhu Narayan tinha três meses quando seus pais, imigrantes recém-saídos da Índia, a levaram para acampar pela primeira vez. Alguns anos depois, a família atravessou o oeste dos Estados Unidos de carro, acampando pelo caminho. Narayan acha que seus pais não tinham muito dinheiro e, por isso, acampar era um jeito barato de conhecer o país em que escolheram viver. "Íamos durante o dia, com tempo bom, e então vinham as chuvas", ela conta. Durante uma tempestade de raios, o vento levou a barraca da família, e eles dormiram no carro ouvindo o barulho do vento e a chuva uivar e castigar as árvores. Mesmo hoje, aos trinta anos, Narayan tem calafrios ao contar essa história.

Ela foi formada por tais experiências tão elementares e pelo mistério que as acompanhava. Atualmente, como coordenadora de educação ao ar livre de um distrito de escotismo feminino em expansão – que abrange os condados Imperial e San Diego na Califórnia –, ela quer oferecer experiências na natureza para meninas. Mas há um problema. A noção tradicional do escotismo – para meninos ou meninas – é que a natureza é a estrela do espetáculo, o princípio organizador, a razão de existir; e essa *razão* está acabando.

Na sede regional Camp Balboa em San Diego, área de acampamento urbano criada em 1916, Narayan e Karyl T. O'Brien, diretora executiva associada do Conselho Regional de Escotismo Feminino, há uma pilha de publicações para descrever a riqueza de programas oferecidos para mais de trinta mil meninas. Impressionante, sim, mas nos últimos três anos o número de escoteiras nesse distrito se manteve igual, apesar do crescimento vertiginoso da população local. O conselho regional faz uma divulgação agressiva. Ele oferece programas como pernoite no Museu de História Natural da cidade, um programa de naturalista júnior com duração de um dia e populares acampamentos de verão. Mas a vasta maioria das atividades das escoteiras não é voltada para a natureza. Há propostas como ensino de tolerância, prevenção ao tabagismo, golfe, feira de ciências, treinamento de defesa pessoal e alfabetização financeira. A diretora de Camp Balboa leva executivas para ambientes naturais a fim de orientar as moças em entrevistas de emprego, desenvolvimento de produto e marketing.

A transformação do foco fica mais visível nos acampamentos das escoteiras nas montanhas a leste da cidade: um é visto como tradicional, com cabanas a céu aberto e barracas escondidas nas árvores; o acampamento mais novo parece um pequeno bairro residencial, com postes. "Tive um ataque quando descobri que as meninas não podiam subir nas árvores", comenta O'Brien. As ações litigiosas são uma preocupação cada vez maior. "Quando eu era criança, você caía, levantava, e aí? Você aprendia a lidar com as consequências. Quebrei o braço duas vezes", conta Narayan. "Hoje, se um pai manda o filho sem um arranhão, é melhor que a criança volte assim. Essa é a expectativa. E, como responsável pelos participantes, preciso respeitar isso."

As organizações de escotismo também precisam respeitar, ou enfrentar, aumentos ultrajantes no valor dos seguros. Esse não é um fenômeno exclusivamente americano; em 2002, as organizações australianas – Girl Guides e Scouts Australia – relataram aumentos de até 500% em um único ano, o que levou o diretor executivo da Scouts Australia a alertar que o escotismo podia se tornar "inviável" se as apólices de seguro continuassem a aumentar.

Considerando as pressões sociais e legais cada vez maiores, as organizações de escotismo merecem crédito por manter todo vínculo com a natureza. Narayan apontou que a maioria das 2 mil meninas que participaram dos acampamentos de verão tiveram contato com a natureza, mesmo que indiretamente. "Hoje nos sentimos compelidos a colocar laboratórios tecnológicos em acampamentos ou computadores em um centro natural, porque é a isso que as pessoas estão acostumadas", diz O'Brien. O escotismo está reagindo às mesmas pressões que as escolas públicas: como o tempo com a família e o tempo livre está diminuindo, os americanos esperam que essas instituições façam mais do trabalho pesado da sociedade – mais do malabarismo social, moral e político. Pergunte a qualquer escoteiro como isso pode ser difícil.

Justificada ou não, a imagem pública do Movimento Escoteiro dos Estados Unidos foi de garotos arrumados fazendo nós e armando barracas para líderes adultos que excluem gays e expulsam ateus. Mas, como as escoteiras, eles lutam para se manter atuais – e vendáveis. No novo Museu Nacional do Escotismo em Irving, no Texas, displays usam tecnologia para permitir que os visitantes subam em uma montanha, andem de caiaque em um rio e simulem um passeio de mountain bike. Os ativistas da PETA - People for the Ethical Treatment of Animals, lançaram uma campanha para convencer os escoteiros a eliminar o distintivo da especialidade de pescaria. Em 2001, o *Dallas Morning News* relatou que alguns distritos de escoteiros pelo país estavam vendendo seus acampamentos na natureza para pagar as contas.

Para os grupos escoteiros, tanto femininos quanto masculinos, não é fácil ser "verde".

Os pais de hoje forçam essas organizações a atividades mais seguras e tecnológicas. O movimento escoteiro luta para se manter relevante, para ser um lugar de referência, para oferecer alguma coisa para praticamente todo mundo. Isso pode ser um bom marketing. Ou não. (Um astuto editor de livros me disse certa vez: "Um livro escrito para todo mundo é um livro para ninguém".) Conforme o escopo do escotismo se ampliou, o foco na natureza se tornou mais restrito. No entanto, uma pequena minoria de pais e líderes escoteiros está começando a pedir um movimento de regresso à natureza. "Em geral, são os adultos mais velhos", conta O'Brien, "os que conseguem se lembrar de outra época". Esse grupo de adultos poderia oferecer uma oportunidade de marketing focado para futuras campanhas? Em vez de aceitar a queda da natureza ou sugerir que os programas não relacionados à natureza sejam cortados para abrir espaço para o mundo ao ar livre, por que não pedir que esses adultos criem um novo esforço voltado à natureza para o escotismo? É uma possibilidade interessante, concorda O'Brien. Aliás, faz sentido não só como ferramenta de marketing – definir um nicho e reivindicá-lo –, mas também como missão.

Os líderes enfatizam que o escotismo é um programa educacional que ensina os jovens sobre formação de caráter, tradições, mentoria, servir aos outros e vida saudável – é o aprendizado de uma vida toda. O fundador do movimento escoteiro Lord Baden-Powell com certeza sentia que expor as crianças à natureza era bom para seu caráter e sua saúde. A melhor maneira de promover essas metas educativas (e, do ponto de vista do marketing, renovar o escotismo) é um retorno à orientação central à natureza – abordagem que muitos pais líderes do grupo apoiam. Narayan é um deles.

– Em meu primeiro trabalho de aconselhamento, com outra organização, levei para as montanhas crianças com aids que nunca tinham saído de seus bairros –, ela conta. – Uma noite, uma menina de nove anos me acordou. Ela precisava ir ao banheiro. Saímos da barraca. Ela olhou para cima, levou um susto e agarrou minha perna. Nunca tinha visto estrelas. Naquela noite, percebi o poder da natureza sobre uma criança. Ela se tornou uma pessoa diferente. Daquele momento em diante, começou a observar tudo, como o lagarto camuflado que todos os demais ignoraram. Ela ativou os sentidos. Estava *desperta*.

Uma teoria do apego

A proteção da natureza não depende apenas da força organizacional das instituições conservacionistas; depende também da qualidade da relação entre os jovens e a natureza – de como os jovens se conectam com a natureza, se é que se conectam.

Com frequência, eu me pergunto: que vínculos tenho aqui, na região do sul da Califórnia, além de bons amigos, um bom trabalho e o clima? Com certeza, o que me prende mais não é o ambiente feito pelo homem, ou a maior parte dele, uma paisagem cortada e picotada de um jeito irreconhecível. Eu de fato amo os parques e os bairros mais antigos da cidade, ainda mais nas manhãs em que a neblina os torna mais suaves. E amo as praias. O oceano Pacífico, resistindo à mudança, se mantém como a última maravilha natural para os surfistas da região. É permanente, está sempre ali, mas ao mesmo tempo oferece mistérios e perigos – e algumas das suas criaturas vão além do tamanho e da compreensão do homem. Não sou surfista, mas entendo a relação que os surfistas têm com o oceano; uma vez que esse vínculo se forma, ele nunca se perde.

Quando vou para o leste, rumo às montanhas, passando por Mesa Grande e Santa Ysabel and Julian, sei que esses lugares estão em meu coração. Eles têm um mistério diferente dos outros lugares do planeta. Mas toda vez uma voz em mim diz: "Não se apegue demais". Por causa da expansão dos centros urbanos e dos subúrbios, tenho a sensação de que os campos, os riachos e as montanhas que amo aqui podem ter desaparecido da próxima vez que eu for para o interior, então não posso me apegar totalmente a eles. Eu me pergunto sobre as crianças que nunca se apegaram à natureza ou que desde cedo aprenderam a não confiar nesse vínculo. Elas demonstram as mesmas características ou reações?

Por 25 anos, a psicóloga Martha Farrell Erickson e seus colegas usaram a "teoria do apego", modelo ecológico de desenvolvimento infantil, como parâmetro de seu estudo longitudinal, ainda em andamento, sobre a interação entre pais e filhos. Eles usam essas ideias para fazer uma intervenção preventiva com pais em circunstâncias de alto risco. A saúde da família, relacionada à saúde da comunidade ao redor, se tornou uma preocupação crescente para Erickson.

"Costumamos falar sobre a relação entre pais e filhos como se raramente houvesse ausência de vínculo, mesmo quando os pais não são confiáveis, são indiferentes ou têm uma disponibilidade instável. Em vez disso, vemos as diferenças na *qualidade* da conexão. Por exemplo, uma criança com um pai que apresenta uma indiferença crônica em relação a ela (vamos usar como exemplo um pai depressivo) vai se proteger da dor da rejeição e se distanciar, agindo com desinteresse por esse pai – desenvolvendo o que chamamos de apego ansioso-evitativo."

Eu sugeri a ela que algumas reações ou sintomas associados ao deficit de apego ocorrem em relação a um vínculo frágil que construímos com a terra. Em minha experiência, o índice de desenvolvimento na região em que moro cresce tão rápido que criar um vínculo com o lugar torna-se difícil; para muitos de nós, que viemos para cá há décadas (no caso, eu saí do Kansas), a presença no sul da Califórnia é física, mas não de coração. No mundo do desenvolvimento infantil, a teoria do apego postula que o estabelecimento de um vínculo profundo entre filho e pai é um processo psicológico, biológico e espiritual complexo e que, sem esse vínculo, a criança fica perdida e vulnerável a patologias. Acredito que um processo similar possa conectar os adultos a um lugar e dar a eles a sensação de pertencimento e significado. Sem um elo profundo com um lugar, um adulto também pode ficar perdido.

"É uma ideia intrigante abordar a relação da criança com a natureza sob perspectiva da teoria do apego", diz Erickson. Ela continua:

A experiência das crianças com o mundo natural parece ser em grande medida negligenciada nas pesquisas sobre desenvolvimento infantil; seria interessante examinar as primeiras experiências das crianças com a natureza e acompanhar como elas influenciam o conforto de longo prazo da criança com o mundo natural e o respeito que ela tem por ele – conforto e respeito são conceitos centrais para o estudo do vínculo entre pais e filhos. Dado o poder da natureza para acalmar e confortar as pessoas em suas vidas apressadas, também seria interessante estudar como a conexão de uma família com a natureza influencia a qualidade geral das relações familiares. Falando de uma experiência pessoal, as relações de minha família foram alimentadas ao longo dos anos pelas experiências coletivas na natureza – desde compartilhar o fascínio de nosso filho pequeno ao mexer em uma pedra e descobrir um inseto magnífico do tamanho de um rato, passando por remar nossa velha canoa em um riacho próximo quando as crianças eram pequenas, até caminhar pelas montanhas.

O VÍNCULO COM A TERRA não é bom apenas para a criança, ele também é bom para a terra. Como o naturalista Robert Finch afirma: "Existe um ponto... na nossa relação com um lugar, em que, apesar de tudo, nos damos conta de que não nos importamos tanto; começamos a nos convencer, contra nossa própria vontade, de que nosso bairro, nossa cidade e a nossa terra como um todo já estão perdidos". Nesse ponto Finch argumenta que a paisagem local deixa de ser vista como "correspondente da existência humana, algo que vive, respira e tem beleza, mas sim como algo que sofreu uma morte cerebral irreversível. Ela ainda pode estar viva tecnicamente – com usinas de tratamento de esgoto, piscinões, tratamentos para lagos acidificados, programas de manutenção de praias, santuários cercados de aves e 'áreas verdes' planejadas –, mas não se movimenta mais ou, quando se move, não tem vontade própria".

Se um espaço geográfico muda tão rapidamente a ponto de degradar sua integridade natural, o vínculo das crianças com a terra está em risco. Se as crianças não se apegam à terra, elas não colhem os benefícios psicológicos e espirituais possíveis, tampouco vão sentir um comprometimento de longo prazo com o meio ambiente. Essa ausência de vínculo vai exacerbar as condições que criaram a sensação de ruptura – alimentando uma espiral trágica, em que nossas crianças e o mundo natural estão cada vez mais distantes.

Não estou sugerindo que não haja solução. Longe disso. Os grupos conservacionistas e ambientalistas e, em alguns casos, as organizações tradicionais de escotismo estão despertando para a ameaça do transtorno do deficit de natureza. Algumas dessas instituições, como vamos ver, estão ajudando a abrir caminho na direção de um reencontro entre a natureza e a criança. Elas reconhecem que, enquanto o conhecimento sobre a natureza é vital, a paixão é o combustível na longa luta para salvar o que restou de nossa herança natural e – por meio do surgimento de um urbanismo verde – para reconstituir a terra e as águas perdidas. A paixão não chega por materiais de divulgação. A paixão é pessoal, ela emerge da própria terra, pelas mãos cheias de lama dos jovens; ela viaja pelas roupas sujas de grama até o coração. Se vamos salvar o ambientalismo e o meio ambiente, também precisamos salvar uma espécie indicadora em perigo de extinção: a criança na natureza.

Parte IV

O reencontro entre a natureza e a criança

Estou bem novamente, voltei à vida
nos ventos gelados e nas águas cristalinas das montanhas...
— John Muir

Todo novo ano é uma surpresa para nós.
Descobrimos que praticamente nos esquecemos do canto de cada ave
e, quando o escutamos de novo, é como um sonho
que nos recorda de um estado anterior de existência...
A voz da natureza é sempre encorajadora.
— Henry David Thoreau

13. Levando a natureza para casa

É muito mais importante sentir do que conhecer quando apresentamos uma criança pequena ao mundo natural.

— Rachel Carson

Sozinhos, os pais não conseguem recuperar o vínculo partido. Mas cada responsável – pai, mãe ou outro membro da família – pode conduzir o processo em casa e dentro das instituições a que pertencem. Educadores, urbanistas, líderes de programas para jovens na natureza, ambientalistas – todas essas pessoas determinam o sentiddo da terceira fronteira e a conduzem em direção ao fim da experiência natural ou em direção a seu renascimento. Os pais podem encorajar as instituições a mudar, mas não devem depender disso.

Eles já se sentem assoberbados pela dificuldade de equilibrar a vida profissional e a vida familiar. Compreensivelmente, acabam resistindo à ideia de acrescentar itens às longas listas de tarefas. Então, eis aqui outro jeito de ver o desafio: a natureza como antídoto. Redução do estresse, melhor saúde física, um sentido mais profundo de espiritualidade, mais criatividade, um espírito lúdico, até mesmo uma vida mais segura – essas são as recompensas de uma família que proporciona mais natureza à vida dos filhos.

O dom do entusiasmo

Vários anos atrás, Jerry Schad convidou a mim e meus filhos, na época com cinco e onze anos, para acompanhá-lo, junto com seu filho de quatro anos, a uma caminhada ao longo do Cottonwood, riacho nas montanhas a leste de San Diego. Estacionamos na estrada Sunrise e descemos por um caminho difícil em direção a um vale distante, lá embaixo. O caminho era um túnel que atravessava o chaparral, arbustos densos e manzanita, aberto e aprofundado por inúmeros caminhantes que descobriram as Cottonwood Creek Falls – nomeadas por Schad – principalmente porque leram os guias *Afoot and Afield*.

Antes de eu o conduzir por essa caminhada, vou falar uma coisa sobre as pressões que os pais suportam. Simplificando, muitos de nós precisamos superar a crença de que não vale a pena fazer algo com os filhos a menos que o façamos corretamente. Mas, se levar as crianças para a natureza for uma busca pela perfeição ou mais uma obrigação, inibimos a alegria. É bom aprender mais sobre a natureza para compartilhar esse conhecimento com as crianças; é melhor ainda quando o adulto e a criança aprendem juntos sobre a natureza, além de ser muito mais divertido.

Conforme seguíamos pelo caminho, Jason, meu filho mais velho, segurava a mão do irmão, Matthew, para ajudá-lo nas partes mais difíceis; Tom, filho de Schad, corria na frente. Schad contou que cresceu no Vale de Santa Clara, agora mais conhecido como Vale do Silício e que, quando era criança, nunca acampou. No entanto, aos doze anos, começou a dormir nos fundos do quintal durante o verão e ficou fascinado com o céu, experiência que acabou o encaminhando à carreira de professor de astronomia. Já adulto, ele prefere dormir num colchonete simples sob as estrelas na natureza.

Ele falava com encantamento sobre os mistérios dos cantos perdidos do condado, especialmente, sobre o céu noturno – por exemplo, contava das sombras que Vênus forma no chão do deserto. Por estarem numa idade especialmente escatológica, os meninos mais novos, Tom e Matthew, estavam mais interessados no cocô dos coiotes do que nas sombras venusianas. Eles cutucavam o cocô e lhe davam nomes. Matthew queria saber por que não víamos nenhum animal de grande porte.

– Porque eles têm superpoderes – expliquei.

Ele parou de repente.

– Eles conseguem nos ouvir e sentir nosso cheiro de longe – acrescentei.

Ele ficou impressionado com isso, mas durou pouco. Tantas pedras para colher e tão pouco tempo. Os dois meninos mais novos, competindo pela liderança da caminhada, dispararam na frente. Crianças pequenas não são como adultos: Schad e eu, que tínhamos acabado de nos conhecer, éramos excessivamente educados; Matthew e Tom ficaram amigos de imediato, trocando intimidades e insultos como se já se conhecessem há vinte anos.

– Quero andar no meio da floresta! – anunciou Tom. E desapareceu por um instante no meio dos arbustos. – Cuidado com as cobras – gritou. – Elas podem surgir a qualquer momento.

Ao longo dos anos, o pai de Tom tinha visto centenas de carneiros selvagens, um puma e várias cascavéis. Abril, diz Jerry, é o mês em que se deve ter mais cuidado com as cobras. Nesse período, ele evita sair das trilhas e andar no meio da floresta – abrir o próprio caminho por entre os arbustos. As cobras acordam famintas da hibernação e podem ser agressivas.

– Em geral, levo Tom para caminhadas mais perto de casa, mas também gosto de trazê-lo aqui – explicou Schad. – Ele pode testar seus limites, explorar e se arriscar um pouco. É importante ele aprender a avaliar os riscos das caminhadas.

O conselho dele para os pais: levem seus filhos para caminhadas mais fáceis e mais curtas, perto de áreas urbanas, porque crianças pequenas tendem a ficar entediadas bem antes de se cansarem.

Matthew foi o primeiro a ouvir as cachoeiras.

Chegamos ao fim do caminho num bosque de carvalhos por onde o Cottonwood Creek corre. Caminhamos ao longo da água até a primeira das diversas cachoeiras e das piscinas naturais alimentadas pelo derretimento da neve e pelo escoamento das chuvas recentes. Conforme os meninos escalavam as pedras e corriam ao longo das margens, Schad e eu gritamos para eles andarem mais devagar e prestarem atenção.

– Está vendo as partes escuras? – Schad perguntou a Tom, apontando para faixas de limo que desciam por uma rocha até uma piscina funda. – Não pise ali; elas são muito escorregadias, e você pode cair direto dentro da água.

Os meninos se movimentavam como lagartos subindo nas pedras. Observando-os, Schad admitiu uma emoção indireta.

– Quando trago Tom comigo, através dos olhos dele, vejo tudo como novidade.

Ficamos sentados numa pedra durante um tempo, olhando para uma piscina funda, enquanto os meninos pequenos usavam a pedra como escorregador. No precipício, Schad, Jason e eu usamos nosso corpo para bloquear a queda deles. Depois de um tempo, estávamos cansados disso e conduzimos Matthew e Tom de volta pelo caminho; nossos bolsos estavam pesados com as pedras que Matthew colhera no caminho e insistira que carregássemos.

O QUE MAIS ME IMPRESSIONOU a respeito de Jerry Schad não foi seu conhecimento formidável, mas seu entusiasmo contagioso. Se esse tipo de alegria estiver dormente, precisamos reativá-la. Não é uma tarefa fácil para pais que perderam a chance de se conectar com o ambiente ao ar livre. Mas a oportunidade ainda existe. "Se quisermos manter uma criança em seu encantamento inato", escreveu Rachel Carson, ela "precisa da companhia de pelo menos um adulto que possa compartilhá-la, redescobrindo com ela a alegria, a empolgação e o mistério do mundo em que vivemos".

O principal é encontrar ou redescobrir nosso sentimento de alegria, empolgação e mistério. André Malraux, escritor e ministro francês da Cultura depois da Segunda Guerra Mundial, escreveu (citando um padre): "Não existem pessoas adultas". Certamente, nunca é tarde demais para redescobrir o encantamento infantil. O modo mais eficaz de conectar as crianças com a natureza é também conectar-se à natureza. Se mães, pais, avós ou outros responsáveis já passam tempo ao ar livre, podem passar ainda mais; podem tornar-se observadores de aves, pescadores, praticantes de caminhadas, ou jardineiros. Se as crianças perceberem um verdadeiro entusiasmo nos adultos, vão se apropriar desse interesse – mesmo que, quando adolescentes, finjam perdê-lo.

Ler sobre a natureza com a criança é outro jeito de o adulto reviver esse encantamento. Diferentemente da televisão, ler não elimina os sentidos nem dita pensamentos. Ler estimula a ecologia da imaginação. Você se lembra do encantamento que sentiu ao ler pela primeira vez *Os livros da Selva*, *Tom Sawyer* ou *Huckleberry Finn*? O mundo de Kipling dentro de outro mundo; o rio lento, a sensação de liberdade e a areia na ilha secreta e nas profundezas da caverna de Twain? Educadores e ativistas ambientais mencionam repetidamente os livros como influências importantes na infância.

Como muitas crianças da década de 1950, a autora Kathryn Kramer cresceu em contato com *O Senhor dos Anéis*. Ela passou verões inteiros "num desconfortável sofá de vime na sala de estar da nossa casa de verão, com as pernas esticadas, como as de um boneco de palitos desenhado por alguém que não tem habilidade para traçar joelhos", relendo a trilogia. "Talvez eu olhasse de vez em quando para o céu através janela; isso parecia ser tudo que eu queria do espaço ao ar livre e do glorioso clima de verão. Eu tinha toda a ambientação de que precisava nos livros de Tolkien." Ela ficava encantada, especialmente pela descrição da natureza, e cita esta passagem maravilhosa[1]:

> Estavam ilhados num mar de árvores, e o horizonte parecia coberto por um véu. No lado sudeste, o solo descia íngreme, como se as encostas da colina mergulhassem por baixo das árvores; pareciam encostas de uma ilha, que na verdade é uma montanha que se ergue de águas profundas. [...] Bem no meio, um rio de águas escuras descrevia curvas lentas, ladeado por salgueiros antigos, coberto por um arco de ramos de salgueiro, bloqueado por salgueiros caídos e salpicado de milhares de folhas amarelecidas. O ar estava cheio delas, caindo de seus galhos; de fato havia uma brisa morna e suave soprando de leve no vale, e os juncos farfalhavam, e os ramos de salgueiro estalavam.*

Páginas e mais páginas dos livros de Tolkien são assim, usando "mais palavras para descrever lugares do que a maioria de nós usa durante toda a vida", diz Kramer. Ela leu a trilogia para o filho de sete anos, presenteando-o com essa história e, através dela, com seu entusiasmo pelo mundo natural.

Uma breve história do tédio

Especialmente no verão, os pais costumam ouvir a reclamação choramingada:

"Estou *entediaaado*". O tédio é o primo chato do medo. Passivo e cheio de desculpas, ele pode manter as crianças longe da natureza – ou levá-las até ela.

Em verões passados (pelo menos através da névoa da memória), as crianças tinham mais probabilidade de ser empurradas ou forçadas a sair do tédio. Durante a maior parte do dia, a televisão não oferecia nada além de novelas e jogos de perguntas ou um filme de caubói – o que dava vontade de levantar e sair de casa.

– Bom, os tempos mudaram – diz Tina Kafka, professora já citada. Mãe de três filhos, ela explica: – Mesmo que as crianças tenham todo o tempo não estruturado do mundo, elas não brincam ao ar livre. Elas ficam dentro de casa com jogos eletrônicos.

---

* TOLKIEN, J.R.R. *O senhor dos anéis*. Ttradução de Leniita Maria Rímoli Esteves e Almiro Pisetta. São Paulo: Martins Fontes, 2001. Edição comemorativa. Volume único. pp.117-119. (N.T.)

Tina reconhece como as atividades planejadas são mais fracas nas memórias de longo prazo de seus filhos em comparação com experiências mais espontâneas. Ela quer estimular a magia na vida deles. Ao mesmo tempo, é realista.

– Hoje, as crianças não saem, brincam e andam de bicicleta com a mesma frequência. Elas se interessam mais por eletrônicos – explica Kafka. – Fico desconfortável com eles rindo quando veem televisão, mas, para ser sincera, também fico cansada de sentir que tenho que mantê-los entretidos.

"A palavra 'entediado' não existia no meu vocabulário", alguns se lembram de nossas avós comentando. Na verdade, a palavra não estava no vocabulário de ninguém até o século XIX, de acordo com Patricia Meyer Spacks, professora de inglês da Universidade de Virgínia e autora de *Boredom: The Literary History of a State of Mind*[2]. Na Idade Média, de acordo com Spacks, se alguém apresentasse os sintomas que hoje identificamos como tédio, considerava-se que a pessoa estava acometida de algo chamado de "acedia" (preguiça), uma "forma perigosa de alienação espiritual", uma desvalorização do mundo e do seu criador. Quem tinha tempo para o hedonismo, com todas as pragas, a peste, a luta pela sobrevivência? Acedia – ou *accidie* – era considerada pecado. Foi aí que surgiu a invenção das máquinas que poupavam o trabalho, a valorização do indivíduo e a "busca pela felicidade". Esqueçam o pecado da acedia; agora podemos nos dar ao luxo do estado emocional do tédio. Já era hora. A professora Spacks considera o tédio uma coisa boa, pelo menos na maior parte do tempo. "Se a vida nunca fosse entediante nos tempos pré-modernos", escreve ela, "também não seria interessante, emocionante nem empolgante, no sentido moderno desses termos".

No mínimo, o tédio possibilita a criatividade. Hoje, as crianças lotam shopping centers, invadem lanhouses e fazem fila para ver os filmes mais assustadores e nojentos que conseguem encontrar. Mesmo assim, ainda reclamam: "Estou *entediaaado*". Como uma bebida doce num dia quente, esse entretenimento deixa as crianças desejando mais – estímulos mais rápidos, mais intensos e mais violentos. Esse tipo novo e traiçoeiro de tédio é um dos motivos para o aumento de problemas psiquiátricos entre crianças e adolescentes, de acordo com um artigo de Ronald Dahl, professor de pediatria do Centro Médico de Pittsburg, para a *Newsweek*. Dahl sugere que essa síndrome faz com que mais médicos prescrevam Ritalina e outros "estimulantes para lidar com a falta de atenção na escola ou antidepressivos para ajudar com a perda de interesse e alegria na vida".

Precisamos fazer uma distinção importante entre uma mente construtivamente entediada e uma mente negativamente anestesiada. Crianças construtivamente entediadas acabam se voltando para um livro, constroem um esconderijo, pegam tintas (ou ligam o programa de desenho no computador) para criar ou voltam para casa suadas depois de jogar bola na vizinhança. Existem algumas coisas que os pais e outros cuidadores podem fazer para estimular o tédio construtivo, que muitas vezes aumenta a abertura das crianças em relação à natureza.

- Primeiro: Uma criança entediada muitas vezes precisa passar mais tempo com um adulto positivo. Na verdade, as queixas de tédio podem ser maneiras de pedir a atenção dos pais. Os pais ou outros adultos precisam estar disponíveis, limitar o tempo que as crianças passam jogando video games ou vendo televisão, levá-las à biblioteca ou para caminhadas na natureza, chamá-las para pescar – ajudá-las a se libertar dos eletrônicos por tempo suficiente para despertar a imaginação.

- Segundo: Desligue a televisão. Qualquer pai que puniu uma criança tirando esse privilégio e a viu brincar depois – devagar, no início, depois de um jeito mais criativo e livre – reconhece a relação entre tempo, tédio e criatividade. "Tem alguma coisa na televisão – talvez o fato de ela fornecer tantos estímulos audiovisuais que as crianças não precisam gerar os próprios estímulos", diz Aletha Shuston, codiretora do Centro de Pesquisa sobre a Influência da Televisão nas Crianças, da Universidade do Kansas.

- Terceiro (e este conselho se aplica tanto a programas de férias quanto ao tempo em casa): Encontre um equilíbrio entre a orientação de um adulto e o tédio de uma criança. Tédio demais pode levar a problemas; supervisão demais pode matar o tédio construtivo – e a criatividade que o acompanha. "Costumo estruturar tempo não estruturado para (meus alunos), momentos em que eles podem simplesmente desenhar ou pintar ou ler e sonhar ou ir para o pátio, sem prazos nem lições", diz Kafka. "Percebo que isso parece paradoxal – estruturar tempo não estruturado –, mas é necessário."

Empregadores compreensivos podem ajudar. Kafka tira férias no verão desde que trabalha como professora. Outros pais trabalham em casa, tanto em empresas caseiras quanto no papel tradicional de donos de casa. Hoje, a maioria dos pais não tem esse tipo de flexibilidade, mas precisa ter (horas de trabalho flexíveis no verão, por exemplo), se quiser orientar os filhos a usarem o tédio com sabedoria.

Os pais também podem ajudar a arrecadar fundos para programas recreativos de verão na comunidade. Os acampamentos de férias são dádivas para muitas famílias que trabalham, especialmente pais solteiros. Um bom programa desses pode significar a sobrevivência para algumas crianças que moram em bairros violentos. Alguns programas abrem espaço para sonhar. Os "playgrounds de aventura" oferecem um espaço vazio supervisionado (por um adulto, de longe), repleto de pneus velhos, tábuas, ferramentas e lugares para construir e cavar. Programas supervisionados na natureza ajudam as crianças a explorarem sem orientação excessiva. E os centros para adolescentes permitem que eles, e não os adultos, criem a recreação. Esses programas merecem mais apoio.

Acima de tudo, as crianças precisam de adultos que entendam a relação entre tédio e criatividade, adultos dispostos a passar algum tempo na natureza com elas, a abrir espaço para criarem suas próprias brincadeiras e entrarem na natureza através da própria imaginação.

Natureza no fundo do quintal e uma caminhada na floresta

Normalmente, o primeiro contato com a natureza se dá no quintal da casa; em seguida, em áreas naturais adjacentes, se tivermos sorte de viver perto de alguma. Mesmo assim, muitos pais que moram perto de florestas, campos, cânions ou riachos dizem aos filhos para nunca brincarem nessas áreas – por causa do medo em relação a pessoas desconhecidas ou porque as crianças simplesmente não se interessam.

Billy Campbell, médico e conservacionista da Carolina do Sul, entende que o interesse de uma criança pelas fronteiras ao redor de sua casa normalmente não se dá por acaso. Ele acredita que o maior problema enfrentado pelas crianças não é a ausência de experiências em paisagens exuberantes, mas a falta de contato diário com os elementos. Além das barreiras costumeiras, Campbell crê que a falta de interesse no ambiente ao ar livre talvez tenha a ver com a apresentação da natureza na mídia, que pode ser maravilhosamente educativa, mas também excessivamente dramática e extrema. "Por isso as crianças acham que não estão conseguindo ação suficiente. Se elas não virem um urso-pardo destroçando um filhote de caribu, ficam entediadas."

Campbell cresceu na floresta – brincando de exército; pegando peixinhos; colhendo ovos de pássaros, pele de cobras e insetos. Ele acredita que essas experiências tinham todo um drama próprio e moldaram a pessoa que ele se tornou. Hoje, o quintal de sua casa se une a centenas de hectares de florestas numa área rural, mas ele não supôs que a filha, Raven, agora adolescente, descobriria o mistério desse espaço sozinha. Ele e a esposa a apresentaram conscientemente a esse ambiente.

> Levávamos Raven para longas caminhadas antes de ela aprender a andar. Andávamos até o riacho ou o laguinho cinco vezes por semana. Inventamos brincadeiras nas quais ela corria na frente – fazíamos sinais para mostrar aonde ela deveria ir em seguida. Ela ainda caminha em meio à floresta de cem anos várias vezes por semana para visitar os primos (a uns duzentos metros de distância). Caçávamos tesouros e levávamos para casa. Aos dez anos, ela achava natural uma caminhada de nove a dezesseis quilômetros com uma subida de seiscentos metros. [...] A questão é que, para Raven, isso é apenas uma parte de seu mundo. Ela nunca se lembra de isso ser uma coisa que fazíamos uma vez por ano. Ela aprecia a beleza natural.

A caminhada de um dos pais é a marcha forçada do outro, e o mesmo vale para as crianças. Deve-se tomar cuidado entre apresentar e empurrar os filhos para o ambiente ao ar livre. Um passeio para comprar equipamentos de camping caros para férias de duas semanas em Yosemite não é pré-requisito nem, para falar a verdade, substituto de momentos naturais mais lânguidos que podem ser vividos no quintal.

O abrigo nos arbustos ou nas folhas sob um salgueiro no quintal, o filete de um riacho sazonal, até mesmo a valeta entre o quintal da frente e a rua – todos esses lugares são universos completos para uma criança pequena. Expedições às montanhas ou a parques nacionais muitas vezes são menos interessantes, aos olhos de uma criança, em comparação com os mistérios do barranco no fim do beco sem saída. Quando deixamos os mais novos nos conduzirem para seus próprios lugares especiais, podemos redescobrir a alegria e o encantamento da natureza. Ao explorar esses lugares, entramos no mundo dos nossos filhos e deixamos que esses espaços naturais sejam uma bênção poderosa para eles. Ao expressar interesse ou até mesmo encantamento com a marcha de formigas nessas florestas de elfos, transmitimos às crianças uma mensagem que dura décadas, talvez até se estenda de geração em geração. Ao retornarmos a esses locais simples, mas encantados, vemos, com elas, como as estações funcionam, como o mundo gira e como os reinos das criaturas surgem e desaparecem.

"Sua tarefa não é oferecer outra Ótima Oportunidade Educacional, mas fazê-las perceber que vivemos num mundo lindo", escreve Deborah Churchman no jornal *American Forests*, publicado pela mais antiga organização conservacionista sem fins lucrativos criada por cidadãos[3]. Ela recomenda recriar todas as coisas divertidas e bobas que você fazia quando era criança: "Leve as crianças até o rio para pular pedras, depois mostre a elas o que estava escondido sob essas pedras. Ande com elas na chuva e conte minhocas (elas vão sair para respirar, já que os buracos estão repletos de água). Acenda a luz da varanda e observe os insetos se reunindo (eles são loucos por luz ultravioleta, por algum motivo que os cientistas ainda não descobriram). Vá até um campo (usando sapatos) e observe as abelhas mergulhando nas flores".Encontre um barranco, uma floresta, uma fileira de árvores, um pântano, um lago, um terreno baldio e com mato alto e vá até lá regularmente. Churchman repete um velho ditado dos índios: "É melhor conhecer bem uma montanha do que escalar muitas".

Em *The Thunder Tree*, Robert Michael Pyle descreve seu lugar mal-assombrado da infância, um canal de irrigação de um século perto de sua casa. O canal, escreve ele, era seu "santuário, playground e retiro", seu "mundo selvagem imaginário, refúgio e local de nascimento como naturalista"[4].

Muitos de nós nos lembramos das pequenas galáxias que adotamos quando crianças, da ladeira atrás da vizinhança, das árvores no fim da rua. Meu primeiro lugar especial, assim como o de Pyle foi um canal, uma ravina – sombria e misteriosa, com balanços de videiras, olmos e sarça entrelaçada. Eu ficava sentado com meu cachorro durante horas na borda da ravina, remexendo a terra, ouvindo criaturas invisíveis se moverem lá embaixo, estudando as formigas enquanto elas se encaminhavam para o abismo. Para uma criança de quatro anos, essa ravina é tão profunda, larga e peculiar quanto o Grand Canyon será para esse mesmo menino décadas mais tarde.

Trata-se de "locais de iniciação, onde as fronteiras entre nós mesmos e outras criaturas se rompem, onde a terra entra embaixo de nossas unhas e uma sensação de pertencimento entra embaixo de nossa pele", escreve Pyle. São as "terras de segunda mão, os habitats onde você tem que procurar bem a fim de encontrar algo para amar". Richard Mabey, escritor e naturalista britânico, chama esses ambientes, não desenvolvidos e não protegidos, de "campos não oficiais". Esses habitats costumam ser ricos em termos de vida e oportunidades para aprender; numa única década, Pyle registrou cerca de setenta tipos de borboletas em seu canal.

E se a criança ainda não tiver descoberto um lugar especial como esse? Faça uma expedição conjunta até pequenos terrenos desconhecidos – não um passeio forçado, mas uma aventura mútua. "A criança que boceja quando você diz 'vamos lá para fora' pode ficar intrigada" a ponto de segui-lo num passeio para colher ervas para fazer chá, aconselha Deborah Churchman[5].

Estimule seu filho a conhecer uma área de oito metros quadrados na margem de um campo, lago ou jardim sem pesticidas. Procure as fronteiras entre habitats: onde terminam as árvores e começa um campo; onde as pedras e a terra encontram a água. A vida sempre está nas fronteiras. Juntos, sentem-se na margem de um lago no verão, sem se mexer; passem um tempo assim. Esperem um pouco mais e observem os sapos reaparecerem um por um. Ativem todos os sentidos. Passeiem por um jardim que não foi aparado, por uma floresta ou campo no outono. Juntos, façam um diário; estimule seu filho a descrever, em palavras e imagens, aquela abelha destruída sobre folhas no outono ou os dois esquilos cinza correndo para pegar musgos e ramos para os ninhos de inverno. Perguntem um ao outro: o que estava acontecendo nesse mesmo local no verão? Aquela abelha fazia as flores se dobrarem enquanto ela colhia o pólen? Se quiser, seu filho pode desenhar o contorno de folhas ou nuvens – ou sapos. Mais tarde, em casa, ele pode colorir os desenhos, colocar uma folha presa entre as páginas e acrescentar detalhes sobre o clima. Ou escrever um conto do ponto de vista da abelha: o que ela estava pensando enquanto você a observava? O que o diário de verão da abelha diria?

Faça uma "caminhada de mariposa", sugere Churchman. "No liquidificador, bata uma mistura nojenta de fruta passada, cerveja velha ou vinho que azedou (ou um suco de frutas aberto há muito tempo) e algum adoçante (mel, açúcar ou melado). [...] Em seguida, pegue um pincel e vá, acompanhado de uma ou duas crianças, para fora no horário do pôr do sol. Jogue um pouco dessa gosma em pelo menos meia dúzia de superfícies – as árvores são melhores, mas qualquer madeira sem pintura e sem tratamento serve. Volte quando estiver bem escuro e confira o resultado. Normalmente, você vai encontrar algumas mariposas, junto com várias dezenas de formigas, lacraias e outros insetos." Com ajuda de sites dedicados à observação de aves, acompanhe suas migrações. No inverno, procure insetos hibernando, galhos ou tocas de animais nas árvores ou perto delas. Na primavera, vocês podem capturar girinos, transferi-los para um aquário e observá-los se transformando em sapos – depois, devolva os sapos ao ambiente natural. Visite-os no verão. Procure ninhos abandonados por aves e os grandes ninhos que os esquilos constroem no outono – eles normalmente têm filhotes no inverno.

A jardinagem e o cultivo de hortas são outras formas tradicionais de apresentar as crianças à natureza. Judy Sedbrook, especialista em jardinagem na Cooperativa Extensionista da Universidade do Estado do Colorado, aconselha os pais a estimular o entusiasmo dos pequenos plantando sementes que amadurecem rapidamente e são grandes o suficiente para uma criança manusear com facilidade: "Os vegetais são uma boa opção para crianças pequenas. Eles germinam logo e podem ser comidos quando maduros. [...] As crianças até podem se sentir estimuladas a comer vegetais que elas plantaram e, de outra maneira, evitariam. Se você tiver espaço suficiente no jardim, abóboras são uma boa opção. Depois de colhidas, elas podem ser decoradas e usadas como casa de passarinho". Um projeto incrível de jardinagem é a casa de girassol[6]. Num espaço de três metros por três metros, pais e filhos podem plantar sementes ou mudas de girassol em fossos rasos, alternando variedades que crescem cerca de dois metros e meio com outras que chegam a um metro. Você também pode plantar alguns pés de milho entre os girassóis, pois eles repelem os besouros, e os girassóis protegem o milho de lagartas. Dentro, plante um carpete de trevo-branco. Enquanto a criança brinca dentro da casa de girassóis, abelhas, borboletas e outros insetos vão se reunir nas flores acima. Plante sementes de espécies nativas que produzam néctar e atraiam polinizadores e construa locais para empoleirar e montar ninhos; desse modo, você ajuda a aumentar o número de aves e insetos polinizadores. Essa atividade fortalece os corredores de polinização interrompidos e ajuda a restabelecer os caminhos migratórios de borboletas e beija-flores; além disso, é uma maneira de seu filho tornar-se participante da migração alada, não só observador.

Capturando o tempo

O tempo é o segredo. É muito mais fácil recomendar que os pais arranjem mais tempo para a natureza do que as famílias de fato o conquistarem. Mesmo assim, não se trata de um obstáculo intransponível. Por exemplo, Teri Konars, que é mãe solteira, conta como superou os obstáculos da falta de tempo e da falta de conhecimento da natureza:

> Algumas das lembranças mais antigas do meu filho, Adam, são de quando nós acampamos. Isso aconteceu quando estávamos morando numa casa de estudantes, e Adam tinha uns cinco ou seis anos. Encontrei uma organização chamada Pais Sem Parceiros, e começamos a participar de viagens com eles. A primeira foi a preferida de Adam – fomos para o deserto. Ele tem ótimas lembranças de ver um coiote, aprender a fazer agulha e linha com uma folha de iúca e observar as estrelas. Hoje, ele tem mais de vinte anos e diz que essa experiência o transformou de maneira profunda. Eu também me diverti muito, mas meu carro morreu na hora de voltar para casa. Foi ousado ou idiota ir com um carro velho para essa viagem, mas saber que estaríamos com outras pessoas aliviava a situação. Como mãe solteira, ir com um grupo era o único jeito de acampar, por causa do medo do desconhecido lá fora e do preço da gasolina, do equipamento, da comida, além de todas as outras despesas, que não eram leves para o nosso orçamento.

Das histórias de outras famílias que ouvi ao longo dos anos, uma, pela simplicidade, ressoou para mim de forma especial. "Minha família caiu na armadilha da alta realização", me contou uma funcionária da Associação de Pais e Mestres em Shawnee Mission, Kansas.

> Nosso filho estava excessivamente estressado. Nós também. Essa percepção nos ocorreu numa daquelas noites em que a voz de todos nós tinha subido um tom, nossos olhos estavam um pouco mais arregalados que o normal e todos nós simplesmente estávamos... simplesmente era demais. Chegamos ao limite. De repente, percebemos que a mensagem que estava sendo transmitida ao nosso filho era de que ele tinha que realizar coisas para ser amado. Meu marido e eu também estávamos fazendo isso: ele trabalhava mais horas para ser amado e eu fazia várias atividades extracurriculares para ser amada na comunidade, e era tudo muito louco. Estávamos nos tornando menos amáveis.[7]

Nesse momento, os membros da família elaboraram uma lista de tudo que adoravam e tudo que odiavam fazer, depois compararam as listas. O filho surpreendeu: ele não gostava de futebol, e isso era novidade para os pais. O que ele realmente adorava era trabalhar no jardim que havia no quintal. Isso também surpreendeu os pais. Juntos, eles descobriram que todos adoravam estar ao ar livre, acampar e caminhar sem destino específico. Os pais diminuíram as horas excessivas de trabalho e cortaram alguns compromissos sociais externos; juntos, eles começaram a fazer longas caminhadas no meio das árvores, ouvindo o vento. Ganharam tempo e restabeleceram uma conexão conjunta com a natureza.

É claro que diminuir a separação com a natureza não é tão simples quanto fazer uma lista. E a solução também não está totalmente nas mãos dos pais. Os pais podem acarretar transformações, mas geralmente não conseguem diminuir essa falta de vínculo sozinhos. Os pais precisam da ajuda das escolas, organizações ligadas à natureza, urbanistas – e uns dos outros.

14. A inteligência do medo: enfrentando o bicho-papão

Quando meus filhos eram mais novos e queriam brincar no cânion atrás de casa, balançar numa corda ou explorar o riacho sazonal que corre pelo bosque de eucaliptos, eu preferia que eles fossem com amigos, não sozinhos, e que levassem o celular. Eles resistiam a levar, mas sabiam que se submeter a minha vigilância era o preço da liberdade.

Quando cresceram, tentei compensar o que, às vezes, era um medo infundado. Enfatizei para eles a importância da experiência na natureza. Eu os convidava para caminhadas na floresta da montanha Cuyamaca ou no deserto de Anza-Borrego e os deixava correr enquanto eu ficava propositalmente apenas à distância de vê-los e ouvi-los. Eu os coloquei no caminho da natureza. Levei meu filho mais velho comigo em viagens de pesquisas para livros: pescamos tubarões na costa de San Diego; cavalgamos com caubóis mexicanos até o rio Santo Domingo em Baja (México). Lá, pescamos e soltamos trutas raras, e vi Jason escalar rochas ao longo do rio perdido, quase fora do alcance de minha audição – mas nunca fora de vista.

O segredo era oferecer um risco controlado.

Eu levava Matthew, o mais novo, até as Sierras; ou deslizávamos num bote na baía a alguns quilômetros de distância, pelas partes mais planas, enquanto ele observava arraias; íamos até a gigantesca floresta de algas na margem, povoada com peixes maiores que seres humanos. Pela borda do barco, observando por colunas vertiginosas de água e luz entre os filamentos oscilantes de algas gigantescas, Matthew olhava dentro do coração pulsante da Terra. Eu o observava do outro lado do barco; ele ficava tão absorvido que parecia estar a quilômetros de distância.

Talvez viagens como essas tenham compensado um pouco a liberdade que eles não tiveram e, ao menos parcialmente, tenham aplacado a necessidade de solitude na natureza. Ao menos prefiro acreditar assim, porque creio que a natureza seja um dos melhores antídotos contra o medo.

SABEMOS QUE os parques geralmente aumentam a coesão social. O Trust for Public Land, organização nacional sem fins lucrativos que atua na conservação da terra, argumenta que o acesso a parques públicos e instalações recreativas "tem sido fortemente ligado à diminuição do crime, em especial, à redução da delinquência juvenil"[1].

O design de parques que incorpora um ambiente mais natural pode deixar as crianças mais seguras e mudar o comportamento dos adultos – especificamente, estimulando-os a supervisionarem as crianças. Árvores e gramados fazem mais do que decorar a paisagem. Por exemplo, no meio de um condomínio residencial no centro de Chicago, o verde aumenta o brincar criativo das crianças e estimula a presença da supervisão de adultos. Em 1998, o periódico *Environment and Behavior* relatou que, em 64 espaços ao ar livre num condomínio de Chicago, quase duas vezes mais crianças (com idades entre três e doze anos) brincavam em áreas que tinham árvores e gramados do que em espaços vazios, e a atividade era mais criativa. Esse condomínio tem 5.700 moradores e fica num dos dez bairros mais pobres dos Estados Unidos.

Do ponto de vista de políticas públicas, "as descobertas relacionadas ao brincar são empolgantes, porque brincar, em geral, tem importantes implicações no desenvolvimento das crianças", de acordo com Frances E. Kuo, codiretora do Laboratório de Pesquisa Homem-Ambiente da Universidade de Illinois, citada anteriormente.

As implicações sobre segurança também foram importantes. A pesquisa descobriu que o acesso das crianças à supervisão de adultos era o dobro em áreas com vegetação. Esses estudos determinam como grandes quantidades de pessoas se comportam, mas o que dizer da criança individualmente?

A vida moderna afunila nossos sentidos até o foco ser principalmente visual, adequado mais ou menos à dimensão da tela de um computador ou de uma televisão. Por contraste, a natureza acentua todos os sentidos, que formam a principal linha de frente de autodefesa da criança. Crianças com uma generosa exposição à natureza, aquelas que aprendem a ver o mundo diretamente, *podem* ter mais probabilidade de desenvolver habilidades psicológicas de sobrevivência que vão ajudá-las a detectar o perigo real e, portanto, têm menos chance de acreditar em falsos perigos mais tarde. Brincar na natureza pode criar uma confiança instintiva.

Hiperconsciência na natureza: melhorando a confiança instintiva

Em muitas das conversas que tive com pais e filhos, a questão da autoconfiança surgiu, e minhas anotações contêm provas anedóticas de que a natureza aumenta a autoconfiança das crianças. A filha de Janet Fout, Julia, é um exemplo. Julia era aluna da Universidade George Washington, no curso de relações internacionais com especialização em segurança e defesa. Recentemente, prestou concurso para oficial do serviço militar. Ela almeja uma carreira que vai exigir que enfrente o medo e a incerteza. Mãe e filha concordam que a natureza, com um pouco de influência materna, ajudou a moldar a confiança de Julia.

> Quando Julia era bem pequena e íamos a um ambiente ao ar livre, em vez de falar para ela "ter cuidado", eu a encorajava a "prestar atenção" – instrução que não provoca medo, mas o combate. Em todas as vezes que estivemos juntas ao ar livre, nunca encontramos criaturas (exceto alguns humanos) que nos intimidaram. Espero que eu a tenha ensinado a fazer um bom julgamento. Por exemplo, ao escalar pedras, não é prudente colocar os dedos numa fenda que você não tenha analisado antes.
>
> Tentei incitar nela um respeito saudável por outros seres vivos, ensinando que, assim como a maioria dos seres humanos, os animais eram territorialistas e estavam fazendo a mesma coisa que nós: tentando sobreviver. Se ela encontra um cachorro rosnando em Washington D.C. ou um puma na natureza, meu conselho é o mesmo: recue devagar, não corra. Ter oportunidades para ser uma "criança selvagem", acredito, a ajudou a afiar seus instintos naturais de sobrevivência, não só para a vida na floresta, mas para a vida na cidade grande. Os seres humanos às vezes são as criaturas mais perigosas e as mais difíceis de interpretar. Sempre ensinei a ela a importante habilidade de sobrevivência de ouvir seus instintos – um pouco diferente das habilidades de sobrevivência psicológicas. Se você tiver uma sensação de "opa", ela pode ser real; se você quiser continuar em segurança, dê ouvidos a ela!

Julia concorda que suas experiências de infância na natureza a transformaram numa adulta mais forte, mais observadora e mais segura.

> Você me perguntou que lições eu aprendi na natureza, mas primeiro eu preciso compartilhar as lições que aprendi com minha mãe. Acredite se quiser, eu ficava tão à vontade na natureza que minha mãe tinha que me controlar. Uma vez, ela ficou a segundos de me arrastar para o hospital para fazer exames de infecção parasitária quando contei que tinha bebido água do riacho perto de casa. Eu estava com sete anos e tinha roubado o papel de tornassol que ela usava em seu trabalho científico. Eu sabia que a água tinha um pH seguro e que não tinha problema. Eu sabia quais plantas tinham gosto bom – e quais tinham gosto bom e me fariam mal. Havia restrições impostas com firmeza, a maioria memorável: nunca escale uma parede de rocha de trinta metros de altura sem corda; isso vai provocar um ataque cardíaco em sua mãe. Essas coisas eram seguidas por: não faça xixi no quintal. No entanto, tudo isso é secundário e não especialmente pertinente a minha vida adulta (apesar de eu ter certeza que todo mundo adora saber que minha mãe brigou comigo por fertilizar pessoalmente o jardim). A natureza despertou em mim um tipo de hiperconsciência, algo raro.

O uso da palavra "hiperconsciência" por Julia é instrutivo. Normalmente, a hipervigilância – comportamento manifestado por sempre estar alerta e pronto para lutar ou fugir – é associada a traumas na infância. Mas a hiperconsciência conquistada por uma experiência precoce na natureza pode ser o outro lado da hipervigilância, um jeito positivo de prestar atenção e, quando apropriado, estar alerta. Conhecemos o termo "inteligência das ruas". Talvez outra inteligência adaptativa, mais ampla, esteja disponível para os jovens. Podemos chamá-la de "inteligência da natureza".

John Johns, pai e empresário da Califórnia, acredita que uma criança na natureza precisa tomar decisões que nem sempre são encontradas em um ambiente mais restrito e planejado – decisões que não apenas apresentam perigo, mas também oportunidades. Um adulto mais forte surge de uma infância na qual o corpo físico está imerso no desafio da natureza. Considera-se que os esportes organizados, com seu conjunto finito de regras, constroem o caráter. Se isso for verdade, e pode ser, a experiência na natureza deve fazer o mesmo, de maneiras que não compreendemos totalmente. Um ambiente natural é muito mais complexo do que qualquer campo de jogo. A natureza oferece regras e riscos e, de modo sutil, ativa todos os sentidos.

– Intuitivamente, acredito que meus filhos estão mais bem equipados para detectar o perigo por causa do tempo que eles passam na natureza – diz Johns. – Todos tiveram experiências de adrenalina em corredeiras e passaram noites sem luar enterrados nos sacos de dormir, imaginando todo tipo de monstro do lado de fora. O que quer que os neurônios tenham disparado naquela época e quaisquer que sejam as reações para lidar/adaptar que eles pratiquem agora lhes deram alguma vantagem no mundo. Johns se pergunta se esse é um dos principais motivos para ele e a esposa terem levado os filhos a tantas excursões na natureza. – Nós não pensamos nisso nesses termos, de ajudar as crianças a se sensibilizarem para o mundo. Mas sentimos isso.

Leslie Stephens, mãe do sul da Califórnia que decidiu morar perto de um cânion, diz que a família tomou essa decisão em parte por causa da beleza do local, mas também porque os filhos teriam mais possibilidade de desenvolver autoconfiança, na velocidade deles, num ambiente como esse.

> Acho que o gosto por lugares selvagens é mais bem fomentado quando as crianças são pequenas. De outro modo, elas os ignoram, têm medo e, até mais estranho, não sentem curiosidade. Vejo essa reação repetidas vezes em outras crianças e adultos que acabo conhecendo. Eles não se sentem confortáveis na natureza. Ficam um pouco paranoicos de sair e explorar.
> As mães do bairro em que moro já me perguntaram se eu não sou um pouco leviana em relação à segurança dos meus filhos. Elas querem saber por que eu permito que eles corram no cânion sem supervisão. "E os perigos?", elas questionam. Elas têm medo de "pessoas assustadoras", coiotes (no meio do dia) e, é claro, cascavéis. Não vi nem uma cobra lá embaixo ao longo de doze anos, mas os cuidadores as matam regularmente no playground da escola. Sim, existem perigos. Eu poderia contar da vez em que meu filho mais novo e seu melhor amigo pisaram no mesmo prego enferrujado. Só meninos conseguem fazer algo tão esquisito e doloroso. O modo como eles gritavam me fez pensar que uma cobra os tinha picado. O fato acarretou uma ida ao pronto-socorro e uma injeção antitetânica. Mas, tirando isso, os machucados deles ocorreram jogando esportes organizados. Acho que o perigo está aí: as crianças são estimuladas a ser cada vez mais agressivas para vencer, vencer, vencer. A natureza oferece um ambiente para a vida interior de uma criança se desenvolver, porque exige que ela permaneça constantemente consciente do que a cerca.

A coisa mais importante que os pais podem fazer

Não estou sugerindo que passar um tempo na natureza imunize as crianças contra o perigo – certamente, nenhuma pesquisa científica apoia essa teoria. Mas argumento que o brincar na natureza oferece benefícios residuais à segurança e que algumas das abordagens convencionais que usamos para proteger as crianças são menos eficazes do que acreditamos. Os pais podem fazer outras coisas para diminuir o medo.

Durante uma onda nacional de medo de desconhecidos, Paula Zahn, da CNN*, perguntou a Marc Klaas o que fazer para proteger os filhos. Como a maioria de nós, Klaas preferia nunca ter pensado nessa questão. Em 1993, numa noite de luar, sua filha de doze anos, Polly, foi levada de casa, em Petaluma, Califórnia, e posteriormente assassinada. Klaas tornou-se um rosto conhecido na televisão; uma voz em prol das crianças desaparecidas.

Políticos o usaram como cartaz para a Proposition 184 da Califórnia – a lei dos "três strikes"**. Se vocês a aprovarem, diziam os políticos e ele, estarão evitando futuros assassinatos de crianças como Polly.

No entanto, pouco antes da votação, Klaas mudou de ideia. A lei, concluiu ele, encheria as prisões já lotadas com maconheiros e caçadores, e a raiz mais profunda do perigo para crianças era algo que aquela lei específica não alcançaria. Quando Zahn lhe pediu um conselho de pai, ele disse: – Sim, precisamos entender que, se os sequestradores conseguem "tirar essas crianças dos quartos, todas as crianças dos Estados Unidos estão em risco". – Mas acrescentou: – Temos que combater essa ideia do perigo em relação a desconhecidos e substituir algumas outras regras. Pais e filhos têm poder. As crianças "deviam confiar em seus sentimentos" – disse. – Elas deviam lutar contra sequestradores. Deviam dar uma distância entre elas e o que faz com que elas se sintam mal. E, então, certamente entenderiam que existem tipos de desconhecidos a quem elas *podem* recorrer.

Outras pessoas já defenderam esse argumento. Não ensine aos seus filhos apenas sobre a maldade; ensine sobre a bondade, ensine como procurar

---

* CNN (Cable News Network) – canal a cabo de notícias dos Estados Unidos. (N.R.T.)
** Lei no âmbito penal aplicada para pessoas que cometeram crimes de forma reiterada e, por isso, devem receber penas mais severas. (N.R.T.)

adultos que podem ajudar quando eles se sentirem ameaçados. Ensinar a confiança adequada é mais difícil do que ensinar o medo, mas tem a mesma importância. Como disse Klaas, "as crianças querem as informações que vão capacitá-las a se protegerem. O que temos que fazer como pais é superar nossos medos, abordar o assunto e conversar com as crianças". Esse conselho não se aplica às ocasiões em que as crianças são tiradas de dentro de casa, mas esses acontecimentos são extremamente raros. Numa sociedade cada vez mais agorafóbica, os pais têm muito medo do potencial que há lá fora – na rua, no shopping, no barranco atrás de casa.

Então, como nos adaptamos sem trancar as crianças longe da riqueza da comunidade e da natureza?

Klaas apresentou uma sugestão. "Eu diria que uma coisa que deveríamos considerar seriamente para as crianças com mais de dez anos é dar a elas um celular para podermos ter contato com elas o tempo todo, em todas as ocasiões. E não estou fazendo propaganda de nenhuma empresa de telefonia. Eu de fato acredito que essa seja uma das soluções que estamos buscando."

Vários anos atrás, durante outra onda de histeria sobre o perigo em relação a desconhecidos, perguntei a David Finklehor, sociólogo da Universidade de New Hampshire que citei anteriormente, o que ele considerava a coisa mais importante que os pais poderiam fazer para proteger os filhos. Ele tocou no assunto da essência da síndrome do bicho-papão. – Existem muitos programas tentando ensinar segurança pessoal às crianças – disse ele. – Mas eu sinceramente acho que a coisa mais importante que um pai pode fazer é ter um bom relacionamento com o filho – um relacionamento de apoio – porque uma criança que tem boa autoestima, boa autoconfiança, um relacionamento próximo com os pais, tem muito menos probabilidade de ser vitimada. Nossas pesquisas mostram isso. Pessoas predatórias não têm tanta possibilidade de mexer com essas crianças, porque o predador sente que elas vão contar o que aconteceu, que não podem ser enganadas nem enroladas. As pesquisas mostram que a maioria das crianças vitimadas também são emocionalmente negligenciadas, vêm de famílias intensamente infelizes ou sofrem outras privações[2].

Portanto, existe um segredo, não necessariamente ligado à natureza, para enfrentar o bicho-papão. O tempo que dedicamos aos nossos filhos aumenta a autoestima e a autoconfiança deles, e isso lhes dá uma armadura que podem levar pelo resto da vida. A proteção mais importante é o nosso amor e o nosso tempo. Se curar a síndrome do bicho-papão fosse simples como um "programa de cinco passos" (ou como os clichês normais de aplicação de leis), a cura seria algo assim:

- Passe mais tempo com seus filhos; eduque-os sobre os perigos humanos, mas no contexto de aumentar a autoconfiança, a consciência sensorial e o conhecimento das diversas pessoas em que eles podem confiar.
- Aumente a quantidade de contato positivo que seus filhos recebem de adultos bons.
- Conheça seus vizinhos; invista na convivência com as pessoas do quarteirão e da comunidade ao redor; estimule seus filhos a conhecer adultos confiáveis nas redondezas.
- Se seu filho começar a sair do seu contato visual, incentive-o a brincar com um grupo de amigos, e não sozinho. (Infelizmente, a experiência solitária na natureza às vezes deve ser desestimulada, se a alternativa for nenhuma natureza.)
- Utilize a tecnologia. Pulseiras de rastreamento podem ser um exagero, mas o celular pode salvar uma vida. Assim como as crianças antes levavam canivetes suíços para as florestas, hoje elas devem levar celulares.

Como pai, devo admitir que até mesmo fazer uma lista como esta parece inadequado e insatisfatório. Por um lado, resisto à ideia de que a solitude é um luxo; por outro, devo ser sincero em relação ao fato de que meu próprio medo é um dos motivos pelos quais os meus filhos não tiveram tanta liberdade física quanto eu tive quando era jovem. Mesmo assim, sei que está na hora de colocarmos o medo no lugar dele: reconhecer que o que acontece com qualquer um de nós está além do nosso controle absoluto e que 98% do que pode dar errado nunca dá errado. O fator dos 2% não é insignificante. A natureza, no entanto, é parte da solução. Deixe-me oferecer, aqui, uma tese não convencional, um sexto passo: *Para aumentar a segurança dos seus filhos, ofereça-lhes mais tempo ao ar livre, na natureza. O brincar na natureza fortalece a autoconfiança da criança e desperta seus sentidos, sua consciência do mundo e de tudo que o move, visível e invisível.*

Apesar de termos muitos motivos para nos preocuparmos com as crianças, podemos teorizar que as colocamos em perigo quando as separamos demais da natureza, e que o inverso também é verdadeiro: nós as tornamos mais seguras, agora e no futuro, expondo-as à natureza.

Analisando o gelo; descobrindo a beleza

O ideal é que a criança aprenda a lidar com a cidade e com o campo. Entender cada ambiente aguça os sentidos e o bom senso. Existe algo especial sobre a experiência na natureza, pelo menos uma qualidade que aguce os sentidos de um jovem? Possibilidades maravilhosas aguardam os pesquisadores que desejam explorar esse território desconhecido. Claro que a grandeza e a profundidade da natureza, o mistério adicional – o catálogo de sons, cheiros e visões – é maior do que a lista relativamente curta e conhecida de estímulos urbanos. Na cidade ou no subúrbio, grande parte da energia que temos é gasta bloqueando sons e estímulos. Nós realmente ouvimos táxis buzinando – e queremos isso? Na floresta, nossos ouvidos se abrem – os gritos de gansos no ar nos reaviva e, quando reavivados, nossos sentidos melhoram e se desenvolvem.

Alguns pais veem outra conexão: entre o risco positivo da natureza e a abertura para a beleza. Em New Hampshire, David Sobel usa conscientemente a natureza para ensinar segurança à filha. Ele chama o processo de "analisar o gelo".

> Essa experiência é um rito de passagem. Estou tentando ensinar a ela o processo de analisar o gelo fino em termos literais e metafóricos. Saímos juntos no gelo e analisamos sua integridade estrutural: o que é arriscado e divertido e o que é arriscado demais. Com essas experiências, eu a estimulo a ser capaz de analisar as situações. Não sei se isso começou consciente ou intencionalmente, mas esse é o efeito. Atravessando o gelo, ensino a ela como interpretar as rachaduras, os modos de descobrir a grossura e a textura do gelo, a ver os pontos onde há correntes – aqui o gelo está grosso; aqui o gelo está fino. Ensino como é preciso se afastar um do outro quando tiver que atravessar um gelo muito fino, a carregar uma vara, todos esses jeitos de analisar o risco no gelo e estar preparado.

Uma criança poderia obter esse mesmo tipo de experiência e habilidade em um ambiente perigoso na cidade, ao andar de ônibus ou metrô, por exemplo. Mas Sobel, especialista no papel da natureza na educação, sugere que a instrução de vida da natureza oferece uma qualidade misteriosa e provavelmente insubstituível. Ele acredita que a experiência cinestésica original de assumir riscos no mundo natural é a mais próxima do modo orgânico natural que aprendemos durante milênios, e que as outras experiências não chegam tão fundo.

Ouvindo-o, eu me perguntei sobre essa intensidade de aprendizado sem nome e sobre a hiperconsciência. Será que essa qualidade está ligada à beleza, às formas naturais e aos sons musicais que atraem nossa alma para a natureza? Sobel pensou na pergunta por um instante, depois disse que sim, que fazia sentido para ele. Disse que muitas vezes cita uma mulher que sobreviveu por pouco ao terremoto de Loma Prieta na Califórnia, em 1989, o qual matou pelo menos 62 pessoas e feriu outras 3.700. Essa mulher acreditava que o terremoto, longe de destruir sua vida, a salvou. Ela estava combatendo um estado psicológico limítrofe na época. Depois do terremoto, ela disse que o processo de lidar com essa catástrofe natural poderosa foi mais eficaz do que qualquer terapia que ela havia recebido. Algo nessa experiência a sacudiu e a trouxe de volta para a terra.

– A expressão que se destacou do que ela disse – lembrou Sobel – está relacionada ao diagnóstico que ela criou para si mesma. Ela disse que tinha sofrido um "distanciamento da beleza". Eu me apropriei dessa ideia. Sei quando estou sofrendo desse distanciamento da beleza. Para mim, a solução é encontrar o caminho de volta para uma proximidade com a natureza.

Sobel está determinado a não deixar a filha sofrer esse distanciamento, a fazê-la encontrar a natureza, andar na beleza e entender o gelo. Embora a autoconfiança e a consciência possam surgir nas experiências com a natureza, as gerações não vão até a natureza para encontrar segurança nem justiça. Elas vão para encontrar a beleza. É bem simples: quando negamos a natureza às crianças, estamos negando a elas a beleza.

15. Histórias de tartaruga: usando a natureza como professora moral

Deixe a natureza ser sua professora.

— WILLIAM WORDSWORTH

PARA MINHA FAMÍLIA, a primavera trazia tornados e tartarugas. Quando os furacões saíam de Oklahoma e atravessavam até as colinas ao leste do Kansas e ao oeste do Missouri, as tartarugas terrestres começavam a migração. As ruas asfaltadas e as estradas cimentadas ficavam salpicadas de giradoras, rastejantes e esmagadas. Chamávamos de giradoras aquelas que, enquanto viajavam até a Meca das tartarugas, eram atingidas por um pneu, viravam de pernas para o ar e giravam. Rastejantes e esmagadas são termos autoexplicativos.

Todo ano, meus pais colocavam meu irmão e eu no Dodge e seguíamos pela estrada para salvar as tartarugas.

Quando víamos uma giradora ou uma rastejante, meu pai freava o carro e minha mãe saía, com a blusa branca flutuando ao vento, disparava pelo asfalto – às vezes desviando de carros – e agarrava a tartaruga. Muitas vezes ela corria de volta com uma tartaruga em cada mão. Ela colocava as viajantes solitárias no piso do banco de trás, aos nossos pés. Durante essa missão de misericórdia, chegávamos a recolher mais de vinte tartarugas.

Em seguida, meu pai virava o volante e voltava para casa, costurando o trânsito para evitar outras rastejantes e giradoras.

As almas resgatadas eram colocadas no que chamávamos de "toca das tartarugas" nos fundos do quintal, sob a sombra de uma cerca viva. Do outro lado havia campos de plantação de milho e, adiante, florestas que seguiam eternamente (pelo menos em minha imaginação). Sob a cerca viva, meu pai cavou uma toca, cercou com tela de galinheiro, dispôs terra sobre as bordas da tela e colocou um pedaço inclinado de tela de galinheiro sobre a toca. Ele prendeu as pontas com gravetos e pedras. As rastejantes e as giradoras eram colocadas dentro da toca. Todo verão, eu passava horas sob a sombra fresca da cerca viva, deitado de barriga para baixo, observando o Mundo das Tartarugas. Eu as alimentava com frutas e alface, estudava o padrão dos cascos, as cores dos veios do rosto de cada uma, o modo como inclinavam a cabeça e como defecavam.

Uma tartaruga velha e corpulenta chamada Theodore era minha preferida. Era uma tartaruga circunspecta. Na primeira geada, eu levantava a tela, pegava as tartarugas, ia até a plantação de milho e soltava minhas amigas de verão. Exceto Theodore, que hibernava no porão. Certa primavera, Theodore não acordou. Eu chorei e a enrolei em papel higiênico e lhe dei um enterro decente perto do Mundo das Tartarugas. Minha mãe compareceu ao funeral.

Penso com frequência nas rastejantes e nas giradoras que teriam se tornado esmagadas e, às vezes, me pergunto se outras famílias saem em busca de tartarugas terrestres na primavera, com os filhos no banco traseiro, ainda de pijama.

Hoje, algumas pessoas fariam cara feia para um garoto que colecionasse tartarugas. Mas, a menos que a criança esteja colecionando espécies em perigo de extinção, os pontos positivos superam os danos à natureza. Colecionar tartarugas (e, mais tarde, cobras, que viveram temporariamente num terrário na garagem) me proporcionou uma experiência prática com a natureza e foi uma experiência que uniu minha família. Biologicamente, não estamos há tantas gerações da família ou clã de caçadores e coletores, na qual cada membro tinha uma função importante. Isso pode dar um peso indevido à coleção de tartarugas, mas eu me lembro da sensação estranha e maravilhosa na estrada das tartarugas – aliás, eu sentia o mesmo quando meus pais, meu irmão e eu pescávamos juntos, porque estávamos todos reunidos.

O caso da pesca e da caça

Por motivos que têm mais a ver com a emoção do que com a razão, não caço nem encorajo meus filhos a caçarem – e eles ficam chocados com a ideia de que outras pessoas caçam. Reconheço que existe uma lógica moral mesquinha separando a caça e a pesca, mas sou tendencioso em prol da pesca como maneira para crianças e adultos viverem algo além do voyeurismo que às vezes é aceito como experiência na natureza. Em *A River Runs Through It*, Norman Mclean escreve: "Na nossa família, não havia muita distinção entre religião e a pesca com mosca". Em minha infância, não havia separação exata entre carpas e latas de lixo. Como muitas pessoas, venho de uma família obcecada pela pesca, mas não éramos arrogantes em relação isso. Na verdade, preferíamos as carpas, que, a menos que você saiba preparar, não são comestíveis. Ouvimos boatos de que algumas pessoas conseguiam deixá-las macias na panela de pressão. Então, meu pai, que era químico, testou a técnica. Tenho uma vaga lembrança de explosão e pasta de carpas voadora.

Para meu deleite, meus dois filhos entendem as qualidades curativas da natureza. Matthew adotou o hábito de pescar e, agora também, observar aves como remédio, e acho que isso vai ajudá-lo a desenvolver-se pelo resto da vida.

A pesca não é uma atividade exclusivamente masculina. As mulheres compõem o segmento em maior crescimento da pesca com moscas.

– Eu quase odeio chamar de pesca – diz Margot Page, que mora em Vermont, se autointitula "mãe pescadora" e está transmitindo a tradição da pesca para a filha. – Prefiro chamar de tratamento com água. Sim, usamos linha e esses flashes selvagens de luz que você vê no riacho, mas, na verdade, é para a a água que vamos e que sempre fomos. Quando você se acostuma com as criaturas que habitam a água, você é atraído a se conectar de alguma forma com elas. Mas tudo começa com a água.

Qual é a idade adequada para começar a experiência de pesca? – Cerca de cinco anos de idade, geralmente não antes –, diz Hugh Marx, que tem uma clínica de pesca para crianças num lago perto de San Diego. – No início, os pais das crianças pequenas pescam, e elas puxam a linha. Não ensine a uma criança técnicas e equipamentos de pesca sofisticados, aconselha. Apresentada à pesca dessa maneira, ela pode ficar tão frustrada que a pesca perde o interesse. O melhor a fazer é dar-lhes uma vara de bambu, não uma vara de molinete que custa cem dólares. – Deixe as crianças apreciarem a simplicidade do processo. Pelo menos, se elas se tornarem a elite da pesca posteriormente, podem dizer que não foram sempre assim.

– Comece com os peixes comuns –, sugere ele. – Carpas, bagres – e mais importante, *bluegills* e outros tipos de *sunfish* – qualquer espécie comestível que faça o coração da criança pular quando a isca afundar*. Por segurança, dobre a ponta dos anzóis – isso também facilita a devolução do peixe à água sem machucá-lo. Pensando no peixe, recomendo pescar e soltar, embora levar alguns para casa para limpar e comer possa ser uma lição importante sobre a origem dos alimentos.

Para meu filho mais velho, Jason, a pesca tem valor como jeito de passar tempo com a família na natureza. Mas Matthew definitivamente tem o gene da pesca. Ele começou a carreira aos três anos, pescando no umidificador do quarto. Vários anos atrás, pedi para ele me ajudar num artigo sobre pesca e crianças. O artigo foi publicado no *Chicago Tribune* e em vários outros jornais. Seus conselhos ainda são válidos:

Dicas de pesca para pais, por Matthew Louv (12 anos)

1. Pesque com seus filhos.
2. Deixe seus filhos irem pescar, mesmo que você não queira levá-los.
3. Deixe seus filhos comprarem suprimentos e equipamentos. Isso é metade da diversão da pesca.
4. Se seus filhos forem pequenos, leve-os a um lugar onde os peixes são fáceis de pescar e pequenos.
5. Deixe as crianças pescarem pelo tempo que quiserem. Permita que elas fiquem obcecadas.
6. Deixe as crianças saírem e fazerem tudo do jeito delas. Pode ser incrivelmente irritante e/ou frustrante ter um adulto dando ordens.
7. Pelo menos finja estar empolgado quando seu filho pescar um peixe. Se ele sentir que você não quer estar ali, isso pode estragar um dia de pesca, como se ele simplesmente estivesse arrastando você.
8. Se você souber pescar, não dê muitos conselhos não solicitados, embora isso possa ser útil se a criança for pequena.

---

* Bluegill (*Lepomis macrochirus*), sem nome comum em português, é um peixe da família dos Sunfish (*Centrarchidae*), nativos exclusivamente da América do Norte e muito valorizados na pesca esportiva. (N.R.T.)

9. Deixe seus filhos ensinarem como você deve pescar; participe da pesca deles. Pode se tornar um ótimo momento de interação.
10. Lembre-se de que pescar e passar tempo com a família é tão importante quanto o dever de casa – ou até mais.
11. Divirta-se; esse é o objetivo de pescar.
12. E, não importa o que você faça, NÃO DEIXE SEU FILHO JOGAR PEDRAS NA ÁGUA!

As famílias de hoje têm mais probabilidade de ser confrontadas com perguntas moralistas, que as pessoas quase nunca faziam em décadas anteriores, sobre a caça e a coleta feitas pela criança na natureza. Essas perguntas vêm junto com a questão da terceira fronteira e refletem a mudança da relação entre seres humanos e outros animais. Em 2000, a PETA - People for the Ethical Treatment of Animals declarou a pesca como "a última fronteira dos direitos dos animais". A organização voltou sua campanha antipesca especificamente para o público infantojuvenil. Ativistas entregaram panfletos para crianças quando elas saíam da escola; outros protestaram numa competição de pesca infantil, segurando cartazes que acusavam as crianças de serem assassinas. Em 2000, Dawn Carr, coordenadora da campanha antipesca da PETA, e Gill, o Peixe, seu parceiro de um metro e oitenta vestido com uma fantasia de peixe, tentaram visitar dezenas de escolas nos Estados Unidos. "Só uma nos deixou entrar", relatou Carr. Sem desanimar, ela e Gill se posicionaram um pouco mais distante da entrada. Ali, entregaram panfletos e falaram com as crianças sobre os males da pesca.

Um dos comerciais antipesca da PETA tem como destaque o jovem Justin Aligata, vegetariano, escoteiro e ativista pelos direitos dos animais.

– O escotismo me ensinou que os escoteiros não devem danificar o meio ambiente nem os animais que fazem parte dele. É por isso que eu acho que não deveria existir o distintivo da especialidade de pesca – diz ele. – O escotismo trata de fazer o que é certo e criar uma diferença positiva no mundo, e isso é exatamente o que estou buscando ao ajudar a PETA a falar em nome dos peixes.

Mesmo sem a oposição da PETA, a pesca está deixando de ser um passatempo entre os jovens. Cerca de 44 milhões de americanos ainda pescam regularmente, mas a idade média dos pescadores está aumentando, e a indústria de equipamentos de pesca está preocupada com a queda, em alguns estados, do número de jovens que se interessam pela atividade.

– Todas as crianças crescem com uma mountain bike; antes, era uma vara de pescar – diz John Atwood, editor do *Sports Afield*.

A caça é outro modo pelo qual os jovens antes interagiam com a natureza. Em 1997, os estados emitiram aproximadamente 15 milhões de licenças de caça, cerca de 1milhão a menos que na década anterior. (O interessante é que as mulheres são responsáveis por manter a viabilidade numérica da caça; o número de caçadoras duplicou na década de 1990, chegando a 2,5 milhões.) Em 1998, depois de um aumento na violência juvenil nas escolas (sendo alguns episódios executados com rifles de caça), o ensaísta Lance Morrow escreveu: "Às vezes, uma sociedade faz uma mudança tectônica, toma uma grande decisão coletiva meio consciente. Isso aconteceu com o fumo, que já foi, lembrem-se, um ritual glamouroso do romance e da vida adulta. [...] Agora essa transformação pode estar em vigor com a caça."

Sim, existem maneiras práticas alternativas para as crianças vivenciarem a natureza, mas, quando pessoas que amam o meio ambiente defendem o fim da caça e da pesca sem sugerir opções equivalentes ou mais importantes em termos de experiências para as crianças, elas devem ter cuidado com o que desejam. Em qualquer medida, o impacto de esportes destrutivos ao ar livre é menor em comparação à destruição do habitat pela expansão urbana e pela poluição. Se tirarmos a caça e a pesca da atividade humana, perdemos muitos eleitores e organizações que agora trabalham contra a destruição das florestas, dos campos e das bacias hidrográficas.

No centro da controvérsia da pesca está a seguinte pergunta: os peixes sentem dor? Sem nos aprofundarmos na controvérsia científica, basta dizer que a resposta para essa pergunta depende da sua definição de dor e sofrimento, que não é tão clara quanto pode parecer. Certamente, não há consenso. As crianças que pescam (ou caçam) vão sofrer uma pressão cada vez maior. Ainda assim, num mundo cada vez mais desnaturalizado, a caça e a pesca permanecem entre as últimas maneiras para os jovens aprenderem o mistério e a complexidade moral da natureza de um jeito que nenhum material televisivo consegue transmitir. Sim, a caça e a pesca são terríveis – até mesmo moralmente –, mas a natureza também é. Nenhuma criança conhece de verdade ou valoriza o ambiente ao ar livre se o mundo natural permanecer sob um vidro, visto apenas através de lentes, telas de televisão ou de computador.

A pesca também oferece uma conexão entre gerações. Num mundo onde as crianças raramente seguem o caminho dos pais no negócio da família ou na profissão, a pesca é uma vocação, uma arte, um chamado oferecido à geração seguinte. Para muitas famílias, a pesca serve como uma cola que une as gerações, mesmo que em outro ritmo.

Meu filho Jason, de 25 anos, agora mora no Brooklyn. Ele passa horas explorando os bairros e os parques de Nova York e andando à margem dos rios. Certa noite, quando fui visitá-lo, fizemos uma caminhada de quatro horas pelo Central Park. Ficamos muito tempo numa ponte sobre o afluente de um dos lagos, encarando a água verde e opaca, parada devido à calma da noite. Observamos um homem de mais ou menos cinquenta anos com rabo de cavalo atravessar os arbustos até a margem e jogar uma linha na água. De repente, um robalo mordeu a isca, explodiu para o ar e balançou o rabo. Jason e eu rimos, surpresos, e de repente eu senti falta das muitas horas que passamos pescando quando ele era um menino.

Depois de um tempo, ele disse:

– Sabe, pai, quando passo pelos bairros mais antigos, com tijolos velhos e toda aquela mudança orgânica, às vezes tenho a mesma sensação de quando eu era criança e explorava o cânion atrás da nossa casa.

Fico feliz de Jason ver formas da natureza sob as superfícies, onde outras pessoas talvez não vejam nada.

Coleta na natureza e a mudança do ato de levar para o ato de observar

Para famílias que não sentem atração por pesca ou caça, existem alternativas maravilhosas. Uma delas é a coleta na natureza, termo que originalmente significava obter habilidades e conhecimento sobre sobrevivência na natureza, mas tem sido usado mais especificamente como procura e coleta de plantas em estado natural, para alimento, medicamento ou artesanato.

Não se trata da folha que sua mãe colocava entre livros para secar, mas de uma interação sofisticada com a natureza, que exige paciência, observação cuidadosa e um conhecimento refinado sobre identificação de espécies. A coleta na natureza também tem seu próprio conjunto de questões éticas.

A revista *Utne*, em um artigo sobre o assunto, *The Guerrilla Gatherers*, observou que, em áreas naturais protegidas a prática é tecnicamente ilegal. As organizações de coleta na natureza aconselham pais e crianças a fazerem a si mesmos as seguintes perguntas: Você está coletando num ambiente frágil? A planta é rara ou está em perigo de extinção – ou próxima dessas situações? Os animais silvestres se alimentam dessa planta? A área de ocorrência natural dessa planta está crescendo, encolhendo ou continua do mesmo tamanho? John Lust, em *The Natural Remedy Bible*, aconselha que os coletores na natureza "atuem onde a planta parece prosperar, pois é onde se encontram os espécimes mais fortes" e "tenham certeza de deixar o suficiente para que a planta possa retomar o crescimento com facilidade".

A coleta cuidadosa na natureza, argumenta ele, pode ser praticada "de modo que ajude o crescimento das plantas silvestres por meio da coleta e da poda criteriosas". O valor da prática aumentou porque ela apresenta as questões éticas inerentes à caça e à coleta na infância. A coleta responsável conecta a criança à natureza de um jeito direto, ajuda a apresentar as fontes dos alimentos e ensina o básico sobre sustentabilidade.

Uma atividade ainda menos invasiva é a observação da vida selvagem. Algumas pessoas observam guaxinins no quintal; outras fazem viagens de centenas de quilômetros para ver uma única espécie de ave. Infelizmente, o número de americanos que participam de formas tradicionais de observação recreativa da vida selvagem diminuiu de 76 milhões em 1991 para 66 milhões em 2001, de acordo com a National Survey of Fishing, Hunting, and Wildlife, do Departamento do Interior Americano[1].

Um dos ramos da observação da vida selvagem, no entanto, está aumentando. O *World Watch* relata: "A observação de aves se tornou um dos passatempos ao ar livre que mais crescem no continente". A observação de aves era tradicionalmente um hobby de adultos mais velhos. Em contraste com outras atividades ao ar livre, parece ganhar terreno entre alguns grupos de jovens, de acordo com a revista *Birding*. Parte desse crescimento se deve ao advento dos guias de campo compactos e aos avanços na tecnologia das câmeras, que tornam a observação de aves mais fácil do que era no passado. As câmeras digitais reduzem muito o custo de fotos experimentais de minhocas, besouros e animais pequenos. Em 2001, o percentual de observadores de aves entre 16 e 24 anos de idade aumentou de 10,5% para 15,5% dos praticantes; mas o percentual dos que têm entre 25 e 39 anos de idade caiu de 31,8% para 24,3%. A revista *Birding* concluiu que "entre 25 a 39 anos, com a educação dos filhos, não é tão fácil o envolvimento na observação de aves quanto alguns anos antes".

Para uma criança com deficiência auditiva, ou que tem pouca visão, a observação de aves pode ser um jeito especial de vivenciar a natureza[2]. O pequeno Teddy Roosevelt, com sua péssima visão quando criança, sabia imitar centenas de cantos de aves – e continuou com essa habilidade quando adulto.

A observação de aves não precisa ser uma tarefa elaborada nem dispendiosa. A revista *Mothering* apresenta alguns conselhos:

> Não é preciso correr para a biblioteca em busca de um livro; deixe seu jovem cientista aprender a ver e registrar as informações diretamente. [...] Faça uma lista ou uma tabela para anotar as mesmas observações para cada tipo diferente de ave. Desse modo, seu filho vai aprender a confiar nas observações diretas e no registro do conhecimento. [...] Aprender sobre aves pode levá-lo a se interessar por outras ciências: por que não ajudar seu filho a plantar fileiras de feijão no jardim, usando diferentes compostagens e fertilizantes? Ou observar e comparar três diferentes tipos de árvores brotando? O objetivo é encorajá-lo a observar, questionar e responder.[3]

A observação de animais silvestres é a expressão do século XXI para o nosso desejo de caçar? O editor associado da *World Watch*, Howard Youth, oferece uma explicação mais complexa: – Quando restam apenas algumas centenas de membros de uma espécie, estes ironicamente podem atrair milhares de seres humanos que mal prestavam atenção quando a espécie era comum. Veja as multidões que se reúnem para observar pandas, gorilas ou condores da Califórnia em cativeiro.

Manter um diário da natureza também é uma ferramenta útil para os jovens. Os grandes escritores naturalistas John Muir e Aldo Leopold mantinham diários de suas experiências. Começando aos onze anos, Bill Sipple, ecologista da Environment Protection Agency, escreveu um diário – agora com dois volumes que totalizam mais de 1.200 páginas. O antigo explorador Henry Rowe Schoolcraft atravessou as montanhas Ozarks em 1818 e, posteriormente, publicou um relato detalhado da jornada. Seus diários retratam uma paisagem diferente da que vemos hoje. Ele descreve em detalhes os terrenos exuberantes de pradarias e os encontros que teve com manadas de alces e bisões. Durante mais de 150 anos, os pescadores da Nova Inglaterra mantiveram relatos de pesca – e o registro ecológico feito nesses relatos é fundamental atualmente para a proteção dos rios de trutas selvagens[4].

O diário da vida ao ar livre é algo que uma família pode fazer em conjunto e oferece motivos e foco para estar na natureza. Linda Chorice, assistente administrativa do Centro de Natureza Springfield do Departamento de Conservação do Missouri, destaca que manter um diário não exige equipamentos especiais, apenas bloco de papel ou caderno, lápis e apontador[5].

– Embora seu diário talvez nunca seja publicado como documento histórico, ele vai servir como registro de suas experiências ao ar livre, permitindo que você reviva com detalhes as lembranças ao abri-lo – diz ela.

Todas essas atividades podem ensinar às crianças paciência e respeito pelas criaturas do planeta, mesmo que as lições demorem um pouco para surtir efeito.

Não é a internet, são os oceanos

Há não muito tempo, eu soube que Robert F. Kennedy, Jr. expôs os filhos à natureza – para capturar, soltar e observar seres vivos. Kennedy fez seu nome como advogado ambiental trabalhando na Riverkeeper, organização que foi criada para proteger a bacia hidrográfica da cidade de Nova York e que ajudou a recuperar o rio Hudson de seu túmulo diluído e poluído. Uma das realizações mais notáveis de Kennedy foi o acordo da bacia hidrográfica da cidade de Nova York, que ele negociou em nome dos ambientalistas e dos consumidores da bacia para assegurar a pureza da água da cidade. Como promotor chefe da Riverkeeper, presidente da Waterkeeper Alliance e advogado sênior do Natural Resources Defence Council, Kennedy trabalhou em questões ambientais por todo o Hemisfério Ocidental. No tempo livre, ele gosta de levar os cinco filhos para mergulhar no rio Hudson. Eles fazem algo que chama de "mergulho camarada".

Kennedy e um dos filhos mergulham até o fundo do rio e sentam-se ao lado de sua pedra grande preferida, protegidos da corrente. Ele segura o filho pelos ombros ou pela cintura (por segurança e também para sentir a respiração da criança), e os dois passam o respirador bucal de um para o outro. Eles ficam sentados ali, perto daquela pedra, envolvidos pela folhagem submersa que dança no ritmo da corrente, e observam os peixes: o agressivo robalo e o bigodudo peixe-gato, peixes tropicais libertados de aquários (principalmente acarás e às vezes cavalos-marinhos) e até mesmo um ocasional esturjão nativo – monstruoso, pré-histórico e gracioso. Para Kennedy, esse é um jeito de se distanciar das pressões que acompanham seu nome; também é uma forma de vivenciar a natureza com os filhos.

Como parte da pesquisa para um livro anterior, fui pescar com Kennedy. Levei meus filhos, num pequeno barco, pela costa da Califórnia. Enquanto pescávamos, Kennedy me contou sobre suas primeiras experiências como "a criança da natureza" da família, como ele chamava a si mesmo, e como essas experiências moldaram sua maneira de ser pai.

– Eu passava as tardes na floresta – disse ele. – Adorava encontrar salamandras, lagostins, sapos. Meu quarto era cheio de aquários, *cheio*, desde quando eu tinha seis anos. E ainda é. Tenho um aquário de 1.300 litros e outros menores espalhados por toda a casa.

Do rio Hudson, ele e os filhos pescam bagres, enguias, peixes-gatos cabeçudos castanhos, esturjões, robalos listrados, percas, achigãs, enchovas e trutas, os quais são levados para casa vivos e mantidos nesses aquários. Conforme seguíamos para o mar, Kennedy falava apaixonadamente sobre a reconexão das crianças com a natureza.

– Somos parte da natureza e, no fundo, somos animais predadores e temos um papel na natureza – disse ele. –, e se nos separarmos disso, estamos nos separando da nossa história, das coisas que nos unem. Não queremos viver num mundo em que não existam pescadores recreativos, onde perdemos o contato com as estações, as marés, com as coisas que nos conectam – a dez mil gerações de seres humanos que viveram aqui antes de existirem computadores e finalmente nos conectam com Deus[6].

Não deveríamos adorar a natureza como Deus, disse ele, mas a natureza é o jeito pelo qual Deus se comunica conosco de modo mais poderoso.

– Ele se comunica conosco através das pessoas e através da religião, através dos sábios e dos livros, através da música e da arte, mas não com tanta textura e poder nos detalhes, na graça e na alegria quanto em Sua criação – disse ele. – Quando destruímos grandes recursos ou interrompemos algum acesso ao construir ferrovias ao longo das margens de rios, poluindo de tal maneira que as pessoas não conseguem pescar ou criando tantas regras que elas não podem entrar na água, isso é o equivalente moral a rasgar as últimas páginas da última Bíblia da Terra. É um custo imprudente para impor a nós mesmos, e não temos o direito de fazer isso com nossos filhos.

Uma onda levantou o barco e as gaivotas nos seguiram; a cidade começou a desaparecer numa névoa atrás de nós.

– Nossos filhos têm que estar na água – disse Kennedy. – É isso que nos conecta, que conecta a humanidade, é isso que temos em comum. Não é a internet, são os oceanos.

Parte V

A lousa da selva

*Não é a linguagem dos pintores,
mas a linguagem da natureza que se deve escutar...
O sentimento pelas coisas em si,
pela realidade, é mais importante do que o sentimento pelas imagens.*

— Vincent van Gogh

16. Reforma pela escola natural

Ensinar às crianças sobre o mundo natural deveria ser tratado como um dos eventos mais importantes da vida delas.

— Thomas Berry

O CONCEITO DA EDUCAÇÃO baseada no meio ambiente – conhecido também com inúmeros outros nomes – surgiu há pelo menos um século. Em *The School and Society*, John Dewey defendia a inserção dos alunos no meio ambiente local: "A experiência (fora da escola) tem seu aspecto geográfico, seu lado artístico e literário, científico e histórico. Todos os estudos resultam dos aspectos da única terra e da única vida vivida nela". Longe de ser radical, a educação experiencial está na essência dessa antiga teoria educacional, uma abordagem desenvolvida bem antes de vídeos apresentarem cobras de pescoço amarelo aos alunos em sala de aula. Enquanto a educação ambiental se concentra em como viver corretamente no mundo, a educação experiencial ensina pelos sentidos[1].

O apoio à natureza na educação foi dado e incrementado por Howard Gardner, professor de educação da Universidade Harvard, que, em 1983, desenvolveu a poderosa teoria das inteligências múltiplas. Conforme descrito no Capítulo 6, Gardner afirma que há sete inteligências diferentes em crianças e adultos: a linguística, a lógico-matemática, a espacial, a corporal-cinestésica, a musical, a interpessoal e a intrapessoal. Mais recentemente, ele acrescentou a inteligência naturalista ("inteligência da natureza") à lista.

Estimulado por essa teoria, entre outras, um movimento embrionário a favor do que pode ser chamado de reforma pela escola natural tem crescido – e, apesar de sua atuação ainda ser relativamente pequena, trata-se de um movimento que deveria ter começado muito antes.

Nos Estados Unidos, empresas de software tentam vender programas de aprendizado voltados para crianças com dois anos de idade. Ao chegar no segundo ano do ensino fundamental, a maioria dos alunos já passou anos na pré-escola e foi apresentada aos rigores das avaliações. Lora Cicalo – profissional com boa educação e ambiciosa – fica horrorizada com o estresse da filha e de seus colegas de turma enquanto a professora do ensino fundamental os prepara para o programa STAR - Standardized Testing and Reporting, da Califórnia. "A professora deve ensinar tudo, desde como preencher adequadamente o gabarito (por exemplo, não fazer um X nem marcar fora do campo) até como acompanhar o ritmo do resto da turma no teste cronometrado", disse ela. "As crianças se preocupam com sua imagem perante os adultos que dão tanta ênfase a essa avaliação. Lembre-se que essas crianças têm apenas sete anos. Por que colocamos tanta pressão sobre elas?" Para melhorar as escolas, certo? Talvez.

Enquanto os americanos empurram as crianças para o penhasco da competição, o sistema educacional da Finlândia segue na direção oposta. Numa análise de 2003 feita pela Organização para a Cooperação e Desenvolvimento Econômico, a Finlândia foi mais bem avaliada que 31 países, incluindo os Estados Unidos. A Finlândia ficou em primeiro lugar em leitura e entre os cinco primeiros em matemática e ciências. Os Estados Unidos ficaram na metade da lista. "A receita para isso é, ao mesmo tempo, complexa e simples", relata o jornal *New York Times*. "Alguns dos ingredientes podem ser aproveitados (a flexibilidade em sala de aula, por exemplo) e alguns não podem (como a população menor e mais homogênea do país e a relativa prosperidade da maioria dos finlandeses).[2]"

Pelos padrões de alguns educadores e legisladores americanos, a abordagem finlandesa não parece intuitiva. Os alunos lá só são matriculados na escola aos sete anos de idade – praticamente cidadãos veteranos nos Estados Unidos. A Finlândia não oferece programas especiais para superdotados e gasta menos em educação por aluno do que os Estados Unidos. Apesar de exigir que os educadores cumpram as exigências nacionais de currículo, a

Finlândia lhes dá ampla liberdade no que se refere ao método. E os profissionais lá acreditam no poder – veja bem – do brincar. Enquanto isso, nos Estados Unidos, a tendência é acabar com o recreio. Numa escola típica do distrito de Suutarila, em Helsinki, os alunos "andam para todo lado sem sapatos. Depois de cada aula de 45 minutos, são levados para um ambiente ao ar livre durante 15 minutos para liberar a energia", de acordo com o *Times*. A Finlândia também estimula a educação baseada no meio ambiente e transferiu grande parte da experiência em sala de aula para ambientes naturais ou para a comunidade próxima. "A essência do aprendizado não está nas informações [...] digeridas de fora para dentro, mas na interação entre a criança e o meio ambiente", afirma o Ministério de Assuntos Sociais e Saúde da Finlândia. Tenho certeza que os educadores americanos poderiam ensinar uma ou duas coisas sobre educação à Finlândia. Mas e se nós adotássemos pelo menos dois aspectos finlandeses – mais respeito social pelos professores e um entusiasmo pela educação baseada no meio ambiente?

Lauren Scheehan, fundadora e diretora do corpo docente da Escola Swallowtail em Hillsboro, Oregon, acredita que muitas pessoas – incluindo os especialistas em tecnologia do vale do Silício – estão procurando mais equilíbrio na própria vida e na vida dos filhos.

"Acreditamos que as habilidades no uso de computadores só devem ser usadas em sala de aula a partir do ensino médio", diz ela. "Eles podem usar o computador em casa ou jogar video game na casa dos amigos; esse mundo não é fechado para eles." No entanto, a Swallowtail dá uma trégua nos "impulsos eletrônicos que chegam aos alunos o tempo todo para que suas habilidades sensoriais estejam mais abertas ao que está acontecendo naturalmente ao redor". A questão, diz Scheehan, é criar "uma base moral de liberdade de escolha, em vez de ser totalmente dependente da mídia eletrônica". Vários funcionários da Intel mandam os filhos para essa escola. Esses pais valorizam a tecnologia, diz Scheehan, "mas entendem que existem aspectos humanos que não se encontram dentro de um computador".

Até agora, a Swallowtail é a exceção entre as escolas. Mas isso poderia mudar. Lutando contra o *status quo*, cada vez mais educadores estão comprometidos com uma abordagem que incute na educação a experiência direta, especialmente com a natureza. As definições e a nomenclatura desse movimento são complicadas. Nas últimas décadas, a abordagem assumiu vários nomes: escola aberta para a comunidade, educação biorregional, educação experiencial e, mais recentemente, territórios educativos ou educação baseada no meio ambiente*. Qualquer que seja o nome, essa linha claramente pode ser um dos antídotos para o transtorno do deficit de natureza. A ideia básica é usar a comunidade ao redor, incluindo a natureza, como sala de aula preferencial.

Aprendizado no mundo real

Para uma reforma educacional mais eficaz, os professores deveriam libertar as crianças da sala de aula. Essa é a mensagem de Gerald Lieberman, diretor da State Education and Environmental Roundtable, programa nacional para estudar a educação baseada no meio ambiente[3].

"Como os ecossistemas que cercam as escolas e suas comunidades variam tanto quanto a paisagem do país, o termo 'meio ambiente' pode ter significados diferentes em cada escola; pode ser um rio, um parque no meio da cidade ou um jardim num playground de asfalto", de acordo com o relatório da Roundtable, *Closing the Achievement Gap*. O relatório foi publicado em 2002 e tem sido amplamente ignorado pelas instituições educacionais. A Roundtable trabalhou com 150 escolas em dezesseis estados durante dez anos, identificando programas modelo baseados no meio ambiente e analisando como os alunos se saíam nos testes padronizados. As descobertas são impressionantes: a educação baseada no meio ambiente gera melhorias em estudos sociais, ciências, linguística e matemática; aumenta as notas nos testes padronizados e o rendimento acadêmico; e desenvolve a capacidade de solução de problemas, o pensamento crítico e a tomada de decisões.

- Na Flórida, professores e alunos da Escola de Ensino Médio Taylor County usam o rio vizinho, Econfina, para ensinar matemática, ciências, linguística, biologia, química e a economia do condado.
- Em San Bernardino, Califórnia, os alunos da Escola de Ensino Fundamental Kimbark estudam botânica e pesquisam organismos microscópicos e insetos aquáticos num lago e numa horta dentro do campus e numa estufa e num arboreto de plantas nativas ali perto.

---

* No Brasil há um conceito que abrange todas essas tendências da educação, denominado educação integral que entende que para educar uma pessoa é preciso articular outros indivíduos, tempos e espaços. (Fonte: Centro de Referências em Educação Integral) (N.R.T.)

- Em Glenwood Springs, Colorado, alunos do ensino médio planejaram e supervisionaram a criação de um parque urbano compacto, e os urbanistas pediram para eles ajudarem a desenvolver uma rua comercial e construirem um parque para pedestres ao longo do rio Colorado.
- Na escola de ensino médio da área de Huntingdon, Pensilvânia, os alunos coletam dados num riacho perto da escola. O professor Mike Simpson usa esses dados para ensinar fração, percentagem e estatística, além de interpretar tabelas e gráficos. "Não preciso mais me preocupar em criar temas para problemas aplicados. Os alunos fazem isso sozinhos", diz Simpson.

David Sobel, que descreve a educação baseada no território como foco sobre "aprender diretamente na comunidade local de um aluno", fez uma análise independente desses estudos, incluindo um da National Environmental Education and Training Foundation, e relatou descobertas semelhantes às de Lieberman. Quando se trata da habilidade de leitura, "o Santo Graal da reforma da educação", diz Sobel, a educação baseada no território ou baseada no meio ambiente deve ser considerada "um dos cavaleiros de armadura brilhante"[4]. Os alunos desses programas normalmente têm um desempenho melhor que os colegas de salas de aula tradicionais.

Por exemplo, na Escola de Ensino Fundamental Hotchkiss, em Dallas, as notas dos alunos do quarto ano num programa baseado no meio ambiente foi 13% maior que as dos alunos de uma turma tradicional anterior. A Divisão de Avaliação dos Alunos, da Texas Education Agency, chamou as conquistas de Hotchkiss de "extremamente significativas", comparadas ao aumento médio de 1% no estado durante o mesmo período. O sucesso em matemática é semelhante. Em Portland, os professores da escola de ensino fundamental ambiental empregam um currículo com rios, montanhas e florestas locais; entre outras atividades eles plantam espécies nativas e estudam o rio Willamette. Nessa escola, 96% dos alunos atendem ou ultrapassam os padrões do estado em termos de solução de problemas matemáticos – em comparação com apenas 65% dos alunos do oitavo ano em escolas do mesmo patamar. A educação baseada no meio ambiente pode amplificar os esforços de reforma mais típicos das escolas. Na Carolina do Norte, melhorar os padrões gerou, em todo o estado, um aumento de 15% na proporção de alunos do quarto ano que alcançavam o nível de "proficiência" nas notas de matemática. Mas os alunos do quarto ano de uma escola baseada no meio ambiente em Asheville, Carolina do Norte, tiveram um desempenho ainda melhor: aumento de 31% no número de estudantes com desempenho no nível de proficiência.

Como bônus, os alunos desses programas demonstram frequência e comportamento melhores do que os de salas de aula tradicionais. A Escola de Ensino Médio Little Falls, em Minnesota, relatou que os alunos do programa baseado no meio ambiente apresentavam 54% menos suspensões do que os outros estudantes. Na Escola Hotchkiss, em um ano os professores chegaram a mandar alunos 560 vezes ao escritório do diretor. Dois anos depois, quando o programa baseado no meio ambiente entrou em ação, o número caiu para 50.

Em 2005, o American Institutes for Research liberou um relatório de um estudo feito com 255 alunos em situação de risco do sexto ano de quatro escolas fundamentais que participaram de três programas de educação ao ar livre ao longo de vários meses[5]. O estudo comparou o impacto sobre aqueles que vivenciaram o programa de educação ao ar livre com um grupo de controle que não teve essa experiência. As descobertas mais importantes, apresentadas ao Departamento de Educação da Califórnia, incluíam: aumento de 27% no domínio mensurável de conceitos científicos; aumento da cooperação e das habilidades de solução de conflitos; ganhos na autoestima, na solução de problemas, na motivação para aprender e no comportamento em sala de aula. Os professores do ensino fundamental e os profissionais da escola ao ar livre "enfatizaram repetidas vezes como o ensino de ciências ao ar livre oferece um 'novo começo' para os alunos", de acordo com o relatório.

Sobel conta uma bela história sobre um professor de física de uma escola que estava ensinando princípios de mecânica "envolvendo os alunos na reconstrução de uma trilha próxima, na qual eles tinham que usar roldanas, alavancas e fulcros para realizar a tarefa". No dia que a escola chama de Senior Skip Day, quando os alunos mais velhos têm liberdade para faltar às aulas que quiserem, um dos alunos disse ao professor de física: "Quero que o senhor saiba, sr. Church, que eu faltei a todas as outras aulas hoje, mas simplesmente não podia perder a sua. Estou comprometido demais com o trabalho que estamos fazendo". Com tantas indicações de que esse tipo de reforma escolar funciona, por que não existem mais distritos considerando a ideia? Por que tantos cortaram o aprendizado experiencial ao ar livre, além da educação ambiental em sala de aula, ou, quando tomam decisões relacionadas a recursos financeiros, contrapõem as duas opções, uma vez que ambas são tão claramente necessárias? Essas perguntas dificilmente vão aparecer em algum teste padronizado.

Durante décadas, as escolas Waldorf e montessorianas, de maneiras diferentes, defenderam o aprendizado experiencial. Recentemente, novos proponentes da educação baseada no meio ambiente ou experiencial criaram a Association for Experiential Education para apoiar o desenvolvimento profissional, os avanços teóricos e a avaliação da educação experiencial no mundo todo. A associação agora tem aproximadamente 1.300 membros, em mais de trinta países. Algumas organizações têm passado do discurso para a ação. Entre as mais antigas está a Foxfire, com sede em Mountain City, na Geórgia. A Foxfire Approach to Teaching and Learning nasceu num programa feito para ensinar habilidades básicas da língua inglesa a calouros do ensino médio na zona rural da Geórgia. Essas experiências em sala de aula resultaram na *Foxfire Magazine*, revista produzida pelos alunos, e em uma série de livros sobre a vida e as tradições dos apalaches. Agora com trinta anos, a Foxfire oferece programas para professores e alunos com mais foco na cultura do que na natureza – mas a natureza permeia o trabalho, que oferece informações sobre tudo, desde conhecimento sobre cobras até alimentos feitos com plantas selvagens e caça aos ursos.

Outras organizações ativas incluem a venerável National Wildlife Federation e o Roger Tory Peterson Institute of Natural History em Jamestown, Nova York. Os professores de escolas que usam o currículo do Instituto Peterson frequentam um treinamento de verão. Quando voltam para as salas de aula, os professores treinados pelo Peterson conduzem os alunos a um estudo dos arredores da escola.

Depois de uma década publicando autores como Gary Paul Nabhan e Robert Michael Pyle na revista *Orion*, a Orion Society, organização sem fins lucrativos com sede em Massachusetts, "decidiu ajudar a colocar algumas dessas ideias em prática", diz Will Nixon, autor sobre o meio ambiente e colaborador frequente da revista. A Orion agora oferece bolsas de estudo para professores, incluindo um workshop de verão, e paga viagens de campo, cadernos, mochilas "ou outros itens pelos quais escolas com orçamento apertado não conseguem pagar".

Nixon cita uma das bolsistas da Orion, Bonnie Dankert, professora de inglês na Escola de Ensino Médio Santa Cruz: "Eu costumava levar alunos em viagens até os desertos da Califórnia ou as High Sierras. Líamos sobre esses locais e estudávamos a flora e a fauna. Tivemos algumas experiências maravilhosas"[6]. Mas ela confessou que nunca tinha pensado em fazer excursões mais curtas, por exemplo até as montanhas costeiras e a baía de Monterey, perto da escola. Ela havia pressuposto que os alunos conheciam e adoravam a região, mas estava errada – eles disseram que não se sentiam conectados ao local onde moravam. Numa viagem de campo até uma floresta estadual perto da escola, Dankert descobriu que 90% da turma nunca tinha estado ali. "Eles sabiam da existência do local, mas nunca tinham ido até lá nem sentado sob uma sequoia e imaginado como era aquele cenário cem anos atrás", disse ela a Nixon.

Dankert deixou as viagens de lado e começou a ensinar mais localmente, na baía de Monterey. Ela enfatizava autores locais. Por exemplo, na época em que os alunos leram o livro *Cannery Row*, de John Steinbeck, Dankert pediu a um biólogo marinho para levá-los até as poças residuais de maré na baía de Monterey, que Steinbeck tinha explorado. Além de ajudar os alunos a conhecerem ciências naturais, ela conduziu discussões sobre o significado de "comunidade" – um dos personagens de Steinbeck tinha descrito uma poça residual de maré como metáfora para a comunidade da vida. Nixon escreveu que a viagem ajudou a turma a formar sua própria comunidade. "Um dos garotos nunca tinha tirado seu boné de beisebol", lembrou Dankert. "Seus olhos estavam sempre nas sombras. Depois disso, ele tirou o boné e começou a interagir."

Outro bolsista da Orion, professor na escola de ensino médio em Homer, Alasca, ajudou a organizar um programa que permitisse que os alunos do oitavo ano terminassem as aulas regulares três semanas antes; durante esse período extra, eles estudaram um glaciar próximo, aprendendo glaciologia, biologia marinha, botânica e história cultural. – Não se trata de decorar informações para uma prova –, o professor contou a Nixon. – Quando você senta em silêncio diante de um glaciar e observa o lago glacial, os detritos da morena, a sucessão de plantas desde líquens até a floresta no cume, depois escreve e desenha o que vê, você cria um vínculo com esse momento. Essa experiência se torna parte de você.

James e o nabo gigante

Um número cada vez maior de pais e algumas boas escolas estão percebendo a importância e a magia de propiciar contato prático e íntimo entre as crianças e a natureza como parte mais ampla da educação de uma criança. Alguns professores chegam sozinhos à educação interdisciplinar baseada no território, sem nenhum apoio institucional além de um diretor receptivo. A maior parte do atual progresso na educação, na verdade, vem de indivíduos iconoclásticos, incluindo diretores, professores, pais e voluntários da comunidade que criam os próprios caminhos. Indivíduos comprometidos e organizações podem realizar muitas coisas.

Uma professora criativa do ensino fundamental, Jackie Grobarek, descreve o que chama de "teoria da borboleta" da educação, livremente baseada na teoria do meteorologista Edward Lorenz de que insumos muito pequenos no início da evolução de um sistema são amplificados pelo *feedback* e têm consequências importantes ao longo do processo. (Um intérprete popularizou a teoria de Lorenz chamando-a de "efeito borboleta", questionando se o bater de asas de uma borboleta no Brasil pode provocar um tornado no Texas.) Grobarek descreve o tipo de experiência prática com uma compensação nem sempre visível de imediato.

> As escolas são sistemas não lineares, e pequenos insumos podem levar a consequências drasticamente grandes. Neste verão, nossos alunos criaram minhocas, plantas e lagartas e libertaram as borboletas que nasceram. Como os "bebês" dos alunos precisam de comida, eles também aprenderam que as minhocas comem lixo, que as plantas vicejam com os buracos das minhocas e que as borboletas necessitavam de determinadas plantas para comer e de outras para colocar os ovos. Muitas dessas coisas foram identificadas no terreno da escola e no cânion. Eles perceberam que o cânion, que tinha se tornado um incômodo sem atrativos, meio depósito de lixo da vizinhança, era, na verdade, um habitat maravilhoso. Ele é coberto de funcho, que é, ao mesmo tempo, abrigo e alimento para a borboleta papilonídea gigante. Agora, estamos trabalhando em equipes e, somente nesta semana, removemos quatro caçambas de lixo da região. Isso vai melhorar as notas de leitura e matemática? Talvez, mas eu sinto que essa experiência vai transformá-los de tal forma que provas tradicionais podem não ser capazes de medir.

Às vezes, o catalisador é um diretor com visão. Na Escola de Ensino Fundamental Torrey Pines, perto de onde moro, um jovem diretor comprometido e seus alunos adotaram um cânion próximo. "Levamos as turmas até lá para tocar, saborear, cheirar, rastrear. É difícil fazer 26 crianças ficarem quietas, mas nós conseguimos", disse Dennis Doyle, o diretor. Ele acredita que estimular mais experiências práticas na natureza é um jeito melhor de apresentar as crianças à ciência do que confiar apenas em livros didáticos. Na verdade, explicou ele, durante o século XIX, o estudo da natureza, como era chamado, dominava o ensino de ciências nas escolas fundamentais. Agora que o estudo da natureza foi totalmente deixado de lado por causa dos avanços tecnológicos do século XX, um número cada vez maior de educadores acredita que o ensino de ciências baseado em livros didáticos e tecnicamente orientado está fracassando.

Na Escola de Ensino Fundamental Torrey Pines, as turmas do sexto ano estavam com notas ruins na parte prática de um teste de ciências aplicado em todo o país pela Associação Nacional de Professores[7]. Doyle e sua equipe optaram por uma tática radical. Eles iam restaurar o cânion atrás da escola e deixá-lo em seu estado natural para criar uma sala de aula ao ar livre e uma trilha na natureza. A ideia era ajudar as crianças a vivenciarem o tipo de intimidade com a natureza que a geração de seus pais tinha vivido e melhorar o ensino de ciências – torná-lo direto e pessoal.

Em suas investidas no cânion, equipes formadas por crianças, professores e pais arrancaram as plantas que não eram nativas da região, incluindo capim-dos-pampas e chorão-das-praias. Provavelmente foram os marinheiros espanhóis que levaram o chorão-das-praias para a Califórnia. É uma planta comestível e resistente, rica em vitamina C, útil na prevenção do escorbuto, explicou um funcionário do Parque Estadual Torrey Pines, ali perto, que tinha se unido à missão. Muitas pessoas acreditam que o chorão-das-praias, uma planta rasteira, previne a erosão do solo, mas, por causa da pesada quantidade de água em suas folhas, parecidas com dedos, a planta pode arrastar uma encosta íngreme. Nesse cânion, por causa dessa planta, o risco era grande. Os alunos devolveram o habitat do cânion para as plantas nativas, incluindo os pinheiros de Torrey, iúca, cacto e chaparral. As crianças da escola criavam mudas na sala de aula para replantar depois.

Certa semana, trinta pais trabalharam no cânion junto com as crianças. Metade deles morava em bairros ricos ali perto, a outra metade, em bairros menos favorecidos, e alguns alunos foram até lá de ônibus. Eles cortaram o capim-dos-pampas com facões, todos puxando e empurrando juntos. "Esse tipo de experiência une mais as pessoas do que qualquer programa formal de integração", disse Doyle.

Doyle tenta manter os passeios das crianças até o cânion o mais relaxados possível e sua visão adulta da natureza minimizada. Um dia, enquanto andávamos por esse cânion, ele lançou perguntas às crianças.

– Olhem só esses galhos – disse um menino chamado Darren. – Parece que um dos galhos está morto, mas o outro está vivo.

– Por que você diz isso? – perguntou Doyle. Quando Darren criou uma teoria elaborada, mesmo que errada, a resposta foi: – Essa é uma ideia interessante.

Darren seguia atrás de Doyle, verificando, animado, outros galhos. Nessa sala de aula especial, a imaginação era mais importante que a precisão técnica.

Em 1999, conheci uma mulher notável chamada Joan Stoliar. Ela morava em Greenwich Village com o marido, parecia ter sessenta anos, havia lutado contra dois tipos de câncer e costumava percorrer as ruas de Nova York de salto alto e brincos em forma de peixe, montada numa lambreta. Alguns meses antes de o câncer acabar com sua vida, visitamos uma sala de aula na Escola de Ensino Fundamental 318 no Brooklyn, onde um grupo de alunos do sétimo ano cuidava de quatrocentos filhotes de truta[8]. Os alunos rondavam em torno do aquário, feito de forma a reproduzir um trecho de um riacho de trutas.

Durante décadas, Stoliar foi uma das grandes damas da cultura tradicional e masculina da pesca com mosca em Nova York. Ela provavelmente foi a primeira mulher a fazer parte do antigo e distinto clube Theodore Gordon Flyfishers. Ela convenceu o clube a patrocinar o programa truta na sala de aula – com ajuda da Trout Unlimited, da National Fish and Wildlife Foundation, da Hudson River Foundation e da Catskill Watershed Corporation.

Esses programas – que começaram na Califórnia – têm surgido por todo o país ao longo da última década. Seus objetivos: avivar a biologia e conectar as crianças à natureza. O esforço feito em Nova York combina crianças da cidade com crianças do interior no que Stoliar chamava de "experimento social para criar sensibilidade nas duas pontas do túnel de água". Várias centenas de alunos em dez escolas urbanas da cidade de Nova York e oito escolas do norte do estado trabalham para criar as trutas e repovoar os riachos.

"Esse programa provoca nas crianças da cidade uma apreciação pela natureza, além de ensiná-las sobre a fonte da água que elas bebem. Elas se tornam crianças da bacia hidrográfica", disse. Em outubro, cada escola recebeu centenas de ovos fertilizados de truta marrom do Departamento de Conservação do Meio Ambiente do estado; a diretora da chocadeira até deu seu telefone para as crianças, caso algo desse errado. Os alunos colocaram os ovos em tanques projetados para recriar o habitat de um riacho de trutas.

No riacho artificial de dois metros e meio do Brooklyn, uma bomba empurrava a água sobre seixos rolados e plantas aquáticas e a passava por um resfriador para mantê-la numa temperatura constante de 9,5° C. Acima da água, numa tela abobadada, insetos chocavam ovos, que se desenvolviam, nasciam e morriam. Uma "câmera da truta" enviava imagens ampliadas dos peixes para uma televisão adjacente. Os alunos cuidavam das trutas e verificavam a temperatura da água, o nível de pH e outros fatores que podem matar os ovos ou os peixes. Stoliar chamou o processo de "paternidade instantânea".

Em janeiro daquele ano, as crianças relataram a experiência no site da turma: "Vimos larvas de moscas d'água comendo uma truta morta e encontramos um girino grande com um rabo de truta escapando da boca – ele provavelmente comeu um peixe menor. Muita ação na hora do jantar! Cerca de 42 peixes morreram em 1999, mas ainda temos mais de quatrocentos". Conforme as trutas cresciam, as crianças rurais e urbanas trocavam cartas e e-mails sobre o progresso. "Esperamos que eles continuem amigos durante anos e, quem sabe, pesquem um dia juntos nos mesmos riachos", disse Stoliar.

A cada ano, se as delicadas trutas sobreviverem até a primavera, as crianças vão de ônibus para o norte, até um riacho em Catskills, onde encontram os outros participantes e, juntos, libertam os peixes na natureza. Uma aluna do oitavo ano, La Toya, me disse: "Lá em cima a gente não sente cheiro de lixo tóxico. Eu nunca tinha visto uma represa. Era tão linda, tão limpa".

CERTA MANHÃ, visitei a escola particular Children's School, em La Jolla, onde professores, pais e crianças trabalhavam arduamente numa horta, seguindo as instruções de um famoso especialista em horticultura que os visitaria em breve. Enquanto esperavam a chegada de Mel Bartholomew, perguntei aos alunos do quarto, do quinto e do sexto anos da turma da professora Tina Kafka o que eles achavam de horticultura.

"Acho que a alface que a gente compra no mercado tem um gosto melhor do que a colhida na horta", disse James, um aluno cético de onze anos. "No mercado, eles lavam muito bem. Tem um spray funcionando o tempo todo." James é novo na horticultura; a da escola é sua primeira. Matt, que tem dez anos, fez sua própria crítica: "O problema com a horticultura é que ela não melhora, não como a tecnologia, não como as televisões e os computadores. Essas ferramentas velhas e de madeira não mudam há décadas". Falando como uma autêntica criança do século XXI, acrescentou: "As ferramentas precisam evoluir". James e Matt são típicos jovens de hoje, do tipo que mora em pequenos lotes no sul da Califórnia, com quintais de um metro quadrado. É difícil uma horta ou jardim conseguir a atenção de uma criança, a menos que a experiência seja digital.

Num esforço para mudar isso, Kafka e seu professor adjunto, Chip Edwards, ajudaram os alunos a criarem uma horta com base na abordagem de Bartholomew. Hoje engenheiro civil aposentado e especialista em eficiência, Bartholomew escreveu *Square Foot Gardening* várias décadas atrás. O livro best-seller serviu de base a uma longa série do Discovery Channel. As pessoas que usam seu sistema evitam os canteiros tradicionais em linhas, que faziam sentido para o arado, e usam canteiros de um metro quadrado, que as levam a um cuidado mais pessoal. Os jardineiros alcançam as plantas com facilidade em cada canteiro para plantar ou arrancar as ervas daninhas. Essa abordagem parece fazer mais sentido para as crianças, cujos braços e alcance são mais curtos. Isso reduz a jardinagem a uma escala mais administrável e aumenta a chance de sucesso. "Eu comi a alface da horta da escola", disse Brandon, de dez anos. "Lavei e coloquei um molho de salada, e o gosto era melhor do que o da alface do mercado."

Um colega de turma, Ben, de onze anos, acrescentou: "Eu gosto muito mais dos rabanetes da horta. Os do mercado são ardidos demais". Ariana, que tem dez anos, contou que uma marmota atacou um nabo que ela plantou na horta da escola. – Ela escavou e deixou o nabo oco!

Virei para James e perguntei:

– Você poria na boca um nabo mordido por uma marmota?

– Não! – respondeu ele, horrorizado.

Bem nesse momento, Bartholomew chegou. Bartholomew, que mora em Old Field, Nova York, é um homem alto e esbelto, de bigode, cabelo ralo e os olhos mais gentis que existem; ele estava com a irmã, Althea Mott, de Huntington Beach. Os dois fundaram a Square Foot Gardening Foundation*, que promove o valor terapêutico da horticultura. Eles visitam bibliotecas, asilos, igrejas e escolas.

– Nosso objetivo é fazer com que a horticultura seja incluída no currículo de todas as escolas –, explicou ele. – Estamos redigindo programas para todos os anos escolares e todas as épocas do ano. Queremos que as crianças se comuniquem com outras crianças horticultoras nos Estados Unidos, primeiro por carta, mas, com o tempo, pela internet. Também esperamos que levem a horticultura para casa e envolvam a família. – Vestindo calça jeans e pronto para cuidar das plantas, Bartholomew foi em direção à horta da turma. As crianças (incluindo James e Matt, que pareciam especialmente ansiosos) continuaram confiantes na tarefa: plantar sementes e regá-las. Bartholomew parou ao lado, sorrindo, e fez perguntas simpáticas sobre as plantações.

Kafka, que estava perto, disse:

– Para nós, a horta tem sido muito mais do que simplesmente plantar vegetais e cuidar deles. Tem sido uma experiência de conexão. Quando vamos para a horta durante uma aula no fim do dia, há uma forte sensação de alegria e paz, não importa o quanto o dia tenha sido difícil.

Ela descreveu que, numa manhã chuvosa de segunda-feira, os alunos chegaram e descobriram que skatistas tinham vandalizado a horta. "Decidimos nos concentrar em renovar o espaço, não em achar os culpados", disse Kafka. Depois do vandalismo, os alunos deram o nome de Horta da Eva, em homenagem a uma colega que tinha mudado de escola e de quem eles sentiam saudade.

Bartholomew olhou com orgulho para os alunos trabalhando juntos.

– É tão importante as crianças entenderem de onde vêm os alimentos – disse.

---

* Square Foot refere-se a uma medida de área que em português seria equivalente a metro quadrado. (N.R.T.)

De repente, James anunciou:

– Meu nabo está pronto. Ele é *grande*.

– James e o nabo gigante – alguém disse.

– Que rufem os tambores!

James comemorou e puxou o nabo até ele se soltar da terra. Em seguida, levantou-o com orgulho para todos verem e limpou a terra. Depois, levou o nabo até perto do ouvido e deu uma batidinha para ver se estava oco. Por fim, sorriu.

Ecoescolas

O ideal é que os programas da escola natural estejam além do currículo ou das viagens de campo (estudos do meio) – eles devem envolver o projeto físico inicial de uma nova escola, o aperfeiçoamento de uma escola antiga com espaços para brincar que incorporem a natureza ao princípio central do projeto ou, como descrito anteriormente, o uso de reservas naturais por escolas baseadas no meio ambiente.

O movimento pela área escolar natural começou na década de 1970, estimulado por programas de educação ambiental, como o Project Learning Tree e o Projeto Wild, e um programa nacional bem-sucedido na Grã-Bretanha, chamado Learning through Landscapes. Pelo menos um terço das 30 mil áreas escolares ao ar livre para jogos e brincadeiras da Inglaterra foram aperfeiçoadas a partir dessa iniciativa, inspirando um programa semelhante no Canadá, chamado Learning Grounds, e um importante programa sueco, Skolans Uterum. Em 1996, mais de quarenta organizações estavam envolvidas na melhoria das áreas naturais das escolas, de acordo com uma pesquisa do U.S. Fish and Wildlife Service, uma das diversas instituições governamentais importantes com missões tradicionais voltadas à conservação da vida selvagem. Algumas organizações, que se originaram na educação ambiental, também criaram vínculos com os departamentos de ciência e educação de universidades, museus e organizações conservacionistas. A The National Wildlife Federation, com seu programa de certificação Schoolyard Habitats, é líder no estímulo à criação de oportunidades práticas de aprendizado ao ar livre que não podem ser reproduzidas no ambiente da sala de aula tradicional.

Mary Rivkin, professora de educação infantil da Universidade de Maryland, no condado de Baltimore, e uma das acadêmicas mais competentes e prolíficas da área, cita a hipótese da biofilia, além do trabalho dos pesquisadores da restauração da atenção Stephen e Rachel Kaplan, especialmente aquele sobre a "natureza próxima" e sua ampla gama de benefícios para crianças e adultos. Muitas pré-escolas "têm excelentes espaços para brincar ao ar livre, porque os professores de educação infantil têm uma longa tradição de manter plantas e animais acessíveis aos alunos e de incorporar o brincar ao ar livre a suas atividades diárias"[9], de acordo com Rivkin. Ela descreve os esforços típicos nesse campo e o ideal: "As escolas costumam começar com projetos pequenos, apesar de algumas delas fazerem um grande trabalho, especialmente em construções novas". Elas podem começar com jardins de borboletas, alimentadores e banheiras para pássaros, plantação de árvores ou jardins de plantas nativas. Seguindo para projetos maiores, podem criar laguinhos, trilhas ou restaurar riachos. Projetos ecologicamente significativos têm mais valor do que o embelezamento. Riachos naturais ou operados por bombas proporcionam brincadeiras aquáticas. "A terra e a areia devem servir para cavar e para plantar; a argila muitas vezes é usada para fazer objetos. Algumas plantas devem ser para colher", aconselha ela. "Ver essas coisas é apenas parte de aprender sobre elas. Tocar, saborear, cheirar e arrancar também são vitais. Arbustos e árvores para escalar são o máximo..." Dentro de um perímetro seguro ao redor da área escolar ao ar livre para jogos e brincadeiras, as crianças também precisam de espaços particulares: arbustos, grama alta, um monte de pedras. "Um círculo de pinheiros com um metro e oitenta de altura é praticamente uma floresta para crianças pequenas."

Rivkin destaca que a tarefa de ajudar as 108 mil escolas dos Estados Unidos a "naturalizar seus terrenos" é hercúlea, mesmo com a crescente rede de apoio institucional, incluindo conferências patrocinadas pelas organizações American Horticulture Society, North American Association for Environmental Education, Cleveland Botanical Gardens entre outras. Cada vez mais, as pré-escolas e as creches são abrigadas em prédios de escritórios – tendência que abala o florescente movimento pela área escolar natural. E, em ambientes de escolas públicas, "a desolação do asfalto e do gramado bem cortado em áreas ao ar livre apresenta um grande desafio para as experiências ao ar livre na natureza". Apesar disso, o movimento pela área escolar natural "está literalmente ganhando terreno".

Inúmeros estudos documentam os benefícios, para os alunos, de terrenos de escola que são ecologicamente diversificados e incluem áreas para o brincar livre, habitat para a fauna nativa, trilhas para caminhada e hortas.

Dois estudos importantes, *Gaining Ground* e *Grounds for Action*, foram realizados no Canadá – um no distrito escolar de Toronto e outro em Colúmbia Britânica, Alberta, Manitoba, Ontário, Quebec e Nova Escócia[10]. Os pesquisadores de lá descobriram que as crianças que frequentam escolas com ambientes naturais diversificados são mais ativas fisicamente, mais conscientes em termos de nutrição, mais civilizadas umas com as outras e mais criativas. A naturalização dos terrenos das escolas resultou em mais envolvimento de adultos e membros da comunidade próxima. Os pesquisadores canadenses também descobriram que áreas verdes nas escolas melhoram o aprendizado, em comparação com áreas cimentadas e gramados; que os espaços verdes mais variados para brincar serviam a uma gama mais ampla de alunos e promoviam a inclusão social, independentemente de gênero, raça, classe ou capacidade intelectual, além de serem mais seguros.

Outro benefício das áreas verdes das escolas é seu impacto sobre os professores[11]. Os pesquisadores canadenses descobriram que os professores expressavam um entusiasmo renovado para ensinar. "Quando dou aula ao ar livre, me sinto empolgado. [...] Percebo que ainda tenho muita paixão pelo ensino", disse um entrevistado. Numa era de aumento da fadiga, o impacto que as escolas verdes e a educação ao ar livre têm nos profissionais não deve ser subestimado. Os professores também merecem ser expostos às qualidades restauradoras da natureza.

Existe outro movimento que tende a flutuar durante períodos econômicos bons e ruins: a ecoescola, escola inicialmente projetada e dedicada ao uso dos estudos da natureza como fundamento do currículo. O conceito é popular há décadas na Europa. Existem 2.800 ecoescolas no Reino Unido e na Escócia. O conceito é atraente para Dave Massey, coordenador regional da Environment Education Community da Califórnia, novo departamento do estado. Massey diz que os distritos escolares devem proteger cada centímetro quadrado de paisagem natural adjacente às escolas, não apenas por motivos ambientais, mas também para melhorar a educação. Ele recomenda "pensar no planejamento de todas as novas escolas de modo que a natureza ao redor esteja disponível e seja usada". Como diretor de uma escola de ensino fundamental, Massey utilizou um riacho perto da instituição como laboratório ao ar livre: "Eu levava as crianças até lá duas vezes por semana para estudar os álamos e cultivar plantas nativas".

A vanguarda do pensamento da ecoescola são as escolas "verdes" da fundação até o telhado, construídas, digamos, com fardos de feno compactado e gesso – alternativa de baixo custo cada vez mais popular para construir paredes com ótimo isolamento térmico. A escola em si se torna uma lição de ecologia.

Escolas, zoológicos, jardins botânicos, museus de história natural e outras instalações educativas podem não ter o espaço nem a equipe para se tornar ecoescolas, mas podem delegar a tarefa. E se as fazendas e os ranchos se tornassem as novas áreas escolares ao ar livre para jogos e brincadeiras, oferecendo lições e experiências práticas de ecologia, cultura e agricultura?[12] O movimento de educação montessoriana reviveu a ideia da "escola-fazenda" mergulhando na visão original da fundadora, de que alunos adolescentes passassem parte do ano operando uma fazenda em funcionamento. Um programa patrocinado pelo governo da Noruega sugere o potencial de uma abordagem de maior escala. Desde 1996, fazendeiros e professores de escolas públicas do país trabalham juntos para criar o novo currículo ensinado em salas de aula e em fazendas. "Nosso objetivo tem sido, principalmente, tirar as crianças da sala de aula e levá-las para a experiência de cuidar da natureza. A Noruega é uma terra de beleza natural incrível e preservada, mas as crianças não estão ao ar livre", diz Linda Jolly, pesquisadora de educação da Universidade Norueguesa Lifescience, associada ao projeto nacional Living School e a projetos regionais chamados Farm as a Pedagogical Resource. "O outro objetivo principal é manter as fazendas vivas." Trabalhar com crianças dá aos fazendeiros noruegueses "um novo propósito, uma conexão com a comunidade, respeito e alguma renda". O progresso tem sido lento, mas impressionante, acrescenta ela. "Numa escola, 93% dos pais votaram a favor de que os filhos tivessem aulas numa fazenda um dia por semana durante o ano todo."

Assim como na Noruega, fazendeiros e rancheiros dos Estados Unidos, para se sustentar e preservar a cultura de fazendas e ranchos, estão procurando novas fontes de renda; alguns já alugam tempo e espaço para caça e outras atividades recreativas. Eles poderiam fazer o mesmo, ou até mais, pelas crianças em idade escolar. Se, às vezes, como forma de subsídio, o governo pode pagar aos fazendeiros para eles não plantarem, poderia pagar a eles para plantarem as sementes da natureza na próxima geração.

Felizmente, mesmo diante de épocas de dificuldades econômicas e de tendências que afastam as crianças da natureza, muitos professores, pais e organizações no mundo todo – particularmente no Canadá, na Grã--Bretanha, nos países escandinavos e nos Estados Unidos – continuam a trabalhar para ter mais natureza na sala de aula, mais foco na "natureza próxima", em áreas mais verdes nas escolas e até mesmo em novos projetos de ecoescolas. Além disso, o movimento do aprendizado experiencial e seus complementos estão trabalhando para documentar melhor o relacionamento entre a educação ambiental nas escolas e o desenvolvimento da consciência ambiental.

O que mais poderia ajudar? As escolas poderiam construir vínculos mais fortes e mais significativos com associações de agricultura, centros de natureza, organizações ambientais e refúgios de aves, em vez de usá-los para visitas pontuais. Em vez de esperar uma virada no orçamento da escola, essas organizações poderiam se unir para contratar educadores ambientais para trabalhar nas salas de aula, organizar atividades com pais, professores e alunos e ajudar os professores a aprenderem a integrar ao currículo básico o território da escola, parques, florestas, campos ou cânions próximos. Em última instância, esses esforços levam a uma educação mais eficaz.

Educação superior, alfabetização ecológica e a ressurreição da história natural

Mesmo diante dos cortes draconianos de orçamento e da reforma da educação centrada em avaliações, muitos professores estão lutando para levar a natureza de volta ao currículo. Além de precisarem de mais apoio dos pais – e, mais importante, dos alunos –, esses professores precisam de um movimento público para não deixar nenhuma criança entre quatro paredes. Esse movimento deve ser fundamentado em redes regionais de empresas comprometidas, organizações conservacionistas, grupos da sociedade civil e até mesmo clubes de jardinagem e hortas. Essas redes podem funcionar para aumentar o financiamento e, tão importante quanto isso, se envolver diretamente. Podem organizar e apoiar programas de voluntários e a naturalização das áreas escolares ao ar livre para jogos e brincadeiras; podem pagar o transporte de viagens de campo até florestas, campos, riachos, centros de natureza, refúgios de aves, fazendas e ranchos; podem ajudar a criar programas de educação *contínua* ao ar livre, em vez das visitas pontuais que eram mais comuns no passado. E podem ajudar a educar o público.

Há um impulso significativo em andamento para documentar melhor a conexão entre o aprendizado ao ar livre, a educação ambiental em sala de aula, o desempenho acadêmico e o desenvolvimento de uma consciência ambiental.

– 'O comportamento leva ao comportamento' é uma de nossas máximas –, diz Lieberman. – Durante muito tempo, falamos sobre o conhecimento levar ao comportamento; em vez disso, acreditamos que o comportamento leva ao comportamento.

E a alegria absoluta de estar na natureza?

– Alegria absoluta? Isso não está no currículo – comenta ele, rindo. – Defendemos a alegria, mas certamente não tentamos medi-la.

Por mais "feliz e orgulhoso" que Lieberman esteja em relação às descobertas do seu estudo sobre educação experiencial, essa pesquisa "não é suficiente", acrescenta. "Precisamos que outras pessoas façam mais estudos."

Mas uma expansão do conhecimento acadêmico, assim como mais natureza nas escolas do ensino fundamental e médio, vai exigir uma mudança drástica na educação superior. David Orr, professor de estudos ambientais na Faculdade Oberlin e fundador do Projeto Meadowcreek, um centro de educação para a conservação, recomenda uma nova exigência de alfabetização ecológica no nível universitário. Orr argumenta que a crise ecológica está enraizada na maneira como educamos as futuras gerações. A forma dominante da educação hoje "nos aliena da vida em nome da dominação humana, fragmenta em vez de unificar, enfatiza demais o sucesso e as carreiras, separa o sentimento do intelecto e o prático do teórico, além de liberar para o mundo mentes que ignoram sua própria ignorância"[13]. Em outras palavras, as práticas de hoje ajudam a criar o estado mental de sabe-tudo e a consequente perda do encantamento.

Orr recomenda uma nova abordagem da educação para promover a "inteligência do design ecológico" que poderia, em seguida, criar "comunidades saudáveis, duráveis, resilientes, justas e prósperas"[14]. Ele faz a educadores e alunos a seguinte pergunta básica: Será que quatro anos na universidade faz com que "os formandos sejam cidadãos planetários melhores ou será que os torna, nas palavras de Wendell Berry, 'vândalos profissionais itinerantes'? Será que esta faculdade contribui para o desenvolvimento de uma economia regional sustentável ou, em nome da eficiência, para os processos de destruição?". Ele prevê o tipo de reforma educacional – ou reformação – que reconheceria totalmente a alienação social e biológica do mundo natural e a necessidade de curar essa ruptura para a sobrevivência da raça humana.

Orr propõe que as faculdades estabeleçam uma meta de alfabetização ecológica para todos os alunos, de modo que eles não se formem sem um entendimento básico de:

- leis da termodinâmica
- princípios básicos de ecologia
- capacidade de carga
- energias
- análise de menor custo e de uso final
- como viver bem num lugar
- limites da tecnologia
- escala apropriada
- agricultura e silvicultura sustentáveis
- economia de condição estável
- ética ambiental

Esse foco na realidade ecológica é essencial na universidade e em todos os outros níveis educacionais, mas sua implementação contém o risco de promover uma ideologia triste. A sensação de encantamento e alegria na natureza deveria estar no centro da alfabetização ecológica.

Para que esse tipo de reforma aconteça de um jeito significativo, há necessidade do ressurgimento da história natural na academia. No capítulo 11, Paul Dayton ofereceu seu obituário para a história natural. O professor de ecologia marinha argumenta que a história natural foi "expulsa da torre de marfim" e que os estudantes de biologia de várias universidades não aprendem botânica e zoologia clássicas. A abordagem prevalente de "inovar ou perecer" nas ciências deixou muitos alunos do primeiro ano da pós-graduação com pouco ou nenhum conhecimento dos filos principais e da biologia dos organismos que eles mesmos estudam.

Num artigo mordaz para o jornal *Scientia Marina*, Dayton e o professor adjunto Enric Sala argumentam que alguns alunos aprendem ecologia usando livros didáticos baseados quase totalmente em biologia molecular e teoria da biologia de populações. "Essa atitude vigente nega aos alunos a sensação de encantamento e a sensação de pertencimento a um lugar, fundamental à disciplina. Pior: existem ecologistas que nunca viram as comunidades ou as populações que modelam ou sobre as quais especulam e que não conseguiriam identificar as espécies que compõem essas comunidades. É como ter a ilusão de realizar uma cirurgia cardíaca sem saber qual é a aparência de um coração." O estudo da ecologia saiu do descritivo para o mecanicista, e o apoio às pesquisas saiu da "pequena ciência individualizada para programas enormes de pesquisa integrada, nos quais os participantes têm papéis insignificantes bem definidos pelo grupo", recompensando "mais a mentalidade de grupo do que a criatividade individual". Eles escrevem:

> Sem uma formação sólida em história natural, nos arriscamos a gerar ecologistas bitolados. Os naturalistas estão mais próximos de poetas do que de engenheiros, e é a intuição baseada na experiência direta e no bom senso que produz os melhores avanços no pensamento. Devemos imprimir nos alunos a importância da intuição, da imaginação, da criatividade e da iconoclastia e evitar restringi-los com as algemas mentais de estruturas e técnicas de suposições rígidas, se quisermos revitalizar uma ciência ecológica que está, mais do que nunca, se tornando um baluarte do fundamentalismo.[15]

Dayton e Sala se referem à visão fundamentalmente bitolada da ciência. Quando perguntei a Dayton como essa revolução – ou contrarrevolução – pode ser organizada, ele respondeu: "Tenho certeza de que existem excelentes naturalistas que também são biólogos moleculares. Não conheci muitos, mas eles existem. E isso também vale para os taxonomistas". Mesmo assim, ele se preocupa que os colegas historiadores naturais não entendam os riscos envolvidos. As universidades não encontram professores para dar essas aulas porque pouquíssimos conhecem o básico de biologia e história natural. Como reverter essa tendência? Mais uma vez, recomendo que pais, professores do ensino fundamental e médio, organizações ambientais e legisladores considerem o significado dessa perda para a educação, a criatividade e o ambiente natural. As associações dos historiadores naturais restantes devem ajudar a liderar essa cruzada. A sobrevivência de sua profissão está vinculada a uma causa maior: a reconexão dos jovens à natureza.

Um movimento de educação baseada no meio ambiente – em todos os níveis de educação – vai ajudar os alunos a perceberem que a escola não deve ser uma forma delicada de encarceramento, mas um portal para o mundo mais amplo.

17. O renascimento dos acampamentos

Em San Diego, durante décadas, o distrito escolar tem administrado um acampamento para o sexto ano nas montanhas próximas. Gerações de crianças passaram uma semana do ano escolar entre os pinheiros. No entanto, ao longo desse tempo, o objetivo principal do acampamento deixou de ser simplesmente a experiência na natureza; ele se tornou, principalmente, um retiro de relação inter-racial que usa a natureza como pano de fundo. Mesmo assim, continua a proporcionar a algumas crianças sua primeira ou melhor experiência na natureza. Myra, do nono ano, descreve seu período no acampamento do sexto ano:

> Eu não tinha tido muito contato com a natureza de verdade. Minha família não é daquelas que acreditam em acampamentos ou em passar um tempo no mundo ao ar livre, apesar de meus pais terem sido criados numa sociedade rural. Durante a maior parte do tempo, fico dentro de casa. A única vez que me lembro de ter aproveitado a natureza, ao ar livre, foi no sexto ano, na viagem de acampamento a Palomar. Ali eu me senti à vontade de verdade, entre poucas pessoas e andando por caminhos que não tinham sido pavimentados. [...] Claro que a comida era ruim e as barracas eram desconfortáveis, mas as caminhadas e as trilhas eram interessantes e divertidas. Eu pertencia de verdade a algum lugar no contexto maior. [...] Às vezes, sinto como se quisesse fugir do mundo, e aí eu me refugio na natureza por meio de pensamentos e lembranças.

Como acontece com muitos jovens, o mundo moderno às vezes é demais para Myra. Como podemos superestimar a necessidade que as crianças sentem de ter uma folga da CNN, do estresse da escola ou das tensões familiares? Os acampamentos têm suas próprias pressões, mas contam com a qualidade de cura da natureza e, assim como para Myra, essas lembranças permanecem, como cápsulas de medicamentos com hora certa para serem liberados.

Está claro que a experiência de acampar vai além de barracas e picadas de insetos. A experiência *com a natureza* nesses acampamentos pode se perder se os acampamentos permitirem que sua missão seja diluída, ao tentarem agradar a todos o tempo todo. Programas de relação inter-racial e outros programas culturais e políticos nos acampamentos dos Estados Unidos são tentativas importantes de imaginar um mundo melhor e mais gentil. Essas são discussões importantes numa democracia, mas a infância é curta. Se fizermos dessas questões nossa prioridade, mais uma geração – ou outras – pode entrar na fase adulta sem experiências significativas na natureza. O grande valor dos programas de educação ao ar livre é seu foco nos elementos que sempre uniram a humanidade: tempestades, vento forte, sol quente, florestas densas e escuras – e a reverência e o encantamento que a Terra inspira, especialmente durante nossos anos de desenvolvimento.

O contexto social do acampamento é importante. "Os melhores programas estão criando o que existia na década de 1940 – um sentimento de propósito compartilhado", diz Mary Pipher, psicóloga clínica, terapeuta familiar e autora de *O resgate de Ofélia: o drama da adolescente no mundo moderno*. Mas a experiência direta na natureza é o aspecto mais importante da experiência nos acampamentos.

Adultos que acamparam na infância costumam contar histórias sobre pegadinhas e problemas com a latrina, mas também relatam momentos transcendentais e a importância de ter autoconfiança em situações de risco controlado. Ann Pearse Hocker, que mais tarde se tornou fotógrafa da CBS* (muitas vezes trabalhando em condições perigosas), se lembra da sensação de independência e responsabilidade que um acampamento de verão no Colorado lhe ensinou:

---

* CBS (Columbia Broadcasting System) – uma das maiores redes de televisão e rádio dos Estados Unidos. (N.R.T.)

Aprendi a ter cuidado. Uma vez, estávamos numa trilha que subia até Longs Peak, e uma tempestade elétrica nos fez descer mais cedo. Passamos por um casal preso em uma área grande de blocos de pedras na descida. A mulher tinha prendido a perna entre duas pedras e não conseguia sair. A chuva caía com força e os raios estavam abaixo de nós. Tivemos que correr direto embaixo das linhas de transmissão de energia elétrica e sair da trilha, que era cheia de zigue-zagues. Encontramos o guarda-parque a cavalo, subindo para resgatá-los. Os raios estavam tão violentos na descida que eu sentia um zumbido no meu aparelho para os dentes e tive que pôr a mão na boca. Estávamos molhados e um pouco assustados, mas também nos sentimos poderosos quando chegamos à base e à segurança do velho ônibus azul. Foi uma lição clara de como a natureza pega pesado se você não estiver preparado ao ir para o campo ou para as montanhas. Eu nunca me esqueci. Cometi erros algumas vezes, mas a base do respeito foi bem fundamentada.

Por que o investimento faz sentido

De acordo com a análise de Andrea Faber Taylor e Frances E. Kuo, "Algumas das descobertas mais empolgantes sobre a relação entre o espaço verde e aspectos de desenvolvimento pessoal vêm de estudos que analisam os efeitos de programas de desafio ao ar livre sobre a autoestima e a percepção de si nas crianças. [...] É interessante notar que quatro estudos incluíram medidas longitudinais e descobriram que os participantes continuaram a relatar resultados benéficos muito tempo (até vários anos) depois da sua experiência na natureza"[1].

Estudos de programas de educação ao ar livre voltados para jovens com dificuldades – especialmente aqueles diagnosticados com transtornos de saúde mental – apresentam um claro valor terapêutico. O efeito positivo é verdadeiro, quer o programa seja usado como complemento a uma terapia mais tradicional, quer seja a única terapia, e pode ser observado até mesmo quando os programas ao ar livre não são especialmente projetados como terapia. Pesquisas realizadas ao longo da última década mostraram que os participantes de programas de terapia-aventura tiveram ganhos em termos de autoestima, liderança, estudos acadêmicos, personalidade e relações interpessoais[2]. "Essas mudanças provaram ser mais estáveis ao longo do tempo do que as geradas em programas educacionais mais tradicionais", afirmaram Dene S. Berman e Jennifer Davids-Berman, numa análise desses programas para a Clearinghouse on Rural Education and Small Schools.

Programas usando acampamento foram usados para o bem-estar emocional desde o início do século XX. De acordo com um estudo, o aumento na autoestima foi mais pronunciado em pré-adolescentes, ainda que tenha sido positivo em todas as idades.

Isso também é verdadeiro em programas de aventura na natureza administrados com cuidado[3]. No fim da década de 1990, Stephen Kellert, da Universidade Yale, auxiliado por Victoria Derr, conduziu um estudo abrangente sobre os efeitos de longo prazo em adolescentes que participaram de três programas educacionais na natureza bastante consolidados: a Student Conservation Association, a NOLS - National Outdoor Leadership School e a Outward Bound. Kellert relatou que "extraordinários 72%" dos participantes consideraram essa experiência ao ar livre como "uma das melhores de suas vidas". Ele escreveu que, "hoje, os jovens são sempre lembrados de como têm pouco controle sobre sua vida complicada social e tecnicamente". Aprender a se virar na natureza e em ambientes ao ar livre pode melhorar o desenvolvimento emocional e afetivo, de acordo com Kellert. "Alguns desses impactos incluem aumento da autoconfiança, da autoestima, do otimismo, da independência e da autonomia. Além do mais, quando as tarefas dependem de trabalhar com outras pessoas, podem despertar habilidades interpessoais, incluindo melhorias em termos de cooperação, tolerância, compaixão, intimidade e amizade." Esses resultados positivos persistiram durante muitos anos. Estudos anteriores relataram descobertas semelhantes.

As experiências em acampamentos também são altamente benéficas para crianças com deficiências. Entre 1994 e 1995, a National Survey of Recreation and the Environment realizou um estudo nacional com 17.216 americanos[4]. Uma análise desses dados feita em 2001, focada em pessoas com deficiências, descobriu que sua participação em recreação ao ar livre e em atividades de aventura era *igual ou maior do que* a de pessoas sem deficiência. Outros estudos mostram que pessoas com deficiências participam das atividades recreativas ao ar livre mais desafiadoras; elas buscam o risco, o desafio e a aventura ao ar livre do mesmo jeito que os colegas sem deficiência.

Pesquisadores também descobriram que pessoas com deficiências adquirem uma imagem corporal melhor e apresentam mudanças positivas de comportamento após experiências em acampamentos[5]. Um estudo de quinze programas de acampamento de verão específicos para crianças com deficiências – incluindo dificuldades de aprendizado, autismo, deficiência sensorial, deficiência cognitiva moderada e grave, deficiências físicas e danos cerebrais traumáticos – revelou que os participantes demonstraram mais iniciativa e autonomia, o que se refletia na vida em casa e na escola.

Um forte argumento público para a expansão dos acampamentos e da educação ao ar livre pode ser feito com base no poder restaurador da natureza; a conexão com a natureza é uma ideia mais vendável do que a nostalgia relacionada a marshmallows e fogueiras. Precisamos, em essência, de um renascimento dos acampamentos.

Eis um plano para um futuro alternativo: as instituições que se preocupam com as crianças – igrejas, sinagogas, grupos de escoteiros, programas de recreação, empresas, organizações conservacionistas e grupos de arte – deveriam formar parcerias para construir um novo ramo da educação pública. Todos os distritos escolares dos Estados Unidos deveriam se associar a um ou mais refúgios da vida selvagem e da infância na região. Criar e alimentar esses locais seria muito menos dispendioso do que construir mais laboratórios de ciência entre quatro paredes sólidas (apesar de também precisarmos de outros desses) e mais necessário do que comprar a mais nova geração de computadores, que em pouco tempo estarão obsoletos. Esses refúgios também poderiam se tornar o foco do novo compromisso da educação superior com a história natural. E deveriam gerar mais impulso para uma análise nacional das leis de responsabilidade civil.

Esses refúgios de educação natural poderiam ser parte de um novo tipo de reforma escolar.

Reservas da infância

Um exemplo do potencial de novas reservas para a educação ao ar livre é a Bainbridge Island, em Washington, onde Debbie Brainerd e seu marido, Paul Brainerd, ex-proprietário da importante empresa de software Aldus, compraram um quilômetro quadrado e o transformaram na organização sem fins lucrativos Puget Sound Environmental Learning Center[6], que o *Seattle Post-Intelligencer* chamou de "projeto de 52 milhões de dólares em um quilômetro quadrado que mistura a aventura da ilha de Tom Sawyer com a tecnologia de uma estação espacial e a serenidade da natureza". Debbie Brainerd chama de "lugar mágico para aprender", que tem como público jovens urbanos de baixa renda e em situação de risco social; é um local onde alunos e professores podem ficar durante vários dias, usando "todos os sentidos para aprender ciências, matemática, arte, redação, tecnologia e cultura e a relação entre assuntos", de acordo com o *Post-Intelligencer*. Um dormitório estudantil eficiente em termos de energia, chamado Birdsnest, é feito de madeira talhada à mão e inclui uma "sala da lama". Fósseis doados por museus estão incrustados em lareiras de pedra. Mas as crianças passam a maior parte do tempo ao ar livre, explorando. Esse centro de aprendizado centrado na natureza tem sido considerado "o mais inovador centro de educação ambiental do mundo". Apesar de nem todas as comunidades terem benfeitores como Debbie e Paul Brainerd, uma proliferação de reservas naturais da infância de menor porte é possível e factível – ainda mais considerando o alto custo de salas de aula de tijolo e cimento.

Candy Vanderhoff considera que o futuro da educação está ao ar livre. Caminhamos juntos enquanto ela seguia pelas florestas geladas descendo uma pequena ravina e observava os alunos se espalharem na solitude, escrevendo, escutando. Vanderhoff é uma arquiteta especializada em abrigos indígenas. Seu objetivo é fotografar e catalogar as cabanas da ilha South Sea antes que elas desapareçam. Vários anos atrás, ela foi até Tijuana, no México, ajudar James Hubbell, artista internacionalmente respeitado, a criar uma escola de terra, pedra e azulejos. Em 2001, Hubbell pediu que ela assumisse um papel importante num programa para adolescentes na Reserva Ecológica de Crestridge, pedaço de terra montanhosa de 1.050 hectares perto de El Cajon, Califórnia – o mesmo lugar que visitei com os "donos do mato".

Crestridge é um novo tipo de parque – parte acampamento, parte reserva natural –, seguindo um modelo que algumas comunidades nos Estados Unidos estão desenvolvendo e que outras deveriam aproveitar.

---

* Publicação técnica indexada por ERIC - Institute of Education Sciences, biblioteca digital on-line de informações e pesquisas na área de educação. (N.R.T.)

Aqui, diversas instituições, incluindo a Escola de Ensino Médio Granite Hills, uma organização conservacionista chamada Back Country Land Trust e a empresa de Hubbell, uniram forças. Na época da minha primeira visita, Hubbell e seu filho, Drew, planejavam construir "um quiosque natural no começo da trilha, um tipo de portal, um jeito de quebrar um padrão e entrar em outro", como explicou James. A construção será "sustentável", disse Vanderhoff. Biodegradável. Reciclada.

No mesmo dia, caminhamos entre carvalhos e nos unimos a uma roda de alunos sob um carvalho com idade suficiente para ter germinado quando Lewis e Clark estavam explorando o território. As crianças sentaram em rochas de granito repletas de buracos para moer os frutos do carvalho, cavados há muito tempo pelos índios Kumeyaay. O grupo escutou Larry Banegas, fundador do site kumeyaay.com, contar a história de seu povo. Criado na reserva Barona, ali perto, Banegas ensina o que chama de "conhecimento tradicional". Ele explicou que os Kumeyaay "não eram nômades, mas viviam parte do ano nas montanhas e outra parte no litoral", e estavam longe de ser atores passivos no mundo selvagem. Entre outras técnicas, usavam o fogo para abrir o dossel do chaparral e permitir o crescimento de plantas usadas como alimentos e medicamentos. Também criaram represas para conter os sedimentos do rio, elevando o lençol freático e criando várzeas costeiras para plantar agrião, salsão e alface. Esse manejo da terra e da água contradiz o mito de que os índios viviam em áreas naturais livres de qualquer intervenção humana. Em vez disso, o que Banegas dizia dá mais peso às novas e controversas teorias sobre o Ocidente pré-colombiano: se tratava de uma área muito mais populosa e sofisticada do que nós geralmente acreditamos.

Fiquei me perguntando: que mensagem os alunos absorverão sobre o envolvimento humano na natureza? Será que eles vão aprender que os seres humanos moldaram a natureza para mantê-la e, assim, sobreviver? Essa pergunta está na essência do futuro do ambientalismo.

Ainda naquela manhã, contei a Vanderhoff uma inquietação pessoal. De acordo com as regras esperadas em todas as reservas naturais, nenhuma criança terá permissão para construir uma casa na árvore na Reserva Ecológica de Crestridge – apesar de que muitos de nós, incluindo ambientalistas, aprendemos a nos envolver com a natureza construindo cabanas nas florestas. O que acontece quando as crianças não podem mais fazer isso, quando o que resta está protegido em uma redoma?

Vanderhoff pensou, depois foi até seu carro e voltou com um livro sobre técnicas de sobrevivência dos índios da Califórnia. Ela apontou para a ilustração de uma cabana, um abrigo kumeyaay com estrutura de salgueiro, coberto por mato e junco.

— Olha! — disse ela, sorrindo. — Isso as crianças poderiam construir aqui. Não seria o máximo?

Seria mesmo.

Os jovens de hoje estão, como já vimos, crescendo na terceira fronteira dos Estados Unidos. Essa fronteira ainda não se formou por completo, mas já conhecemos suas características gerais. Entre elas, distanciamento da fonte de alimentos, desaparecimento virtual da fazenda familiar, fim dos absolutismos biológicos, um novo relacionamento ambivalente entre seres humanos e outros animais, novos subúrbios com poucas áreas abertas, e assim por diante. Nesta época de mudanças rápidas, será que podemos permitir o nascimento de outra fronteira – antes do programado?

Parte VI

País das Maravilhas:
abrindo a quarta fronteira

*Nós não só escapamos de algo,
mas também vamos em direção a algo.
[...] Nós nos unimos à maior de todas as comunidades,
que não é aquela do homem solitário, mas de tudo que faz parte
da grande aventura de estar vivo.*

— Joseph Wood Krutch

18. A educação do juiz Thatcher: descriminalizando o brincar na natureza

Às vezes, parece que Tom e Huck, personagens de Mark Twain, deviam desistir de tudo – sair da floresta e voltar para casa, conectar o playstation de Becky e arrasar no novo jogo Grand Theft Auto. Se o pai de Becky, o juiz Thatcher, analisasse a bizarra estrutura jurídica de hoje sobre crianças, recreação, meio ambiente e responsabilidade civil por parte dos proprietários, ficaria intrigado com a miríade de restrições jurídicas e cláusulas relacionadas – vindas da esquerda e da direita – que favorecem os brinquedos eletrônicos em vez do brincar na natureza.

Se alguém lhe pedisse conselhos jurídicos sobre o assunto, o juiz poderia se conectar ao LexisNexis, banco de dados jurídico on-line, e estudar. Ele provavelmente se concentraria no aparente ponto positivo da nossa estrutura jurídica: as leis de "uso recreativo" adotadas por diversos estados nos últimos anos.

– Ah, um potencial de satisfação! – murmuraria ele.

Essas leis foram criadas para estimular os proprietários de terra a permitir que as pessoas se divirtam em suas áreas abertas. Por exemplo, a seção 846 do Código Civil da Califórnia foi planejada "para equilibrar a necessidade de mais áreas de lazer e a preocupação dos proprietários com a responsabilidade civil em relação às pessoas que usam uma área particular para recreação". A lei declara que o proprietário da terra "não tem o dever de se preocupar em manter as premissas seguras para que outras pessoas entrem ou usem [as terras] para qualquer objetivo de recreação nem de avisar sobre condições perigosas". Em outras palavras, o dono de terras que permite que as pessoas se divirtam em sua propriedade não tem o dever de garantir a segurança delas. No entanto, a lei não limita a responsabilidade civil em casos de "não proteger nem alertar, de propósito ou por malícia, sobre uma condição perigosa ou de danos sofridos nos casos em que a permissão para entrar com o objetivo supracitado foi concedida para uma consideração diferente da consideração incial".

– Nem sei o que isso significa – diria o juiz Thatcher.

Além do mais, a lei não protege os proprietários de terras de serem processados por "qualquer pessoa que seja expressamente convidada, em vez de apenas ter permissão para entrar de acordo com as premissas do proprietário". A lei não menciona especificamente crianças; essa aplicação depende de jurisprudência. Mas eis aqui um jeito de interpretar as palavras: um pai que convida crianças para usar sua propriedade ou supervisiona suas brincadeiras (ou cujo filho convida outra criança para brincar em sua casa) é mais vulnerável a uma ação judicial do que um pai que não sabe quem está em sua propriedade – ou que apenas toma conhecimento do fato e finge que não viu.

Nesse ponto, o juiz Thatcher pode se recostar na cadeira, ajustar o monóculo e concluir que foi para outro universo, não apenas outro século.

É verdade que diferentes advogados podem analisar essa lei e prever futuros variados. Em último caso, a responsabilidade civil é determinada pela interpretação de cada corte, e as cortes têm sido inconsistentes, para dizer o mínimo. Por exemplo, em 1979, um juiz da Califórnia, no vale de Santa Clara, estabeleceu que a lei do uso recreativo não protegia o dono da propriedade. Uma menina caiu ao atravessar de bicicleta uma ponte numa propriedade privada. Como ela não estava "em recreação", o proprietário foi considerado responsável. Entendeu? Em outro caso, no entanto, uma pessoa foi inocentada quando uma criança se machucou escalando uma árvore em sua propriedade.

– Vai entender! – exclamaria o juiz Thatcher.

Se analisasse melhor, ele poderia até pensar em deixar a magistratura e se tornar advogado. Ele coçaria as costeletas e começaria a pensar em Tom pintando aquela cerca, numa calçada pública? E aquele incidente na caverna com sua própria filha! Quem é o dono daquela caverna?

– Ora, que ideia! – ele diria. – Becky, venha cá. Agora. Quero fazer algumas perguntas...

Reforma da lei de responsabilidade civil na natureza e outros remédios

Como poderoso impedimento ao ato de brincar na natureza, o medo da responsabilidade civil fica logo atrás do bicho-papão[1]. Um dos objetivos da quarta fronteira deveria ser uma revisão nacional das leis que regem as propriedades particulares e a recreação, especialmente no que diz respeito a crianças. Esse processo de revisão deveria ser público; deveria convidar pais, crianças, especialistas sobre o brincar e outras pessoas para darem testemunhos. E deveria ser feito com o objetivo de proteger, ao mesmo tempo, a segurança da criança e seu direito a brincar na natureza. Deveria se concentrar em reduzir a ansiedade de pais e crianças – e o medo dos advogados, que, mesmo que esteja apenas no nível subconsciente, aumenta as barreiras que separam as crianças do ato de brincar na natureza. Como parte desse diálogo, as associações de moradores deveriam rever suas regras para decidir sua opinião em relação à criminalização do brincar na natureza. Os governos deveriam fazer o mesmo. Não é só uma questão da lei escrita, mas também do seu espírito.

No domínio público, parte da solução é uma mudança na atitude oficial. Muitas das restrições ao brincar, especialmente as ambientais feitas para proteger a natureza, são racionais, se forem aplicadas proporcionalmente. Por exemplo, em vez de entregar intimações ou perseguir crianças sem explicação, os guarda-parques poderiam se concentrar na educação ambiental, ensinando às famílias e aos jovens como aproveitar o mundo ao ar livre sem destruí-lo. Muitos guarda-parques já fazem isso, quando há pessoas suficientes na equipe ou não estão sobrecarregados com outras tarefas. Mas sejamos realistas, enquanto as cidades continuarem a construir conjuntos residenciais em abundância e diminuir a quantidade de parques e outros locais para o brincar na natureza, nossos parques e nossas praias regionais serão esmagados pela demanda e vão precisar de uma fiscalização mais rigorosa. A solução não é aumentar as restrições em habitats em perigo de extinção, mas criar e preservar mais áreas naturais para brincar – incluindo os terrenos baldios, as ravinas e os quintais das casas – e reduzir a vulnerabilidade privada a ações judiciais e multas.

Um jeito de enfrentar as barreiras litigiosas ao brincar na natureza é criar parques públicos com mais paisagens naturais e espaços privados voltados ao brincar com seguros mais caros. Seriam, em essência, reservas juridicamente protegidas para o brincar na natureza – algo como a Reserva de Crestridge. David Sobel, especialista em educação baseada no meio ambiente, propõe a criação daquilo que chama de "zonas de sacrifício ambiental". Ele se refere à criação de "reservas para brincar".

– É bom ter riachos onde as crianças possam criar represas e obstruir o ecossistema; a natureza desse brincar é mais importante e valiosa para o meio ambiente no longo prazo – diz ele. – As crianças não devem brincar nas dunas, porque isso provoca erosão, que destroi a fundação de casas ao longo da costa. Mas algumas dunas devem ser acessíveis ao brincar, mesmo que haja consequências negativas. Quando digo isso, as pessoas reviram os olhos. Você pode usar esse mesmo argumento para as casas em árvores, que inegavelmente danificam a árvore, mas esse dano ocasional não é tão importante quanto o que as crianças aprendem quando estão brincando nessa árvore.

Mesmo com a criação de várias dessas áreas para brincar, as famílias e os bairros vão continuar enfrentando leis, regulamentos e restrições particulares contra o brincar ao ar livre; mas existem opções.

Um bairro pode superar problemas de responsabilidade civil seguindo a trilha da Skate Park Association dos EUA, associação criada por uma mãe de Santa Monica em 1996. Digamos que um parque de skate se una à organização. A taxa anual hoje é de quarenta dólares para parques particulares e 120 dólares para parques municipais. Os skatistas se associam pagando uma taxa. Em troca, recebem uma cobertura médica de até 100 mil dólares enquanto estiverem num parque sancionado ou em qualquer outro lugar, e 1 milhão de dólares de seguro de responsabilidade civil dentro do parque. Esse acordo sugere possibilidades interessantes para mais brincadeiras na natureza: – o Sierra Club ou alguma outra grande organização ambiental poderia, um dia, oferecer uma apólice de seguro coletivo semelhante.

Outra opção é que todas as famílias, com ou sem filhos, pensem em aumentar a cobertura do seu seguro de responsabilidade civil. A American Insurance Association sugere que uma apólice padrão para proprietários de residências cubra a responsabilidade civil, por exemplo, de um acidente em casa na árvore, mas os proprietários deveriam rever a cobertura do seguro. A apólice típica de um proprietário de residência cobre acidentes no local até apenas 100 mil dólares. Alguns especialistas recomendam a aquisição de um seguro adicional de responsabilidade civil. O preço de uma apólice guarda-

-chuva com cobertura de 1 milhão de dólares que acompanha a apólice de um proprietário de residência é, na verdade, modesto – normalmente cerca de duzentos dólares ao ano; com mais cinquenta dólares, você recebe 1 milhão de dólares a mais de cobertura. Algumas apólices guarda-chuva também cobrem terrenos vazios. O problema é que, se você estabelecer o limite de 1 milhão de dólares, alguém vai processar pedindo 2 milhões de dólares. Aonde isso vai parar, sem uma reforma jurídica ou um duplo processo de avaliação fortalecido que possa impedir ações judiciais frívolas?

"O medo jurídico infectou a cultura", argumenta Philip K. Howard, autor de *The Death of Common Sense* e *The Collapse of the Common Good*. Howard é fundador da Common Good, coalizão bipartidária com membros do conselho consultivo que variam desde conservadores até liberais, de Bill Bradley e George McGovern a Newt Gingrich e Alan Simpson. Howard quer ajudar a restaurar a confiabilidade da lei – criar maneiras de determinar níveis aceitáveis de risco. "Pesquisas e grupos focais mostram que os educadores fazem praticamente qualquer coisa para evitar o sofrimento de audiências jurídicas", diz Howard.

Em julho de 2005, o *South Florida Sun-Sentinel* relatou que as escolas do condado Broward tinham colocado cartazes de "proibido correr" em 137 escolas de ensino fundamental, como um dos vários passos para reduzir ferimentos e ações judiciais[2]. Carrosséis e balanços de playground já eram coisa do passado. "Eles têm peças móveis. Essas peças dos equipamentos são a maior causa de ferimentos em playgrounds", explicou o diretor de segurança de Broward, que solicitou os cartazes de "proibido correr". Túneis de cimento para brincar? Eliminados. "Quanto mais longos, maior a possibilidade de um mendigo se esconder dentro deles", explicou. Esse tipo de medo tem justificativa? Nos Estados Unidos, dependendo de qual estudo você escolher, o desejo de processar está diminuindo, se mantendo ou aumentando depois de um breve hiato. A incerteza dessas estatísticas é agravada pelo fato de grande parte das ações serem resolvidas fora do tribunal e não serem registradas. E ninguém mantém um registro das *ameaças* de ações judiciais – que podem ter mais impacto sobre o comportamento público do que juízes e jurados. Na verdade, alguns advogados de consumidores atribuem motivos velados a determinados funcionários públicos que aumentam o espectro do potencial de ações judiciais, pois isso pode ser mais fácil e mais barato do que investir recursos públicos, digamos, em novos playgrounds ou em salva-vidas. Qualquer que seja a verdade, a percepção é mais importante.

Confrontar essa percepção requer uma ação em várias frentes: a introdução do "risco comparado" como padrão jurídico e social; novas aplicações dos seguros; e o projeto e a proteção judicial de áreas públicas de recreação.

A Common Good pede uma reforma sistêmica que transcenda a atual definição de reforma da lei de responsabilidade civil, que se concentra quase totalmente em abordar a dimensão das indenizações nas ações. É verdade que às vezes é necessário um acordo gigantesco para mudar o comportamento de um réu poderoso. Mas cobrir danos ou bloquear o acesso aos tribunais é pouco para reduzir o número de ações judiciais e, de acordo com Howard, só protege um dos lados. "Essa abordagem não tem nosso princípio orientador: foco na sociedade como um todo." A Common Good sugere que juízes e legisladores criem definições mais claras sobre quem pode processar pelo quê. Dentre as mudanças propostas, Howard pede a criação de comissões de risco público que analisariam as áreas de nossas vidas que foram radicalmente mudadas, "como a nossa apreciação por estar ao ar livre e as brincadeiras das crianças".

A Grã-Bretanha está, possivelmente, se movendo mais rápido em direção a essa meta do que os Estados Unidos. Em 2003, na Inglaterra, um jovem de 18 anos chamado John Tomlinson mergulhou num lago público, que não era tão fundo, e quebrou o pescoço. O conselho do condado Cheshire estava ciente do risco; já tinha postado cartazes de "proibido nadar" e planejado fechar o lago jogando lama nas margens e plantando junco. Mas, antes de implantarem a decisão, Tomlinson mergulhou. Seu advogado argumentou que o conselho do condado deveria ter agido antes, e Tomlinson venceu. Na instância seguinte, a decisão foi revertida; a corte declarou que um pedido de indenização deveria se apoiar não apenas no fato de o acidente ser previsível, mas também "no valor social da atividade que aumentou o risco". Autorizar a indenização de Tomlinson negaria a centenas de milhares de pessoas a diversão no parque. O tribunal fez a seguinte síntese sensata: "Existe uma importante questão sobre liberdade em jogo. [...] A lei exige que todas as árvores sejam cortadas porque alguns jovens poderiam subir nelas e cair?".

Enquanto esperamos a reforma jurídica, o advogado ambiental Brian Schmidt teve uma ideia que pode ajudar. Schmidt é advogado do Committee for

Green Foothills, organização que trabalha para proteger ambientes naturais locais na área sul da baía de San Francisco. Para liberar o brincar na natureza, ele sugere a criação do Leave No Child Inside Defense Fund, fundo que pagaria os custos de defesa judicial de instituições e indivíduos selecionados que estimulam as crianças a frequentarem ambientes ao ar livre, mas são atingidos por ações judiciais fúteis. Advogados voluntários para o Defense Fund se concentrariam nos pedidos de indenização mais fúteis e famosos ou naqueles que estabeleceriam os piores precedentes. Ele imagina que empresas voltadas para atividades ao ar livre se interessariam em financiar essa fundação. "Obviamente, por mais que essa ideia tenha sucesso, ela nunca vai cobrir todos os custos de defesa contra todas as ações judiciais fúteis", acrescenta ele. "Mesmo assim, poderia ajudar, e o simples fato de um acusado saber que seria possível recuperar os custos poderia deixá-lo menos propenso a aceitar um acordo." Também enviaria ao público uma mensagem de que o brincar na natureza ainda é valorizado.

Não desista

A complicação jurídica do brincar ao ar livre será um dos desafios mais difíceis na quarta fronteira. Mas, para estimular a implantação de uma série de outras mudanças positivas, as barreiras de uma sociedade litigiosa devem ser reduzidas.

– No passado, se uma criança ou um adolescente quebrasse o braço na calçada, no quintal de um vizinho ou no pátio da escola, o seguro do pai pagaria as contas –, diz Jim Condomitti, pai que mora em Escondido, na Califórnia. – Nossos pais aceitavam a responsabilidade por nossos acidentes, nosso comportamento descuidado ou nossas ações deliberadas. Hoje, quando indenizações de sete dígitos passam em nossa mente, abrimos as Páginas Amarelas e procuramos advogados que consigam pescar nos bolsos fundos de um distrito escolar, uma cidade ou uma empresa de seguros.

De fato, em muitos casos, o latido litigioso pode ser pior do que a mordida. Condomitti descobriu isso quando sua comunidade começou a reprimir jogos de bola na rua. (Essas brincadeiras podem não envolver a natureza, mas pelo menos se baseiam numa experiência direta, não simulada, e são realizadas ao ar livre.) Condomitti analisou os códigos jurídicos com palavras vagas de vários municípios e descobriu poucos motivos – quando existiam

– para proibir as brincadeiras, a menos que as crianças bloqueassem ou impedissem o fluxo do tráfego. "Pais e filhos não devem desistir com tanta facilidade", diz ele. A boa notícia é que eles não precisam fazer isso.

As leis ruins podem ser reescritas; as proteções contra litígios podem ser fortalecidas; novos tipos de áreas recreativas naturais podem ser inventadas; e até mesmo novos tipos de cidades e povoados podem ser criados, onde a natureza é bem-vinda e o brincar na natureza é a regra – para crianças e adultos.

19. Cidades selvagens

Quando Julia Fletcher, filha de Janet Fout, se mudou de West Virginia para Washington D.C. a fim de estudar na Universidade George Washington, ela cuidava de um carrinho de bebidas no Kennedy Center e às vezes ia até o terraço do telhado, onde considerava a vista do rio Potomac apaziguadora. No início de certa noite, viu ali um homem com dois filhos pequenos. A menina e o menino estavam prestando muita atenção ao pai, que observava uma ave de rapina voando em círculos.

– Não é um urubu-de-cabeça-vermelha – disse ele –, mas vocês estão quase adivinhando. O que mais poderia ser? – As crianças olharam de novo para o céu.

– Um gavião – disse o menino.

– Está mais quente – retrucou o pai –, mas que tipo de gavião?

– Um gavião-de-cabeça-branca? – indagou a filha.

– Não. Que tipo de gavião fica perto da água?

Julia estava prestes a dar a resposta quando o filho disse:

– Um que come peixes?

– Exatamente. É uma águia-pescadora – explicou o pai. – Agora, como vocês vão identificá-la na próxima vez?

Nesse momento, Julia voltou ao trabalho, mas continuou pensando na conversa que presenciara. Como passava um tempo com a mãe explorando a natureza, Julia se identificou com as crianças e suas perguntas. "Fiquei emocionada porque, mesmo numa cidade como Washington D.C., havia crianças que iam crescer como eu", disse ela. "Até aquele momento, tudo indicava o contrário, já que ninguém que eu conheço na universidade consegue identificar uma águia-pescadora. A natureza na cidade é a natureza em sua forma mais obstinada – de certa maneira, isso a torna meu tipo preferido de natureza."

Hoje, um número crescente de ecologistas e estudiosos da ética estão desafiando a suposição de que as cidades não têm espaço para a vida selvagem. Alguns fariam você imaginar a cidade como uma "zoópole". Essa é a palavra – rima com "metrópole" – que Jennifer Wolch, professora na Universidade do Sul da Califórnia e diretora do Projeto Cidades Sustentáveis, usa quando imagina áreas da cidade transformadas em habitats naturais por meio de planejamento urbano, projeto arquitetônico e educação pública.

Para a maioria das pessoas, isso pode parecer um desafio. Veja nosso idioma: falamos sobre "terra vazia" na periferia urbana (longe de estar vazia, ela é cheia de vida não humana) e "melhorar" os terrenos (aplainar, aterrar e cobrir com Jiffy Lubes*). A maioria das teorias de urbanização ignora espécies não humanas. O mesmo acontece inclusive com as faculdades de arquitetura mais progressistas, enquanto as motoniveladoras continuam aplainando colinas. Ainda assim, diz Wolch, um movimento de zoópole, apesar de mal documentado, está surgindo em várias cidades dos Estados Unidos, muitas vezes por motivos práticos. Por exemplo, o paisagismo convencional produz ambientes biologicamente estéreis e dependentes de água. Isso levou algumas cidades em regiões áridas a incentivarem o uso de espécies de plantas nativas, que precisam de menos manutenção e contribuem para o habitat da vida selvagem.

No âmago dessa ideia está a necessidade psicológica de biofilia – a sensação revigorante de estar enraizado na natureza. Daniel Botkin, presidente do Centro para o Estudo do Meio Ambiente, em Santa Barbara, afirma: "Sem o reconhecimento de que a cidade faz parte do meio ambiente, a vida selvagem [...] que a maioria de nós considera natural não consegue sobreviver". John Beardsley, da Faculdade de Design de Harvard, expressa a mesma esperança por um novo tipo de paisagem urbana e suburbana, na qual nossos filhos e os filhos deles possam um dia crescer.

---

* Cadeia de lojas de serviços automotivos nos EUA. (N.R.T.)

Precisamos proporcionar ecossistemas saudáveis na cidade e nos subúrbios; precisamos insistir que a cultura – por mais que ela flerte com a simulação – retenha um foco no mundo real, em problemas e possibilidades genuínos. No shopping ou no parque temático, o que isso significa? Podemos imaginar um shopping que também seja uma paisagem funcional, que seja autossuficiente em termos de energia e recicle seu próprio material? Podemos imaginar um parque temático que seja divertido e educativo de verdade e, ao mesmo tempo, ambientalmente responsável? Não vejo por que não. Nós criamos a "natureza" que compramos e vendemos no mercado; certamente somos capazes de mudar isso.[1]

Preservar ilhas de terra selvagem – parques e reservas – em áreas urbanas não é suficiente, de acordo com a atual teoria ecológica. Em vez disso, um meio ambiente urbano saudável exige corredores naturais para movimento e diversidade genética. É possível imaginar essa teoria aplicada a regiões urbanas inteiras, com corredores naturais para a vida selvagem se estendendo profundamente dentro do território urbano e da psique urbana, criando um meio ambiente totalmente diferente, no qual as crianças possam crescer e os adultos possam envelhecer – onde o deficit de natureza seja substituído pela abundância de natureza.

Fazendo o movimento da zoópole crescer

A ideia da zoópole não é tão nova e utópica como pode parecer. Na década de 1870, o "movimento do playground" valorizava mais a natureza urbana do que balanços ou campos de beisebol; a natureza era apresentada como benefício para a saúde dos trabalhadores americanos, especialmente para seus filhos. Esse movimento levou à criação dos maiores parques urbanos dos Estados Unidos, incluindo o Central Park, em Nova York. O movimento das "cidades saudáveis" do início do século XX era associado ao anterior, e unia a saúde pública ao projeto urbanístico, codificando até mesmo a distância em metros entre parques, escolas e casas.

Depois, outras forças intercederam. As cidades continuaram a construir alguns grandes parques urbanos no desenvolvimento pós-Segunda Guerra Mundial, mas, normalmente, só como uma reflexão tardia – e eram cada vez menos naturais e mais direcionados aos esportes organizados e atentos à ameaça de ações litigiosas. Nem as crianças nem a vida selvagem têm sido uma grande preocupação dos urbanistas nas últimas décadas. Possivelmente, ambas receberam mais consideração no início do século XX. Desde então, playgrounds e parques não acompanharam o crescimento populacional na maioria das cidades (em termos de hectares abrangidos). Ao mesmo tempo, esses espaços públicos se tornaram cada vez mais domesticados, simples, protegidos por leis e entediantes – e foram projetados sem levar em consideração a vida selvagem. Wolch percebeu que o debate sobre a expansão não se preocupa com a vida selvagem; o novo urbanismo tende a definir sustentabilidade como uma questão principalmente de recursos energéticos, transportes, habitação e infraestrutura.

No passado recente, até mesmo escritores que trabalhavam com o tema da natureza a ignoravam dentro das esferas urbanas e suburbanas. "Em 1990, era possível ler todos os 94 escritores e as 900 páginas reunidos no *Norton Book of Nature Writing* e mal entender que a maioria das pessoas passa a maior parte da vida em cidades[2]", relatou o *Los Angeles Times* num artigo inflamado sobre Jennifer Price, uma das profetas desse movimento da natureza urbana e autora de *Flight Maps*. Nesse livro, Price argumenta: "Não é possível tentar preservar a vida selvagem nem as espécies em perigo de extinção a menos que se pense em como tornar sustentáveis os locais onde a maioria das pessoas vive". Esse movimento vai bem além do foco tradicional em parques e procura uma nova definição de planejamento urbano, arquitetura e a restauração do que foi perdido. O *Times* descreve um "vasto e provavelmente irreversível conglomerado de grupos comunitários, arquitetos, urbanistas, engenheiros, escritores, burocratas e políticos que agora está buscando restaurar o rio (o sistema fluvial de Los Angeles) para algo mais do que um fosso".

O mundo está mudando. Wolch fala sobre "reencantar a cidade" levando animais de volta para lá. Sua visão é impregnada de uma filosofia de direitos dos animais; na verdade, ela enxerga os animais como principais beneficiários de uma cidade que recuperou seus ambientes naturais. "O acordo sobre a divisão ser humano/animal entrou em colapso recentemente", escreve ela. "Os críticos da ciência pós-Iluminismo questionaram as afirmações da descontinuidade ser humano/animal e expuseram as profundas raízes antropocêntricas e androcêntricas da ciência modernista. Uma compreensão maior do pensamento e da capacidade dos animais agora revela o surpreendente alcance e a complexidade do comportamento animal e sua vida social, enquanto estudos da biologia e do comportamento humano enfatizam a semelhança entre seres humanos e outros animais. As afirmações sobre a singularidade humana foram, então, consideradas profundamente suspeitas."

Alguns de nós, incluindo eu, ficamos menos à vontade com uma reorganização dessa relação. Não estamos preparados para aprovar leis que exijam igualdade de moradia para gambás. Apesar disso, reconhecemos que um ambiente urbano ou suburbano sem natureza não é bom para as crianças nem para a terra. Em vez de um realinhamento polêmico, o que buscamos é apenas uma reconexão. Até uma trégua já seria um progresso.

As cidades e os subúrbios ainda são mais selvagens do que pensamos, com raízes mais profundas do que conhecemos. Em 2002, o *New York Times* relatou que ainda há resquícios de florestas virgens no Bronx e no Queens – um tulipeiro de 22 metros de altura com idade entre 425 e 450 anos no Queens é o ser vivo mais antigo da cidade de Nova York; no Parque Pelham Bay, no Bronx, de acordo com o *Times*, "aves e vegetação raras prosperam entre árvores que estão crescendo desde 1700". Assim como nós, de um jeito inesperado, agora precisamos planejar um tempo não estruturado e supervisionar oportunidades de solitude para os jovens, também precisamos administrar as regiões urbanas como se fossem reservas da vida selvagem. "Uma grande oportunidade de ganho é ver que pessoas e animais coexistem em diversas áreas. O maior ecossistema não manejado da América são os subúrbios"[3], escreve o biólogo da vida selvagem Ben Breedlove, conhecido designer de comunidades sustentáveis.

De fato, a proximidade peculiar e crescente de animais silvestres e habitantes urbanos/suburbanos é uma das características da época atual, e isso é irônico porque ocorre enquanto os jovens se desligam da natureza. O influxo urbano/suburbano de animais silvestres poderia estimular um novo pensamento sobre quem mora na cidade e por quê. Wolch escreve: "A rápida expansão da fronteira metropolitana leva uma ampla gama de espécies – inclusive predadores – a quintais e espaços públicos, para consternação de moradores desacostumados a seu comportamento e despreparados para sua presença. [...] A presença de animais silvestres, portanto, muitas vezes dispara o debate público e o conflito, ações judiciais relativas a ferimentos causados por animais, caças contestadas e esforços de extermínio. Em resumo, o que você faria com um puma no meio de Santa Monica?"[4]. Como ela destaca, a destruição ou a dominação da natureza é impopular ou inaceitável por grande parte da população, "mas a arte da coexistência com animais silvestres continua desconhecida".

De acordo com Wolch, a crescente consciência pública de que "o paisagismo convencional produz ambientes biologicamente estéreis e que exigem muitos recursos [está] levando algumas cidades a aprovarem regulamentos que enfatizem espécies nativas para reduzir a dependência de recursos e criar habitats para a vida selvagem". Ela também afirma que existe um número crescente de esforços da sociedade civil em regiões urbanas voltados para a proteção de animais ou populações de animais silvestres específicos e para a preservação de cânions, florestas, pântanos e outros habitats urbanos de vida selvagem. Enquanto a ciência transforma em commodity o corpo de seres humanos e outros animais, Wolch e outros detectaram uma crescente sensibilidade pública em relação aos animais silvestres como seres que estão em seu direito.

O paisagismo urbano é uma estrutura conceitual para esse pensamento. Ruth Durak, diretora do Centro de Design Urbano da Universidade Estadual de Kent, oferece a seguinte definição:

> O paisagismo urbano é um chamado para virar o design urbano de pernas para o ar, começando com espaços abertos e sistemas naturais para estruturar a forma urbana em vez de prédios e infraestrutura. [...] A ideia do paisagismo urbano reordena os valores e as prioridades do design urbano, enfatizando a primazia do vazio em vez da forma construída e comemorando a indeterminação e a mudança em vez da certeza estática da arquitetura. Ele traz de volta os ciclos restauradores da natureza e tenta fazê-los voltarem a funcionar na cidade.

Outro termo, mais popular, que está ganhando espaço é o urbanismo verde, abordagem que vai além da atual moda americana de "novo urbanismo" – que, até recentemente, se concentrava menos na ecologia urbana do que em construir subúrbios um pouco melhores – e até mesmo do movimento das cidades sustentáveis, que se concentra mais em questões energéticas. Na verdade, o movimento do urbanismo verde está crescendo rápido, principalmente na Europa ocidental.

Urbanismo verde: o exemplo da Europa ocidental

Huck Finn* deixou os Estados Unidos e foi para os Países Baixos. Deve ser ele na fotografia, aquele menino numa jangada de madeira, empurrando a embarcação com uma vara por um canal parecido com um riacho, cujas margens têm juncos e salgueiros, em Morra Park, ecovila na cidade de Drachten.

Hoje você não vai ver essa cena com frequência nos Estados Unidos, um lugar onde as pessoas ainda "tendem a pensar que a verdadeira natureza só pode ser encontrada nas extremidades remotas e primitivas da civilização e que esses locais têm pouco a ver com o cotidiano", escreve William McDonough, arquiteto visionário de Charlottesville, Virgínia, e principal proponente americano do design de comunidades sustentáveis e regenerativas. O estranho é que esse pensamento provoca urticária na frieza dos empreendedores imobiliários e na sensibilidade de alguns ambientalistas. Os empreendedores imobiliários querem nos dar uma única opção e chamá-la de escolha. Alguns ambientalistas se irritam: *Se as pessoas começarem a pensar que podem regenerar a natureza nas cidades, vão usar isso como desculpa para a expansão suburbana.* Essa pode ser uma preocupação legítima, mas, como diz McDonough, o projeto urbano/suburbano dominante é "tão impermeável à natureza [que] fica fácil demais deixar nossa reverência nos estacionamentos dos parques nacionais".

Em contraste, cidades e subúrbios de partes da Europa ocidental estão se tornando mais habitáveis e amáveis ao proteger a natureza regeneradora. Lá está Huck, feliz na água, em Morra Park, como descrito no já citado livro *Green Urbanism: Learning from European Cities*, de Timothy Beatley. No sistema de canal de circuito fechado, o escoamento das águas pluviais é movimentado pela energia de um moinho no local e circula por meio de um pântano fabricado, onde juncos e outras vegetações filtram a água naturalmente – tornando-a limpa o suficiente para os moradores nadarem.

Um projeto holandês semelhante, chamado *Het Groene Dak* (O Telhado Verde) incorpora um jardim interno comunitário, "uma área verde, selvagem e sem tráfego para as crianças brincarem e os moradores socializarem"[5],

---

* Personagem do livro "As Aventuras de Huckleberry Finn", romance do escritor norte-americano Mark Twain, publicado em 1884. (N.R.T.)

escreve Beatley. Na Suécia, numa ecovila suburbana semelhante, "grandes quantidades de terreno florestado e áreas naturais continuam intocadas". Para minimizar o impacto sobre a natureza, as casas são construídas sobre pilares e projetadas "para parecer que surgiram do nada".

Ele descreve uma gama surpreendente de projetos de cidades verdes europeias: cidades com metade da área dedicada a florestas, espaços verdes e agricultura, que não apenas preservaram a natureza vizinha, mas aproveitaram algumas áreas internas para florestas, prados e riachos. Esses bairros são, ao mesmo tempo, mais densos e mais habitáveis do que os dos Estados Unidos. A natureza, até mesmo uma sensação de vida selvagem, fica perto da maioria das residências. Em contraste com "a oposição histórica entre coisas urbanas e naturais", escreve ele, as cidades verdes "são fundamentalmente integradas a um ambiente natural. Além disso, elas podem ser idealizadas para operar e funcionar de maneira natural – podem ser restauradoras, revigorantes e recarregadoras da natureza."

Os "telhados verdes" são cada vez mais comuns. Cobertos por vegetação – gramado nativo ou até mesmo árvores –, oferecem proteção contra raios ultravioleta, limpam o ar, controlam o escoamento de águas pluviais, ajudam aves e borboletas, resfriam as casas no verão e proporcionam isolamento térmico no inverno. O custo inicial mais alto desse tipo de telhado é compensado por sua longevidade. Visto de cima, o verde parece uma extensão de campos. Cada vez mais, os arquitetos incorporam exigências de "paredes verdes" de hera e outras plantas nas construções, e isso naturaliza um prédio e evita grafites.

Os designers estão criando espaços verdes "muitas vezes bem selvagens e indomados", diz Beatley, ao mesmo tempo que aumentam a densidade populacional humana. Isso é promovido não só por arquitetos, mas também no nível do planejamento urbano. Em Helsinki, na Finlândia, por exemplo, um amplo sistema de espaços verdes se estende por um triângulo praticamente inteiro desde o centro da cidade até uma área de floresta antiga ao norte da cidade.

Cerca de um quarto da área de Zurique, na Suíça, é coberta de florestas. Grande parte desse espaço foi inserida nessas cidades por meio da conversão de antigas propriedades da realeza para uso público, mas os ativistas urbanos verdes não pararam aí. Muitas cidades estão restaurando riachos antes cercados por concreto ou levados para o subsolo. O objetivo de Zurique é descobrir e restaurar quarenta quilômetros de riachos urbanos e plantar árvores e vegetação nativa nas margens.

Uma rede de ciclovias e pistas conecta todos os bairros e os principais pontos na cidade de Delft, nos Países Baixos. Um plano nacional pede que um trecho de estrada com dois quilômetros seja coberto por um ecotelhado para pedestres, bicicletas e um corredor para a vida selvagem.

Outra tendência é a criação ou compra de fazendas urbanas. A cidade de Göteborg, na Suécia, é dona de sessenta fazendas nas fronteiras, algumas abertas ao público – incluindo fazendas onde você pode colher suas próprias frutas e vegetais, uma para visitar ou afagar animais (voltada ao público infantil) e outra que oferece um haras para pessoas com deficiência andarem a cavalo. Pequenas áreas de pastagem, criação de animais e construções de fazendas estão surgindo até mesmo no meio dos novos conjuntos residenciais.

As escolas também estão sendo transformadas. Zurique está reprojetando as escolas, quebrando as superfícies de concreto ao redor das construções e plantando árvores e grama. Por meio de um sistema que usa espelhos, os alunos na sala de aula de uma escola podem ver e monitorar o sistema voltaico de energia solar e a vida do telhado verde. Os defensores dizem que esse projeto vai além da estética; crianças e adultos se concentram melhor e são mais produtivos nesses ambientes mais naturais.

Em sua campanha para estimular esse tipo de urbanismo verde nos Estados Unidos, Timothy Beatley está cada vez mais interessado no impacto sobre as crianças. Durante os anos em que ele e a esposa moraram nos Países Baixos, os dois ficaram surpresos com o nível de liberdade das crianças – eram menos ameaçadas pelo trânsito, podiam andar em bicicletas e bondes elétricos públicos e passear sozinhas. Eles ficaram impressionados com o crescente número de novos empreendimentos que incluíam locais selvagens especificamente para as crianças brincarem – onde elas podiam cavar, construir um laguinho ou uma pequena cabana. "O medo simplesmente não existia", diz ele. "Também notamos que havia menos ressentimento em relação aos pais – era raro vermos crianças dizendo 'ah, minha mãe não me deixa ir a lugar nenhum'. Talvez parte disso seja cultural; existe menos publicidade voltada às crianças lá. Mas boa parte do motivo é o design. Agora que estamos de volta aos Estados Unidos com filhos pequenos, temos muito mais consciência da importância de criar um jeito diferente de viver que seja mais conectado à natureza."

Apesar de muitos americanos considerarem esse pensamento ecotópico bizarro, até mesmo ameaçador, o urbanismo verde na Europa ocidental prova que um futuro urbano alternativo é possível e prático e deu esperanças aos pioneiros nas cidades americanas que concordam com McDonough quando ele afirma que as cidades devem "abrigar; limpar o ar, a água e o espírito; e restaurar e reabastecer o planeta, em vez de apenas extrair e danificar". Quem sabe? Se esse pensamento se espalhar, Huck pode até voltar para os Estados Unidos.

O retorno da América verde

Duas décadas atrás, visitei Michael Corbett onde ele morava, no futuro. Corbett e sua esposa, Judy, tinham comprado 28 hectares de plantação de tomate na cidade universitária de Davis, Califórnia, em 1975. Ali, eles construíram o Village Homes, primeiro condomínio totalmente abastecido por energia solar nos Estados Unidos e um dos primeiros exemplos de urbanismo verde do mundo moderno.

Conforme Corbett me acompanhava por seu bairro de duzentas casas, fiquei impressionado com a natureza invertida do local. Em Village Homes, as garagens eram escondidas; as casas apontavam para dentro, na direção de um espaço verde aberto, calçadas e ciclovias. Numa típica comunidade planejada, é comum encontrar quintais de cartão-postal com a grama cortada em estilo militar e contratos que proíbem ou restringem variações do tema original do empreendimento. No Village Homes, vi uma profusão de jardins com flores e vegetais. As videiras dos telhados ficavam mais densas no verão, oferecendo sombra, e menos densas no inverno, deixando os raios de sol passarem. Os moradores estavam produzindo quase tanto alimento quanto o fazendeiro original. Em vez de um portão ou muro, pomares cercavam a comunidade. A filha adolescente de Corbett, Lisa, explicou: "Temos um grupo de crianças chamado de 'coletores'. Os pomares são reservados para as crianças; vamos até lá, colhemos as nozes e vendemos no mercado de fazendeiros no gazebo do centro da vila".

Enquanto andávamos por lá, Corbett parou no limite mais distante do bairro. Protegendo os olhos contra o sol, ele apontou para além das amendoeiras na periferia e do outro lado da rua, para um condomínio que não fazia parte do Village Homes. As superfícies eram quase todas em estuque branco e reluziam ao sol. Uma criança pequena andava vagarosamente de triciclo num estacionamento de cimento branco.

– Olha só aquela criança – disse Corbett. – Ela está meio limitada em relação a onde pode ir, não? Para onde ela pode ir?

Recentemente, perguntei a Corbett se ele tinha alguma observação sobre o comportamento dos jovens que cresceram no Village Homes ou sobre os pais deles.

– Os pais adoram porque é fácil ficar de olho nos filhos; não há trânsito, por isso é seguro. As crianças de fato se envolveram com as hortas e com a coleta de frutas do pomar. Elas desenvolveram respeito pela fonte de alimentos. Os pré-adolescentes se interessaram por horticultura – começaram a cuidar de hortas por conta própria. Isso aconteceu em uma escala menor com os adolescentes. Interessante. Em vinte anos, nunca vi as crianças que moram aqui jogarem um tomate ou uma fruta em alguém.

– Nem uma vez?

– Nem uma vez. As crianças de fora do Village Homes faziam isso, mas nossas crianças os expulsavam.

Em quase todas as medidas, o Village Homes foi bem-sucedido. Desde seu lançamento, as pessoas faziam fila para morar lá – liberais, conservadores, libertários (incluindo a filha do economista Milton Friedman); nunca foi uma comunidade contracultural. Em 2003, um professor de ciências ambientais da Universidade da Califórnia, em Davis, contou a Charles Osgood, da CBS, que a conta de luz média de um morador do Village Homes variava de um terço a metade do que pagavam os moradores dos bairros vizinhos. Empreendedores e arquitetos do mundo todo visitaram Village Homes. Conforme os anos passaram, ecocomunidades semelhantes surgiram em partes da Europa ocidental, onde o design verde agora é considerado tendência.

Mas o Village Homes não deu certo num ponto crucial. Nos Estados Unidos, nenhum empreendedor comercial, ao menos de que Corbett tenha conhecimento, replicou o conceito do Village Homes – fato que o decepciona profundamente. Em parte, ele culpa a aparência de seu projeto. Mas o dia é uma criança. A influência de naturalistas e ambientalistas urbanos está aumentando, principalmente no noroeste do país. O naturalista e escritor Robert Michael Pyle elogiou Mike Houck, naturalista urbano de Portland, pelo esforço de envolver a comunidade artística para renovar as cidades e se dedicar a restaurar riachos urbanos. "Quando os riachos são resgatados das enchentes pluviais, são chamados de 'iluminados'. Estamos finalmente descobrindo o vínculo entre nossa biofilia e nosso futuro", escreve Pyle. A conferência internacional "Country in the City", de Portland, luta pela diversidade ecológica urbana e estimula a dedicação dos moradores urbanos do noroeste dos EUA ao salmão selvagem.

Timothy Beatley relata experimentos de urbanismo verde nos Estados Unidos. A cidade de Davis agora exige que novos empreendimentos imobiliários sejam conectados a um sistema de ciclovias e áreas verdes que se estende pela cidade. "Um objetivo importante é que as crianças do ensino fundamental possam ir de bicicleta à escola e a parques sem ter que atravessar ruas principais", de acordo com Beatley. O programa Greenspaces, de Portland, no Oregon, recomenda a criação de um sistema regional de parques, áreas naturais, caminhos verdes e trilhas para pessoas e animais. Um estudo de 1997 feito por alunos da Universidade Estadual de Portland identificou que um terço dos telhados do centro de Portland pode ser convertido em telhados verdes. Essas conversões reduziriam o volume do sistema combinado de esgotamento sanitário em até 15% e proporcionariam uma economia enorme para a cidade.

Inúmeros estudos mostraram os benefícios dos espaços verdes; por exemplo, alguns indicaram como conjuntos habitacionais geminados se beneficiam de pequenos parques no bairro. Se o espaço verde for bem projetado, o público recebe um retorno maior pelo imposto sobre a propriedade, agregando valor ao bairro e aumentando o retorno líquido dos impostos pagos. Esses incentivos econômicos deveriam nos estimular a mudar para longe dos parques verdes planos (que são mal aproveitados pelas crianças, que preferem as áreas mais acidentadas ao verde plano) em direção a parques compactos com design mais natural. Na verdade, essas áreas com design melhor devem ser parte de uma reinvenção do modo como vivemos – parte da criação física da zoópole.

Um bom exemplo é o famoso sistema de trilhas de Oregon, conhecido como Loop, que circunda a área do metrô de Portland. Um século atrás, quando o sistema foi concebido, o plano era uma série de 64 quilômetros de trilhas. Hoje, o sistema tem 225 quilômetros e continua crescendo. O Loop conecta parques, espaços abertos e bairros. A partir dele, outras trilhas irradiam e se conectam a áreas recreativas municipais, estaduais e federais.

A arquitetura verde está conquistando popularidade aos poucos nos Estados Unidos. Em São Bruno, Califórnia, o novo escritório da Gap tem um telhado verde de grama nativa e flores silvestres, "que imita o relevo das colinas ao redor", de acordo com a revista *Architeture Week*. O telhado reduz a transmissão sonora em até cinquenta decibéis e oferece uma barreira acústica contra o tráfego aéreo ali perto. Em Utah, um novo centro de conferências da Igreja de Jesus Cristo dos Santos dos Últimos Dias com vinte mil lugares é coberto por um telhado verde. Em Michigan, designers de uma fábrica de móveis Herman Miller construíram um sistema de pântanos para colher e tratar o escoamento de águas pluviais. De acordo com Beatley, o prédio verde mais ambicioso pode ser o Centro de Estudos Ambientais Adam Joseph Lewis, na Faculdade Oberlin em Ohio. O prédio foi projetado para ficar desconectado da rede elétrica. Ele trata seu próprio esgoto e gera energia por meio de uma combinação de orientação (voltado para o sul), células fotovoltaicas no telhado, bombas geotérmicas e conservação de energia. Os carpetes, quando forem substituídos em décadas futuras no fim de sua vida útil, serão reciclados. Como disse um designer, o prédio Oberlin "é o que mais se aproxima da metáfora de uma estrutura que funciona como uma árvore".

O prédio Robert Redford, estrutura reformada construída em 1917 que abriga o escritório do Natural Resources Defense Council em Santa Monica, Califórnia, é outro bom exemplo. O prédio usa cerca de 60% menos água do que a maioria dos outros porque seu telhado captura a água da chuva. Seu piso é feito de bambu, um substituto de rápido crescimento para os pisos de madeira tradicionais. Os carpetes são de cânhamo. A descarga dos vasos sanitários funciona com água da chuva, e os mictórios não usam água porque têm um filtro especial que elimina os dejetos.

Surpreendentemente, um dos melhores exemplos do que o futuro pode apresentar é a cidade de Chicago. Sob a liderança do prefeito Richard Daley, a cidade está recuperando seu lema de 165 anos, "City in a Garden", ao lançar uma campanha impressionante não apenas para preservar o espaço aberto, mas também para recriar o habitat da fauna silvestre, áreas verdes, riachos e outros terrenos naturais, aumentando, assim, os três mil hectares de parques. O objetivo de Daley: transformar Chicago na cidade mais verde dos Estados Unidos. Inspirado nos jardins em telhados da Alemanha, ele insistiu que o novo telhado de 2.800 metros quadrados da prefeitura fosse projetado como um jardim para ajudar a fazer o isolamento térmico do prédio e agir como um gigantesco purificador de ar.

"O jardim já gerou alguns resultados promissores. Durante uma onda de calor em agosto, as temperaturas de superfície nas áreas do jardim ficaram entre 30 e 51 graus, 4 a 21 graus Celsius a menos do que as temperaturas do telhado de piche preto do condado Cook, ao lado", relata Nancy Seegar em *Planning*, publicação da American Planning Association. Esse telhado custou mais ou menos o dobro de um telhado convencional, mas espera-se que dure o dobro do tempo. Assim como outros telhados desse tipo, a economia de energia paga o custo de manutenção. Mais de vinte mil plantas que representam 150 espécies diferentes crescem no jardim, que também tem duas colmeias e quatro mil abelhas não agressivas; os apicultores colheram 68 quilos de mel durante o primeiro ano. As coletas futuras serão embaladas e vendidas no Centro Cultural da cidade. As abelhas procuram néctar no Parque Grant, ali perto.

Entre as outras realizações da cidade, estão cerca de 300 mil árvores plantadas desde 1989. O município também restaurou 45 quilômetros de jardins em ruas e transformou oito hectares de terreno municipal subutilizado e postos de gasolina abandonados em parques compactos e 72 jardins comunitários. No futuro, deve haver duzentos jardins desse tipo. Um desses terrenos antes destruídos agora é o jardim El Coqui, que recebeu esse nome por causa de uma perereca arborícola nativa de Porto Rico; o jardim serve de sala de aula para uma escola fundamental próxima. Na parte sudeste de Chicago, a cidade estabeleceu a Calumet Open Space Reserve, com 1.600 hectares, incluindo pântanos, florestas e pradarias. No condado Kane, região afastada de Chicago, a oeste, o Farmland Protection Program comprará terras de fazendas ou direitos de desenvolvimento desse tipo de propriedade.

Ao mesmo tempo, Chicago desenvolveu um dos melhores programas nacionais de desconto para energia renovável. Uma crescente rede de ciclovias conecta bairros, parques e distritos comerciais. Um excelente sistema de transporte público significa que ter um carro na parte metropolitana de Chicago deixou de ser uma necessidade. A cidade também desenvolveu um plano de cinco anos para gerar 20% de sua energia elétrica a partir de fontes renováveis e para aperfeiçoar os prédios públicos existentes. Isso não é uma aventura de um herói solitário, mas uma colaboração entre 140 organizações públicas e privadas trabalhando sob o lema da coalizão Chicago Wilderness. As lojas estão seguindo o caminho das organizações públicas de Chicago. Por exemplo, uma nova loja da Target, localizada num espaço remodelado, terá um jardim no telhado.

O retorno do verde a Chicago tem recebido elogios até do colunista conservador George Will, que cita Daley enaltecendo as virtudes das flores. "As flores acalmam as pessoas"[6], diz o filho do primeiro prefeito Daley, que foi adorado por muitos moradores, mas cuja força policial violenta agrediu manifestantes políticos e hippies na década de 1960.

A inovação deste último prefeito, na verdade, acompanha o renascimento de uma ética mais antiga de Chicago. "Todos têm direito a uma casa onde o sol, as estrelas, os campos abertos, as árvores gigantescas e as flores sorridentes sejam livres para dar uma autêntica lição de vida", escreveu o grande paisagista de Chicago, Jens Jensen, na década de 1930. Os planejadores originais da cidade queriam um sistema de parques metropolitanos "desenvolvidos numa condição natural". O resultado inicial: o sistema de parques urbanos e 80 mil hectares de reservas florestais ao redor da cidade. O Plan of Chicago, de 1909, pedia "florestas selvagens, repletas de árvores, videiras e arbustos que cresceriam nesse clima. [...] Deve haver clareiras abertas aqui e ali e outras características naturais, e as pessoas precisam ter permissão para usá-las livremente"[7]. O plano de Chicago para este século, então, não é um ato radical apaixonado ou ilegítimo (lembre-se que estamos falando de Chicago, uma cidade robusta, e não da Califórnia), mas uma resposta racional a décadas de desnaturalização urbana. É surpreendente como nos afastamos de visões que afirmam a vida. Claramente, não é tarde demais para encontrar o caminho de volta.

Talvez a representação mais comovente do urbanismo verde tenha sido apresentada nas propostas de diversas empresas de arquitetura para tornar verde parte do Ground Zero no local do World Trade Center, na cidade de Nova York. As propostas oferecem "amplas provas do poder da paisagem para transformar um local marcado e assombrado", de acordo com o jornal *New York Times*, que publicou os resultados. Designers apresentaram ideias para transformar a cratera num viveiro de árvores, "um arboreto memorial

– um grande jardim afundado de extraordinárias espécies de árvores, flores e vida selvagem do mundo todo". As árvores germinadas ali seriam carregadas ao longo "dos trajetos que os trabalhadores do World Trade Center percorriam a caminho de casa", para serem plantadas em bairros e parques de toda a cidade. O fato de se considerar seriamente esse tipo de ideia nesses períodos de incertezas apoia a visão à frente de seu tempo de Mike e Judy Corbett, que eles se esforçaram para realizar naquela plantação de tomates há tantos anos.

Reinventando o terreno baldio: design urbano verde para crianças

Até há pouco tempo, o novo urbanismo e o movimento das cidades sustentáveis deram pouca atenção às necessidades das crianças. Houve pouca pesquisa relacionada ao design urbano e ao ambiente da infância, de acordo com Robin Moore[8]. Exceções notáveis cuidaram da questão do tráfego no mundo todo e seus efeitos negativos sobre a infância. Por exemplo, em cidades onde o tráfego restringiu muito a liberdade de ir e vir das crianças, iniciativas do novo urbanismo favorecem a instalação de lombadas para desacelerar o trânsito e áreas comerciais e residenciais favoráveis para pedestres. Essas decisões ajudam, mas quase nunca são coordenadas com esforços para aumentar o acesso da criança urbana à natureza. Mesmo os chamados "empreendedores imobiliários verdes" demonstram pouco interesse em integrar as crianças e a vida selvagem. O biólogo Ben Breedlove aponta para 273 publicações e softwares que permitem o design de habitats para a vida selvagem de maneira fácil e funcional: "Praticamente nenhum desses manuais e técnicas está em uso, porque arquitetos, planejadores e legisladores controlam o 'habitat natural'". O design urbano futuro deveria não apenas atender às necessidades humanas em relação à capacidade das ruas e ao trânsito tranquilo, mas também, como sustenta Breedlove, atender às necessidades da natureza, pensando na mobilidade dos animais silvestres e nos ciclos de vida.

A preservação de áreas naturais numa região urbana não necessariamente significa que as crianças serão expostas a mais natureza. Por exemplo, o *San Francisco Chronicle* descreve, como a versão da Guerra dos Trinta Anos na Bay Area, que a longa cruzada para transformar a costa da East Bay em parque estadual "se viu interrompida pouco antes de atingir seu objetivo – dividida por uma guerra civil entre diferentes visões de como deveria ser o parque". O conflito mais contundente, segundo o *Chronicle*, foi entre os moradores da Bay Area que querem mais campos de jogos e grupos que "apelam com igual paixão por gaviões em perigo de extinção, patos migratórios e outros animais silvestres". Arthur Feinstein, codiretor executivo da Golden Gate Audubon Society, considera o parque "uma de nossas últimas esperanças para que as crianças entendam que existe um mundo natural".

A boa notícia sobre a Guerra dos Trinta Anos da Bay Area é que um grande parque urbano está, pelo menos, sendo debatido por aqueles que o veem como um futuro local de campos de jogos e aqueles que o veem selvagem, como um local de experiência direta. O acesso das crianças à natureza está no centro desse debate; esperamos que esse e outros futuros parques enfatizem as oportunidades para as crianças molharem os pés e sujarem as mãos. Sim, precisamos de campos de jogos e parques de skate, mas podemos colocá-los em locais adequados, em áreas já urbanizadas – como os espaços multiuso nas escolas, por exemplo. Deve-se valorizar os espaços naturais e as costas litorâneas acima de tudo, porque, depois que eles sumirem, estarão extintos, com raras exceções, para sempre. Precisamos, em nossa essência, das curvas naturais das colinas, do aroma do chaparral, do sussurro dos pinheiros, da possibilidade da dimensão selvagem. Essas áreas de natureza são necessárias para a saúde mental e a resiliência espiritual. As futuras gerações, independentemente da recreação ou do esporte que estiver na moda, vão precisar muito mais da natureza.

Agora estamos vendo exemplos pequenos, mas significativos, de inovação e compromisso com o design verde favorável às crianças. A cidade de Austin, no Texas, comprou uma fazenda, renomeou-a Pioneer Farms e a transformou num museu de história viva. "As crianças podem ir até lá, aprender sobre agricultura, tocar nos animais", diz Scott Polikov, planejador urbano e advogado local. "É mais parecido com um zoológico, mas pelo menos é uma fazenda que as crianças podem visitar sempre." Em Kansas City, Missouri, Randy White e Vicki Stoecklin, do White Hutchinson Leisure and Learning Group, oferecem ajuda a bairros ou empresas interessados em projetar espaços para as crianças brincarem ao ar livre – jardins de descobertas para brincar. "Há uma sensação de área selvagem num jardim de descobertas para brincar", escrevem eles. "Esses jardins para crianças são bem diferentes das áreas ajardinadas projetadas para adultos, que muitas vezes preferem gramados bem cuidados e paisagens limpas, arrumadas, organizadas e sem bagunça. Os jardins de descobertas são muito mais livres em termos de design porque as crianças valorizam espaços desorganizados e a aventura e o mistério de esconderijos e áreas selvagens, espaçosas e desiguais, interrompidas por conjuntos de plantas."

O educador David Sobel quer reinventar o terreno baldio. Ele faz campanha para obter novas parcerias com educadores, grupos ambientais, paisagistas e empreendedores imobiliários para proteger áreas naturais ou *playscapes*, para crianças. Como ele destaca, os empreendimentos imobiliários costumam deixar terrenos de lado – faixas de propriedade que não são grandes o suficiente para se tornar campos de jogos, não têm localização conveniente para ser parques compactos, mas são ótimas como ilhas de vida selvagem. A visão de Sobel é usar esses espaços perdidos como *playscapes* e incorporar características naturais, como lagos com sapos e tartarugas, frutas vermelhas para colher, colinas para escorregar, arbustos e encostas para se esconder e cavar. Irreal? Cada vez mais planejadores e educadores estão criando playgrounds maravilhosos, como um no Central Park, em Manhattan, onde as crianças podem escalar rochas até o topo de um afloramento de granito com um escorregador em espiral escavado na lateral (e lama na base). Numa área para brincar perto dos pântanos em Sunnyvale, na Califórnia, as crianças são estimuladas a cavar em busca de fósseis de peixes.

O conceito dos chamados playgrounds de aventura teve origem na Europa depois da Segunda Guerra Mundial, quando um designer estudou crianças brincando nos playgrounds "normais" de asfalto e cimento, e descobriu que elas preferiam brincar na terra e nas madeiras dos escombros do pós-guerra. O conceito é bem estabelecido na Europa, e poucos playgrounds de aventura foram construídos nos Estados Unidos, incluindo os de Berkeley, Huntington Beach, e Irvine, Califórnia. O Playground de Aventuras de Huntington Beach era um terreno vazio onde as crianças criaram seu próprio ambiente para brincar no passado. Hoje, crianças de sete anos ou mais ainda podem brincar na lama e construir cabanas. O playground inclui um pequeno lago com jangadas. Uma ponte de corda passa sobre o lago e vai até a tirolesa, um balanço de pneu que corre por um cabo. Também há um escorregador aquático, que é apenas uma faixa na colina coberta com plástico que leva as crianças à água lamacenta na base. O Playground de Aventuras de Irvine também oferece atividades organizadas ao ar livre e na natureza, como construir uma fogueira e cozinhar ao ar livre, além de astronomia e jardinagem. Nele, as crianças que vão pela primeira vez passam por um curso de segurança antes de poderem pegar martelos e pregos para construir uma cabana; as crianças com menos de seis anos devem ser acompanhadas por um adulto. Esses playgrounds podem não oferecer muita solitude, mas enfatizam a experiência direta com elementos naturais.

Esses esforços ganharão credibilidade conforme as novas pesquisas sobre a qualidade restauradora da natureza se tornarem mais conhecidas, especialmente os estudos convincentes que mostram a ligação entre o brincar ao ar livre em ambientes verdes e o transtorno do deficit de atenção e hiperatividade.

Planejamento saudável para crianças e outros seres vivos

Durante os próximos dez ou vinte anos, os planos diretores das cidades e dos condados serão refeitos ou atualizados, determinando o futuro do espaço aberto. Por todo o país, os autores desses planos e o público que os aconselha terão a oportunidade de considerar se as veias da natureza e do mundo selvagem serão tão importantes quanto as artérias do transporte para o futuro dos bairros. Em vez de aceitar uma abordagem pedaço a pedaço, parque a parque, precisamos ter estratégias regionais amplas – e novas maneiras de realiza-las.

William B. Honachefsky, um dos primeiros cientistas a defender a ligação entre a sustentabilidade ambiental e o planejamento local do uso da terra, argumenta que, na superfície, as práticas municipais de uso da terra aparentemente minimizariam os danos ambientais, por meio de regulamentos de construção e relatórios de impacto ambiental específicos para cada lugar e portarias locais que controlem o escoamento de águas pluviais, a erosão do solo, a remoção de vegetação e a construção em áreas de inclinação (encostas de morro)[9]. "Embora esses acréscimos certamente sejam bem-intencionados, existe um lado sombrio em sua aplicação", de acordo com Honachefsky. "Coletivamente, eles perpetuam um sistema de avaliações, análises e mitigação que é a antítese de como os sistemas naturais funcionam de fato."

Uma resposta para essa abordagem fragmentada e parcial é o que Will Rogers, presidente do TPL - Trust for Public Land, organização particular de conservação com sede em San Francisco, chama de "pegada verde" – uma abordagem à ecologia urbana que está se popularizando em todo o país. A pegada verde usa técnicas tradicionais de empreendimento imobiliário e métodos empreendedores de conservação para identificar e proteger o espaço aberto, criando um desenho para o processo público de conservação. Quando o TPL trabalha com uma cidade ou região, "perguntamos [às pessoas] como elas querem que a comunidade seja em cinquenta anos", diz Rogers. Ele chama esse planejamento proativo de "tirar a conservação da sala de emergência". Em vez de reagir à expansão, os planejadores se antecipam à onda.

Embora preservar paisagens e bacias hidrográficas e proteger o habitat da fauna silvestre num ambiente urbano sejam objetivos válidos, a saúde humana oferece outro motivo para a preservação, que não recebe atenção suficiente. Por exemplo, preservar o espaço aberto pode ser essencial para solucionar a crise da obesidade infantil. Um relatório de 2001 do CDC - Centers for Disease Control and Prevention descobriu uma conexão "entre o fato de que [a expansão imobiliária típica] não deixa espaço para calçadas e ciclovias e o fato de que somos uma sociedade com sobrepeso e doenças cardíacas"[10]. Os autores afirmam que as crianças correm mais risco, citando um estudo da Carolina do Sul que mostra que os alunos têm quatro vezes mais probabilidade de ir a pé até as escolas construídas antes de 1983 do que até às que foram construídas depois[11].

Um jeito de lidar com esse desafio é acelerar, por meio de um movimento de pegada verde, a proteção do espaço aberto que está desaparecendo. Esses esforços estão acontecendo em Seattle; em Chattanooga, Tennessee; em Atlanta; em Stamford, Connecticut; e ao longo do East River, no Brooklyn. Jacksonville, na Flórida, cidade que "costumava ter cheiro de madeira e comida de cachorro", de acordo com o *Orlando Sentinel Tribune*, "se tornou a comunidade símbolo da 'pegada verde' na Flórida". Nessas cidades, o TPL conduz um processo de pegada verde em quatro etapas, que inclui a discussão da "visão" pelo governo e organizações privadas, muita discussão pública, uma investigação de como pagar pela terra e, por fim, a identificação da terra almejada. Como resultado, os eleitores de Jacksonville aprovaram um imposto de meio centavo de dólar sobre as vendas para pagar pela manutenção do espaço aberto. Algumas cidades, países e organizações privadas de conservação preferem comprar direitos de empreender no campo imobiliário dos proprietários de terra, especialmente fazendeiros, que são "pagos" para manter a fazenda em vez de vendê-la para empreendedores.

Designers ambientais e biólogos como Ben Breedlove defendem um sistema de ecoadministração urbana bem mais amplo – o tipo de sistema digital e computadorizado que tem sido usado há cerca de dezoito anos pelo HEP - Habitat Evaluation Process, do U.S. Fish and Wildlife Services. Esse sistema avalia as condições de habitats selvagens – mas também pode ser aplicado a áreas já desenvolvidas (digamos, bairros que precisam de um novo desenvolvimento suburbano) – e projeta a configuração ideal para a região.

"Isso vai ser cada vez mais importante, porque não seremos capazes de comprar grandes áreas de terra no futuro", diz Breedlove. "É possível agregar grupos de animais e suas preferências à paisagem. [...] Para grandes grupos de espécies não existe uma competição específica por área entre seres humanos e animais. Onde existe, é possível lidar com o planejamento das paisagens, o tamanho dos lotes e, basicamente, acomodar muitas dessas espécies."

O problema desses planos visionários é que, muitas vezes, eles são usados para forçar mudanças que os autores não desejavam ou acabam acumulando poeira nas prateleiras de planejadores, professores e jornalistas. Os críticos costumam dizer que essas visões nunca persistem porque ninguém se preocupa em criar um plano de longo prazo, com eficácia, que detalhe como chegar lá a partir do que temos hoje.

O que precisamos de fato, além da visão de longo prazo, é de um princípio organizador central e simples. O melhor guia de planejamento pode estar escondido nas dobras de um daqueles planos urbanos visionários do passado. Em 1907, John Noler, um dos pais do planejamento urbano americano, forneceu quatro princípios norteadores. O desenvolvimento futuro deve:

1. adequar-se à topografia;
2. usar locais para os quais são naturalmente mais adequados;
3. conservar, desenvolver e utilizar todos os recursos naturais, tanto estéticos quanto comerciais;
4. almejar proteger a beleza por meio de arranjos orgânicos, e não apenas pela decoração.

Hoje, esse grupo de princípios pode ser resumido a um foco único: *respeitar a integridade natural do lugar*. Pode ser que não sejamos capazes de concordar em relação à definição de "qualidade de vida", mas todos reconhecemos um horizonte natural quando o vemos. Devido ao que sabemos agora sobre a relação entre as crianças e a natureza, podemos apreciar a importância adicional dessa integridade.

Re-imaginando uma região urbana

Consigo imaginar San Diego como um protótipo potencial. Minha cidade já se vende como destino de natureza para turistas. Por que parar no famoso zoológico e nas praias? Por que não anunciar toda a cidade como a primeira zoópole dos Estados Unidos?

"Essa pode ser uma campanha empolgante", disse Pat Flanagan. Até pouco tempo, Flanagan era diretora de educação não formal do Museu de História Natural de San Diego. "O que nós podemos realmente planejar pensando na vida selvagem urbana seria aumentar o número de aves e insetos polinizadores – incluindo borboletas", disse ela. "Ao cultivarmos tantas plantas não nativas e aplainarmos as colinas, estamos esgotando as plantas nativas produtoras de néctar e interrompendo o fluxo de beija-flores que vêm do México na primavera." Ela sugeriu que o museu de história natural replicasse a "campanha dos polinizadores esquecidos", conduzida pelo Museu do Deserto Arizona-Sonora, de Tucson, que trabalha para restaurar os corredores de polinização. Imagine o museu e o zoológico de San Diego vendendo pacotes de sementes de espécies nativas que produzem néctar e atraem polinizadores. Todos os jardins de San Diego "poderiam conter uma paleta de plantas que não seriam apenas lindas de observar, mas ofereceriam néctar e locais para os animais se empoleirarem e criarem ninhos – além de uma cobertura protetora".

Os distritos escolares locais oferecem hoje estudos sobre florestas tropicais e aquecimento global, mas não se concentram em espécies nativas. Na nova zoópole, as escolas usariam os ambientes naturais ao redor como salas de aula. Numa cidade com tanta luz do sol e um clima tão agradável, os playgrounds naturais deveriam ser a regra.

No entorno da cidade, os praticantes do design urbano verde poderiam florescer. O paisagista Steve Estrada, presidente da filial da Partners for Livable

Places em San Diego, sugere que um jeito de proteger espécies em perigo de extinção é criar *novos* territórios dentro do espaço urbano: "Algumas das aves em perigo de extinção adoram salgueiros. Por que não plantar grandes áreas de salgueiros nativos na cidade – em vez de palmeiras – como novas áreas para ninhos?". Os novos bairros deveriam conter espaços contínuos de vegetação nativa, como as sebes inglesas que, durante centenas de anos, continuaram repletas de vida selvagem. "Hoje, estamos concentrados no crescimento inteligente para as pessoas", diz ele. "Por que não um crescimento inteligente para os animais?" Ele também imagina a presença de plantas e animais nativos em locais onde as pessoas não podem deixar de vê-los: nos shopping centers. Mike Stepner, ex-arquiteto da cidade e reitor da Nova Escola de Arquitetura, acredita que questões de design relacionadas a animais e plantas devem ser incorporadas ao currículo de arquitetura e planejamento.

Organizar uma nova abordagem urbana/suburbana à natureza, me parece, exige um foco preliminar num objetivo simbólico, tangível e alcançável.

San Diego, por exemplo, é abençoada com uma topologia única, entrelaçada com cânions que são lar de uma gama extraordinária de plantas e vida animal. De um jeito constante e quase imperceptível, esses cânions têm sido escavados para acomodar encanamentos de esgoto, casas caras, pontes, ruas, estradas, banheiras de hidromassagem. Como colunista do *San Diego Union-Tribune*, uma vez sugeri que minha cidade precisava de um Parque Urbano Canyonlands de San Diego. A proteção política desses cânions depende de nossa capacidade de ver cada um como parte de um recurso público único. A reação foi entusiasmada, e há progressos em andamento. Além de impedir as invasões, o diretor de espaços abertos do Departamento de Parques e Recreação de San Diego tem esperança que a cidade um dia "encontre um jeito de conectar os cânions, não apenas pelas trilhas, mas também por ciclovias e passarelas – um sistema completo".

No entanto, para conseguir isso, o público deve ver os cânions atualmente isolados (ou, em outras cidades, outras áreas naturais desconectadas) como algo grande e singular. Para que isso aconteça, o valor biológico, educacional, psicológico e espiritual dos espaços abertos deve ficar claro. Seu valor econômico também deve ficar claro. Recentemente, a American Forests, a mais antiga organização de conservação sem fins lucrativos criada por cidadãos, estimou que a floresta urbana de San Diego remove 2,15 milhões de quilos de poluentes do ar a cada ano, "um benefício que vale 10,8 milhões de dólares ao ano". Os cânions e outros terrenos urbanos naturais também servem para controlar e drenar as águas pluviais. Ao preservar a "infraestrutura verde", como a American Forests chama, evitamos enormes investimentos públicos em infraestrutura artificial.

O valor mais importante é geracional. Antes de morrer, Elaine Brooks, professora de biologia de uma faculdade comunitária, defendeu os cânions não apenas pela ecologia singular e pela beleza, mas também pelo valor psicológico e espiritual para as futuras gerações – cuja conexão com a natureza agora está ameaçada. "Existe um cânion a uma distância razoável de quase todas as escolas da cidade", observou. Que perspectiva empolgante, disse ela, uma rede de bibliotecas naturais para ensinar às crianças sobre os ecossistemas raros e frágeis da região – e sobre elas mesmas. Não é tarde demais para fazer um laço ao redor dessas faixas de chaparral e sálvia, e oferecer esse presente para o futuro. Nem é tarde demais para outras cidades da América do Norte e do mundo se tornarem zoópoles verdes à sua própria maneira.

Idealista demais? Talvez. Mas vale a pena repetir que, há mais de um século, algumas das maiores cidades do mundo enfrentaram uma escolha não muito diferente da que consideramos hoje: entre a saúde urbana e a patologia. O movimento pelas cidades saudáveis daquela época resultou na primeira onda de grandes parques urbanos, incluindo o Central Park. Nossa geração tem uma oportunidade semelhante de fazer história.

Joni Mitchell acertou em cheio: "Eles asfaltaram o paraíso / E fizeram um estacionamento"*. Mas talvez, no futuro próximo, pudéssemos acrescentar um verso de epílogo esperançoso a essa canção: *"Depois eles destruíram o estacionamento / E criaram um paraíso".*

---

* Verso da música *Big Yellow Taxi*, de Joni Mitchell.

20. Onde estará o mundo selvagem: um novo movimento de retorno ao campo

Quando retroceder faz sentido, você está progredindo.
— WENDELL BERRY

NUMA MANHÃ DE VERÃO, uma menina de nove anos acorda com o som do galo dos Smith. Ela observa a poeira caindo sob os raios de sol em seu quarto.

Ela se lembra que ontem foi o último dia de aula. Sorri, veste a calça jeans e uma camiseta, calça o sapato de lona, pega o exemplar em papel de seu livro preferido de Maurice Sendak e o coloca na mochila. Seus pais ainda estão dormindo. Ela segue pelo corredor na ponta dos pés, para na porta do quarto do irmão apenas por tempo suficiente para amarrar os cadarços dos sapatos dele um no outro, pega um pacote de biscoitos na cozinha e dispara em direção ao sol lá fora.

Ela corre pelo caminho do gramado, passa pelo jardim da família e segue em frente. Escuta o zumbido periódico da usina central de cogeração de energia e o ruído dos novos moinhos na fronteira da vila. Quando passa pela casa dos Smith, com seu telhado de grama baixa e flores, o galo corre pela entrada. Ela o persegue por alguns passos, batendo os braços como se fossem asas, depois trota por um caminho sinuoso até o riacho – um canal que atravessa a vila. Ela sabe que ele é formado por água de chuva reciclada pelo filtro natural da vegetação, mas não pensa nisso, só nos círculos na água. Senta na margem do riacho e espera. Neste momento, seus pais provavelmente já acordaram; a mãe costuma estar diante do computador antes *do pai, porque ele gosta de subir no telhado verde e ficar em pé na grama tomando café e observando o sol subir no horizonte.*

A menina vê a primeira cabeça aparecer. Depois outra. Ela fica bem parada. Os olhos dos sapos aparecem sobre a superfície da água e a observam. Ela tira os sapatos e mergulha os pés na água, e os sapos fogem de novo. Ela mexe os dedos na lama. E se pergunta se o irmão já descobriu os sapatos e sorri. [...]

Um jeito melhor de viver

Se quisermos melhorar a qualidade de vida das crianças e das gerações futuras, precisamos de uma visão mais ampla. Podemos fazer mudanças agora na vida de nossa família, nas salas de aula e nas organizações que cuidam de crianças, mas, no longo prazo, essas ações não selarão o vínculo entre a natureza e as gerações futuras. Como vimos, um novo tipo de cidade – uma zoópole – é possível. Mesmo assim, não importa como os designers a planejem, qualquer cidade tem um limite de capacidade populacional, ainda mais se incluir a natureza. As crianças do futuro continuarão crescendo em áreas residenciais fora das cidades. Os modelos atuais para esse crescimento são insatisfatórios; incluem a expansão dos subúrbios nas fronteiras das cidades e o desenvolvimento agressivo em áreas rurais. Ambos separam as crianças da natureza.

No entanto, quando visto pelo prisma do urbanismo verde, o futuro das cidades pequenas e da vida rural é empolgante. As crianças que crescerem numa nova Green Town (Cidade Verde) terão a oportunidade de vivenciar a natureza como o tecido de apoio à sua vida cotidiana. A tecnologia e os princípios de design para a ampla criação de Cidades Verdes já existem, e um movimento incipiente de retorno ao campo está surgindo. Você e eu talvez não tenhamos a oportunidade de viver para ver as Cidades Verdes serem a regra, mas imaginá-las e criá-las pode ser a grande obra de nossos filhos e dos filhos deles. Podemos lhes oferecer uma vantagem inicial.

A busca completa dessa promessa exigirá uma definição complacente da dimensão selvagem. O poeta Gary Snyder disse: "O mundo selvagem é sempre um lugar específico, que existe basicamente para as criaturas locais que moram ali. Em alguns casos, poucos seres humanos também moram nele. Esses lugares são escassos e devem ser defendidos com convicção. Selvagem é o processo que cerca todos nós, a natureza auto-organizada [...]". A natureza auto-organizada certamente deve ser preservada sempre que possível, mas, para o objetivo de reapresentar as futuras gerações à natureza, não podemos parar aí. Na verdade, a natureza que moldou tantos de nós raramente era auto-organizada – pelo menos, não do jeito primitivo que Snyder sugere.

Muitos americanos ainda moram em áreas rurais, e aqueles que cresceram no que resta das fazendas compartilham uma lembrança – muitas vezes idealizada – dessa vida. Antes de morrer, minha amiga Elaine Brooks, que cuidava tão bem do último espaço aberto natural em La Jolla, descreveu a paisagem das cidades pequenas do oeste de Michigan, onde tinha passado os verões da infância na fazenda dos avós: "Sempre houve uma sensação de estar em lugares onde ninguém tinha estado antes, rondando a fazenda. Vários anos depois, revisitando a fazenda muito tempo após ela ter sido vendida, entrei num bosque que não fazia parte da fazenda de meus avós e descobri os restos de uma velha casa que eu nunca tinha visto". O esqueleto da construção ficava a apenas uns cinquenta metros do vale arenoso onde ela e o primo brincavam. "Nunca tínhamos ido além da cerca de arame do meu avô. O terreno nos parecia selvagem, mas tinha sido domado cem anos antes." Durante viagens ocasionais até o oeste de Michigan para visitar parentes, Elaine descobriu que conseguia recriar com facilidade essa ilusão de mundo selvagem. Conforme o tempo passava entre as visitas, ela descobria que tinha que dirigir até mais longe para se afastar das casas; havia mais casas salpicadas nos bosques, uma vez que a conveniência dos equipamentos para remover neve e os bugues e veículos para neve facilitaram a vida longe da cidade. Mesmo assim, até nas cidades pequenas, era fácil fazer uma caminhada e encontrar trechos de matas e riachos que ocultavam as evidências de habitações humanas.

O espaço aberto ainda é acessível, e o brincar na natureza ainda é possível em vários lugares dos Estados Unidos. Já vimos que a acessibilidade à natureza não é tudo. Mesmo em áreas do país onde bairros residenciais ainda são aninhados em florestas e campos, os pais expressam perplexidade porque as crianças preferem se conectar a dispositivos elétricos. Mas a localização faz diferença. Se as futuras gerações quiserem redescobrir a natureza, onde vão encontrá-la? No passado, as crianças encontravam a natureza e a liberdade de exploração até mesmo nos bairros mais densos da cidade – em terrenos baldios, becos e orlas, e até mesmo telhados. No entanto, a ocupação urbana (construir nos espaços abertos restantes em bairros já existentes, como compensação para proteger os cinturões verdes remotos) está reduzindo até mesmo esses espaços.

Quando as cidades ficam mais densas por causa da ocupação urbana, os parques costumam ser reconsiderados, e o espaço aberto diminui. Essa forma de ocupação está se espalhando rapidamente; ela agora domina até mesmo as áreas mais remotas da maioria das cidades americanas em crescimento e se infiltra na maioria das áreas rurais, criando um ambiente urbano que "grita presença humana", como Elaine Brooks disse uma vez. Nesses locais, a maior parte da vegetação original foi erradicada há muito tempo, de modo que o paisagismo ocasional é o único alívio vivo. O paisagismo nesses ambientes é apenas um elemento arquitetônico no design urbano. Esse tipo de desenvolvimento urbano é dominante no sul da Flórida e da Califórnia, mas, em quase toda parte dos Estados Unidos, novos empreendimentos residenciais são planejados de acordo com esse padrão arquitetônico e jurídico.

Não precisamos continuar por esse caminho. Existe outra possibilidade com potencial de longo prazo: a recolonização de amplas áreas rurais dos Estados Unidos esvaziadas nas últimas décadas pela queda da agricultura e seus setores de apoio. Podemos chamar isso de desenvolvimento de aglomerados "pró-natureza". Em 1993 (ano em que o bureau de recenseamento parou de emitir relatórios sobre moradores de fazendas), Dirk Johnson, autor e chefe da sede do jornal *New York Times* em Denver, destacou que, um século antes, Frederick Jackson Turner havia declarado a fronteira fechada com base numa medida do bureau de recenseamento que definia uma região como "colonizada" quando havia mais de seis pessoas a cada 1,6 quilômetros quadrados. No entanto, em 1993, a densidade populacional de cerca de duzentos condados nas Grandes Planícies tinha ficado abaixo desse limite. "Enquanto quase ninguém prestava atenção, algo extraordinário aconteceu numa área enorme dos Estados Unidos: ela esvaziou", escreveu Johnson. "Em cinco estados das Grandes Planícies, existem mais condados com menos de seis pessoas por 2,6 quilômetros quadrados do que havia em 1920. No Kansas, esses condados abrangem mais território do que em 1890. [...] Até mesmo o número de condados com menos de duas pessoas por 2,6 quilômetros quadrados está aumentando."[1]

Desde então, o esvaziamento de áreas da região rural dos Estados Unidos só aumentou. As causas são complexas – entre as mais importantes estão o aumento de megafazendas corporativas e a falência dos pequenos fazendeiros. Mas grandes trechos de terra agora estão subpovoados. Poucos anos atrás, o governador de Iowa convidou imigrantes de outros países para recolonizar o estado. Geógrafos da Universidade Rutgers pediram ao governo federal para remover os moradores remanescentes e transformar áreas das Grandes Planícies num parque de vida selvagem a ser chamado de Buffalo Commons. Isso é improvável, e os geógrafos reformularam a proposta controversa. Mas algo semelhante poderia acontecer. O esvaziamento das planícies, a ideia de zoópole, o novo conhecimento sobre nossa afinidade com outros animais – essas tendências sugerem que a ideia da fronteira para futuras gerações ainda não está estabelecida e que, nesta parte do mundo, as futuras gerações podem criar um jeito sensato de distribuir a população. A desconexão permanente entre os jovens e a natureza não é inevitável.

Na verdade, apesar do alívio de curto prazo ser importante, por exemplo, no nível familiar e escolar, a reconexão de longo prazo das futuras gerações com a natureza vai exigir uma mudança radical no modo como as cidades são projetadas, onde a população é distribuída e como essas populações interagem com a terra e a água. Imagine, na quarta fronteira, um movimento de retorno ao campo diferente de qualquer um da história.

Esse pensamento deveria parecer mais familiar do que grandioso, por estar enraizado na visão agrária de Thomas Jefferson, na autossuficiência de Thoreau e na colonização do oeste. Seus precedentes incluem o movimento de "retorno ao campo" da classe média na Inglaterra do século XIX. Na década de 1960, um movimento de retorno ao campo em diversos países ocidentais tentou uma ressurreição *ad hoc* dessa visão como ato de rebelião contra o que era percebido como uma cultura materialista; esse êxodo pode ter atraído mais de 1 milhão de pessoas nos Estados Unidos. Apesar de ainda existirem remanescentes dessa migração original, o movimento agrário da década de 1960 não teve sucesso nem fracasso, mas evoluiu para o ambientalismo, para um foco em comunidades sustentáveis e para o movimento da simplicidade.

No início da década de 1980, outra tendência parecia estar prestes a mudar a aparência da região rural dos Estados Unidos. O censo de 1980 mostrou que a população do país estava menos concentrada; além da expansão dos subúrbios, mais americanos se mudavam para áreas rurais do que para cidades mais antigas com maior densidade habitacional. Com o advento do computador pessoal, tanto os fazendeiros quanto os sofisticados especialistas em informação de repente conseguiram se imaginar morando num novo Éden, onde o melhor do mundo rural e urbano podia estar ligado por um modem. Alguns americanos realizaram esse sonho, mas duas realidades atrapalharam: quando as pessoas se mudavam para cidades pequenas, geralmente levavam expectativas e problemas urbanos consigo; e o movimento da cidade grande para a pequena provou ser uma ilusão demográfica. Algumas cidades pequenas foram transformadas, mas a maioria continuou a perder população – especialmente nas Grandes Planícies. E nenhuma corrida de volta ao campo se seguiu.

Mesmo assim, todos os elementos do desejo permanecem, e uma nova literatura sobre design de comunidades sustentáveis surgiu desde então. Um novo movimento de volta ao campo pode ser possível, considerando o adensamento dos subúrbios e seu fracasso na promessa original de ter mais entornos naturais; novas pesquisas que mostram a necessidade da natureza para a saúde; e uma nova percepção de que há necessidade de uma mudança visionária e radical, se quisermos que as crianças do futuro tenham uma conexão direta com a natureza. O urbanismo verde da Europa ocidental e de partes dos Estados Unidos ajuda a apontar o caminho, mostrando que o improvável é possível. Não estamos mais falando em recuar para comunidades rurais, mas em construir centros populacionais sofisticados em termos tecnológicos e éticos que, pelo próprio design, reconectam crianças e adultos à natureza.

A nova pradaria sustentável

A menina está feliz porque a família se mudou de Los Angeles para cá. Suas lembranças daquela cidade, do congestionamento e do cheiro do ar estão começando a desaparecer. Ela nem se importou com o longo inverno, quando a neve se acumulou nos rios e o vento a secou, de modo que, mesmo depois que parou de nevar, a tempestade continuou. Ela adorava ver isso pela janela do quarto, cercada de livros e papéis para desenhar.

Certa noite, o pai a acordou de madrugada e a levou para fora, para ver as estrelas, e disse:

– Olha.

Ela viu raios no horizonte e o grande rio de luz acima.

– Raios e a Via Láctea – explicou o pai.
Suas mãos estavam nos ombros dela.
– Fascinante.
Ela adorou o jeito como ele falou essa palavra, suave, sem dizer mais nada até ela estar de volta na cama.
Agora ela está acordada de novo, indo em direção ao limite da vila.
[...]

O PROFESSOR DAVID ORR descreve o que acredita ser uma mudança de paradigma na "inteligência de design" comparável ao Iluminismo do século XVIII[2]. Ele pede uma "ordem superior de heroísmo", que inclua caridade, vida selvagem e os direitos das crianças. Como ele define, uma civilização saudável "teria mais parques e menos shopping centers; mais pequenas fazendas e menos agronegócios; mais pequenas cidades prósperas; mais placas solares e menos cavas de mineração; mais ciclovias e menos estradas; mais trens e menos carros; mais comemoração e menos correria...". Utopia? Não, diz Orr. "Já tentamos a utopia e não podemos mais arcar com ela." Ele pede um movimento de "centenas de milhares de jovens equipados com a visão, o vigor moral e a profundidade intelectual necessários para reconstruir bairros, cidades e comunidades em todo o planeta. O tipo de educação disponível hoje não vai ajudá-los muito. Eles precisarão se tornar estudantes de seus territórios e ser competentes para se tornar, nas palavras de Wes Jackson, 'nativos de seus territórios".

Vários anos atrás, visitei Wes Jackson e o Land Institute na pradaria do Kansas perto de Salina. Um perfil biográfico admirável no *Atlantic* o descreveu como descendente intelectual de Thoreau e, possivelmente, tão importante quanto ele. Ganhador de um MacArthur Fellowship – o chamado prêmio dos gênios –, Jackson estabeleceu e foi presidente de um dos primeiros programas de estudos ambientais na Universidade do Estado da Califórnia, em Sacramento. Inquieto por natureza e cada vez mais assustado com o que considerava a direção contrária ao meio ambiente da agricultura apontando para um beco sem saída, ele e a esposa, Dana, voltaram para o Kansas e criaram o Land Institute, instituição de pesquisa ligada às faculdades de agricultura Land Grant e cercada por centenas de hectares de pradarias e áreas cultivadas. Durante mais de duas décadas, Jackson tem sido uma das vozes mais proeminentes em prol da recolonização das Grandes Planícies, mas de um jeito totalmente novo. Alguns o consideram extremamente radical, o John Brown das regiões rurais dos Estados Unidos. (Seu bisavô andava com Brown, o abolicionista.) Ele quer emancipar a terra e todos nós também. Sua visão descreve um mundo onde as famílias voltariam a uma existência mais natural, mas evitariam os erros dos movimentos anteriores de retorno ao campo.

Ele argumenta que a agricultura como a conhecemos é um grande erro, uma "doença global", e que a lâmina do arado pode ter destruído mais opções para as futuras gerações do que a espada. Em seu escritório, com vista para colinas e campos de pradaria, ele se recosta e diz: "Estou tentando construir uma nova agricultura baseada no modelo da pradaria". Jackson, uma figura grande e imponente (descrito por um escritor como cruzamento do profeta Isaías com um bisão), acrescenta: "Mas não podemos parar aí. Precisamos de uma economia humana baseada na pradaria, na natureza". De acordo com Jackson, a pradaria nativa de gramados perenes que antes mantinha firme a camada superficial do solo agora é regularmente cultivada, desagregando o solo e, como resultado, o legado de uma preciosa camada superficial do solo está escoando pelos rios e se transformando em sedimento. Riachos e rios de todo o centro-oeste correm artificialmente lamacentos. A erosão está arrancando o solo num ritmo vinte vezes maior que a reposição natural, ainda mais rápido do que durante o Dust Bowl*. De acordo com uma estimativa, o estado de Iowa perdeu metade da camada superficial do solo nos últimos 150 anos. O estado do Kansas perdeu um quarto. Ele vê grande parte da atual ênfase na rotação de culturas agrícolas como ilusão.

No Land Institute, Jackson e seus pesquisadores fazem estudos ecológicos e genéticos para criar plantações de grãos semelhantes a pradarias nativas, o que ele chama de "pradaria doméstica para o futuro". A agricultura moderna depende de culturas anuais como milho ou trigo, que devem ser semeadas todo ano, depois que a terra é arada, o que resulta em erosão. Por contraste, a pradaria nativa, com suas plantas perenes, germinação profunda

---

* Tempestades de areia que ocorreram durante os anos 1930 nas Grandes Planícies dos EUA causadas por más práticas de manejo do solo. (N.R.T.)

e sistema radicular que se espalha, não perde a camada superficial do solo; ela a constroi. O único problema é que a pradaria original não é comestível para seres humanos.

A nova pradaria doméstica de Jackson seria uma mistura, uma policultura de plantas perenes robustas, algumas descendentes dos gramados selvagens naturais da pradaria original, que produziria grãos comestíveis. Ele espera produzir grãos de alto rendimento que se reproduzam através das raízes e, portanto, aguentem invernos implacáveis e mantenham o solo intacto. Jackson tem pouca fé na engenharia genética; é um erro, diz ele, e poderíamos ter um desastre semelhante ao esgotamento da camada de ozônio. Por meio de pesquisas genéticas mais lentas e tradicionais – aquelas que são feitas no mundo mais amplo, e não manipulando fisicamente o DNA –, ele estima que vai levar cinquenta anos, talvez mais, para produzir plantas para uma pradaria agrícola sustentável. Mas um dia, sugere ele, essa pradaria doméstica poderia produzir quase tanto alimento em grãos por hectare quanto o hectare médio de trigo do Kansas produz hoje, depois que contabilizarmos os custos de energia. Ele imagina essa nova pradaria florescendo sobre a maior parte da terra cultivada dos Estados Unidos em algum momento ainda neste século ou, talvez, no próximo.

Aqui está o truque: se a pradaria doméstica realmente for nos sustentar, acabaremos tendo que redistribuir a população por todo o país e levar um tipo de vida que poucos de nós conseguimos imaginar hoje, uma vida mais radical do que os hippies do retorno ao campo tinham em mente. Na visão de Jackson, nossos bisnetos viverão em fazendas ou vilas espalhadas pelo país. Sua distribuição será baseada em fórmulas ecológicas intricadas, utilizando tecnologias ao mesmo tempo conhecidas e radicalmente diferentes das usadas na década de 1990 – ou de 1890. Ver esse futuro como uma nova utopia ou uma prisão rural depende, diz ele, "dos limites de sua imaginação". Ele acredita que nenhuma forma de energia solar, incluindo a pradaria doméstica, produzirá energia suficiente para nos sustentar, a menos que a população seja redistribuída. Ainda neste século, segundo sua análise, os padrões de colonização americanos serão determinados por quantas pessoas a terra de cada biorregião consegue sustentar. As cidades continuarão a existir, mas serão reduzidas gradualmente, e a maioria terá cerca de 40 mil habitantes. Fora das cidades, a população rural será o triplo do que era em 1990, mas essa população será distribuída com planejamento. Por exemplo, as planícies centrais do Kansas sustentarão uma família a cada dezesseis hectares. Em Iowa e parte do oeste, incluindo o vale de Sacramento, cada família será sustentada por quatro hectares. (Considerando essa possibilidade, um amigo meu diz: "Conheço esse lugar. Chama-se 'França'.")

Essas áreas rurais sustentarão um novo tipo de vida na fazenda e na vila. As pessoas viverão em comunidades de 2,6 quilômetros quadrados; as famílias vão morar nas próprias fazendas, mas perto umas das outras, nas fronteiras da vila, que se localizará no centro desse quadrado. De centenas a milhares de pessoas (nem todo mundo seria fazendeiro) morariam nessas novas comunidades. Os fazendeiros que trabalharão na pradaria doméstica fornecerão a maior parte das proteínas e dos carboidratos. Os animais (incluindo um cruzamento resistente ao inverno entre os búfalos e o gado) serão criados em currais móveis que transitam pela paisagem sem cercas. Isso eliminará o custo de consertar milhares de quilômetros de cercas e permitirá que as espécies selvagens migrem livremente. As pessoas que moram nas vilas passarão parte do dia cultivando vegetais, frutas e animais em bio-abrigos solares. A energia necessária será fornecida por uma variedade de tecnologias, desde instalações solares passivas até geradores alimentados por energia eólica e energia à moda antiga. Esse seria um ambiente extraordinariamente diferente – ao mesmo tempo futurista e antigo – para as crianças.

Eco-êxodo

A possibilidade de retorno à pradaria selvagem tem precedentes. Conforme as fazendas se concentraram no centro-oeste e no oeste, as pequenas fazendas da Nova Inglaterra desapareceram. Entre 1850 e 1950, milhares de quilômetros quadrados em New Hampshire, Vermont e Maine, que antes eram terra cultivada, se transformaram em florestas. Como restos de uma antiga civilização, cercas de pedras esquecidas em fazendas desapareceram com o crescimento exagerado de pinheiros e bordos. Jay Davis, editor do *Republican Journal* em Belfast, Maine, chama esse período de "século adormecido" da Nova Inglaterra. Numa história sobre seu condado, ele escreveu: "Conforme as cercas do condado Waldo caíam, as árvores saíam para recuperar o que havia sido delas, os moinhos apodreciam nos riachos e as colinas foram abandonadas, enquanto as pessoas iam embora e os sobreviventes trabalhavam muito para viver, o que surgiu foi, pelo menos relativamente, um mundo selvagem no século XX".

Isso se parece com a atual condição das Grandes Planícies. Numa descrição da *National Geographic* de 2004 sobre o despovoamento dessa região, John G. Mitchell explicou como, em algumas comunidades, a idade média dos moradores já está chegando aos sessenta[3]. "Na verdade, as gramíneas nativas também parecem estar ensaiando um retorno em algumas terras públicas", registra Mitchell. "Quinze áreas protegidas englobando campos nativos – denominadas National Grasslands – somando mais de 1,4 milhão de hectares estão espalhados pelas Grandes Planícies de Dakota do Norte até o Texas – um legado adquirido pelo governo depois que as falências e execuções de hipotecas atingiram milhares de colonos sem sorte na década de 1930. É o suficiente para nos perguntarmos: quando as gramíneas nativas voltarem às Grandes Planícies, os búfalos vão demorar a chegar?" Na verdade, o número de bisões – agora vistos como alternativa razoável ao gado – aumentou muito. Nas Planícies do norte, os bancos hoje ajudam os rancheiros a passarem do gado para os bisões. Essa mudança, destaca a *National Geographic*, oferece uma "percepção arrebatadora do que eram as Grandes Planícies e, de certa maneira, do que podem voltar a ser".

Será que haverá uma nova geração de colonos? Já vimos pelo menos um alarme falso. Em meados da década de 1970, pela primeira vez desde 1820, as áreas rurais começaram a crescer de forma proporcional e mais rápida do que as cidades. O crescimento veloz ainda acontece em cidades pequenas, especialmente as que foram ungidas por grandes empregadores – digamos, uma fábrica de automóveis – ou, mais comum, aquelas que ficam à margem das metrópoles, a uma hora de carro da cidade grande. As casas são mais baratas, então dane-se o preço da gasolina. Mas também é verdade que, em grandes extensões de áreas rurais e de pequenas cidades nos Estados Unidos, a migração da cidade para o campo na década de 1970 não durou. A economia foi um dos motivos; outro foi o fato de que os seres humanos são animais sociais. A urbanização rural simplesmente os isolava demais. Sendo assim, hoje a expansão imobiliária é a regra, mas a grande migração para os locais mais distantes dos Estados Unidos ainda está para acontecer e, talvez – até agora – isso seja bom. Com muita frequência, cidades pequenas invadidas por expatriados urbanos perdem seu caráter e sua beleza física para o super desenvolvimento.

Mesmo assim, a história está cheia de alarmes falsos e é moldada por ondas que vieram e recuaram, depois voltaram com mais força. Em 1862, o presidente Abraham Lincoln assinou o Homestead Act, abrindo milhões de hectares para colonização. Até o momento em que eu escrevia este livro, o Congresso estava analisando diversos projetos de lei com espírito semelhante; em vez de oferecer terra, um dos projetos, que recomenda um New Homestead Act, oferece incentivos para pessoas que desejarem abrir empresas nas áreas rurais que perderam população ao longo da última década. O projeto de lei oferece créditos em impostos e pecúlios, dinheiro inicial para *start-ups* e paga metade dos empréstimos estudantis de recém-formados – não é pouco para os 40% de alunos que saem da faculdade com dívidas maiores do que 8% de sua renda mensal. Outros incentivos para sair de grandes centros populacionais provavelmente serão mais poderosos, como a expansão de serviços de internet sem fio (no momento, a maior rede regional de banda larga sem fio do país cobre um condado rural de 1.500 quilômetros quadrados, onde a maior cidade tem uma população de apenas 13.200 habitantes); a criação de uma enorme quantidade de aeroportos regionais para atender às cidades menores; e o aumento da preocupação com o terrorismo nas cidades maiores.

Devido a essas tendências, famílias com filhos continuarão a ter várias opções. Neste momento, elas podem se mudar para uma cidade menor, como Sioux Falls, em Dakota do Sul. "A melhor coisa de morar aqui é que tudo é fácil", diz a socióloga Rosemary Erickson, que se mudou da Califórnia de volta para Dakota do Sul em 2004. Esse foi seu segundo retorno; o primeiro foi na década de 1980, quando ela administrava sua empresa a partir de Davis, pequeno vilarejo perto de sua cidade atual. Sioux Falls não é uma cidade pequena, mas é bem mais tranquila e mais perto da natureza do que as megalópoles crescentes da costa, além de ser cercada pelas pradarias e fazendas que Rosemary adorava quando era criança. Sioux Falls se tornou "maravilhosamente diversificada, com refugiados sudaneses e todo o resto", segundo ela. "Quando eu era criança, em Davis, só havia um estudante negro." O povo de Sioux Falls de jeito nenhum se sente isolado do mundo. Apesar de os aposentados serem uma boa parte da migração de volta para sua área do país, Rosemary conhece famílias que se mudaram para Dakota do Sul para que os filhos pudessem ter uma infância mais tranquila, incluindo uma experiência mais direta com a natureza.

O clima provavelmente é o maior desestímulo, mas torna-se contornável com um isolamento térmico mais sofisticado – boa parte sendo aperfeiçoado por engenheiros verdes – e uma melhor previsão do tempo, junto com a nova popularidade dos cômodos residenciais anti-tempestade. "Temos abrigos contra tornados em todos os grandes shoppings. Várias pessoas dizem: 'Houve um alerta de tornado; vamos para o shopping!'", explica Rosemary, rindo.

Portanto, temos uma opção em relação ao tipo de cidade que vamos construir, como a população é distribuída, e sobre os valores que colocamos nessas decisões políticas e pessoais. Poderíamos, de fato, um dia, criar um modo de vida em menor escala nas partes dos Estados Unidos que agora perdem população.

Cidades verdes no campo

O sonho das cidades verdes no campo tem raízes numa rica tradição. Ebenezer Howard, a figura histórica mais importante do planejamento urbano, nasceu em 1850, cresceu em cidades pequenas na Inglaterra, imigrou para os Estados Unidos ainda jovem e fracassou como fazendeiro no Nebraska. Ao chegar a Chicago em 1872, ano seguinte ao grande incêndio, testemunhou a reconstrução da cidade. Durante os anos que passou nos Estados Unidos, a leitura de Walt Whitman, Ralph Waldo Emerson e os utópicos americanos ajudaram a moldar sua visão de como é possível ter uma vida melhor por meio do planejamento de uma cidade. Em 1898, publicou *Tomorrow: A Peaceful Path to Real Reform*, que depois foi renomeado como *Garden Cities of Tomorrow*. Sua visão do que ele chamava de "cidade-campo" continua válida. Ele escreveu que os três ímãs da organização social eram a cidade, o campo e a cidade-campo, sendo que esta combinava as melhores características sociais e econômicas e evitava as desvantagens das duas primeiras. Assim foi criado o movimento Cidades Jardins em diferentes versões.

A principal ideia de Howard era que grupos de cidadãos criariam uma empresa conjunta para comprar terras em áreas agrícolas com economia afundada e estabelecer novas cidades com população fixa de 32 mil pessoas morando em quatrocentos hectares. Cada cidade seria cercada por um cinturão verde de 2 mil hectares. Ele expandiu essa ideia para o que chamou de Cidade Social: várias Cidades Jardins ligadas por ferrovias ou estradas. Nas décadas seguintes, as teorias de Howard foram colocadas em prática algumas vezes, principalmente na Inglaterra e nos Estados Unidos, e influenciaram o desenvolvimento suburbano. O problema agora é que muitas das influências verdes elementares foram perdidas ao longo do tempo; em vez de cidades ajardinadas, temos cidades muradas. Pelo ponto de vista dos empreendedores imobiliários, o medo vendia mais do que o verde. O conceito de "cidade-campo" de Howard nunca floresceu de verdade, mas, em aplicações recentes do pensamento do novo urbanismo, pode ser que tenha chegado a hora dessa ideia. O novo urbanismo, filosofia de design de comunidades muitas vezes associada ao crescimento inteligente e ao controle da expansão urbana, favorece o retorno de características tradicionais, como varanda na frente da casa, garagem no quintal dos fundos, prédios multiuso e casas agrupadas perto de áreas comerciais.

Claro que criar novas cidades verdes, que reconectem diretamente as futuras gerações à natureza, não é apenas um desafio do design de cidades. Parte do dilema é que esses tipos de colonização, para serem verdes de verdade, devem estar conectados a centros de emprego por mecanismos de transporte além do simples automóvel – um dia, além dos automóveis com motores híbridos. Nenhum design de comunidades isolado será suficiente; inúmeras abordagens simultâneas serão necessárias, incluindo ocupação urbana verde, cidades verdes, aumento das opções de transporte público e maior uso do trabalho remoto e da teleconferência.

Ebenezer Howard reconheceria essa colonização como uma nova interpretação da cidade-campo, a Cidade Jardim do futuro. Planos ou projetos experimentais desse tipo de cidade já existem – versões mais rurais do projeto Village Homes de Michael Corbett em Davis, na Califórnia. Por exemplo, a CIVITAS, empresa de planejamento urbano multidisciplinar reconhecida no mundo todo e com sede em Vancouver, foi chamada para criar um conceito visionário para a sustentabilidade de longo prazo dos 131 hectares de terra agrícola, conhecidos como Gilmore Farms, dentro de uma reserva de terras agrícolas em Richmond, Colúmbia Britânica. De acordo com a CIVITAS, o plano recomenda duas vilas compactas colocadas na terra agrícola existente, organizadas ao redor de uma série de espaços públicos, incluindo uma rua de lojas. As áreas cultivadas ao redor das vilas usariam técnicas de agricultura intensivas e receberiam plantações especializadas. "O conceito também oferece uma oportunidade de desenvolver áreas de preservação da natureza na forma de parques ecológicos, locais para observação da vida selvagem e estudos ambientais e santuários."

Outro projeto da CIVITAS, Bayside Village, em Tsawwassen, Colúmbia Britânica, recomenda uma "vila ecológica: um conjunto de casas em pequena escala com a atmosfera de um pequeno vilarejo coeso" com ruas de largura menor e "mais humanas do que as das áreas suburbanas"[4]. Espécies de plantas e paisagens nativas oferecerão um novo habitat para aves canoras nas áreas residenciais. O bairro residencial da vila ecológica será "instalado em amplas áreas de habitats para aves e vida selvagem, incluindo campos agrícolas cultivados, pastos, um parque natural, um pântano para aves aquáticas e uma área separada para aves canoras perto do limite externo".

Um cético poderia argumentar que essas novas cidades parecem melhores no papel do que seriam na realidade e que elas são, na verdade, empreendimentos eufêmicos que poderiam funcionar como cavalos de Troia, abrindo o campo para mais expansão. Considerando a história irregular das comunidades planejadas e do desenvolvimento de novas cidades, o cético teria certa razão. Mas, se a abordagem não for fragmentada, os princípios do urbanismo verde forem aplicados com a força da lei e os limites para o desenvolvimento de cidades verdes forem estabelecidos, o resultado pode ser positivo. No mínimo, essas cidades conceituais nos lembram que existe mais de um jeito para construir uma cidade.

Vamos voltar ao motivo de esse pensamento futurista ser importante para a relação entre as crianças e a natureza. Na vida familiar e nas escolas e em todos os ambientes em que vivemos, podemos fazer muita coisa – agora mesmo – para estimular o reencontro entre a natureza e as crianças. Mas, no longo prazo, a menos que mudemos padrões culturais e o ambiente construído, o distanciamento da natureza continuará a se ampliar. Além disso, o objetivo dessa prescrição não deve ser apenas manter o nível atual de saúde, mas melhorá-lo drasticamente – criar uma vida muito melhor para os que virão depois. Podemos economizar energia e pisar com mais leveza na Terra enquanto expandimos a capacidade de alegria da nossa cultura. O escritor Peter Matthiessen disse: "Existe uma qualidade pesarosa em observar [a vida selvagem americana] se esvair, porque é nosso próprio mito, a fronteira americana, que está se deteriorando diante de nossos olhos. Sinto um sofrimento profundo porque meus filhos nunca verão o que eu vi, e os filhos deles não verão nada; há uma tristeza profunda quando olho para a natureza agora". Essa tristeza é compreensível em certo nível, mas inadequada, devido ao longo horizonte de possibilidades, de regeneração, de uma nova fronteira.

Nenhum futuro é inevitável. As crianças e os jovens que anseiam por encontrar uma causa com a qual valha a pena se comprometer pela vida toda poderiam se tornar os arquitetos, os designers e a força política da quarta fronteira, conectando os filhos deles e as futuras gerações à natureza – e à alegria. Estou me arriscando pendurado na ponta do galho? Claro. Mas é aí que ficam as frutas.

2050 d.C.

A garota, cujo nome é Elaine, passa por uma fileira de bicicletas públicas e se abaixa sob os galhos das árvores de pecã que cercam a vila. De repente, está em outro mundo; ela corre pelo caminho entre as colinas cobertas de cebolinha, erva-indiana, aquilégia e áster-azul – ela sabe o nome de todas essas plantas. Procura rastros no caminho arenoso e os encontra: lebre e codorna. Ela coloca a mão sobre um rastro de coiote e compara o tamanho da marca dos dedos do animal aos dela.

Ela escala uma das colinas engatinhando, prendendo a respiração, e espia por sobre a borda, afastando as asclépias. Senta na grama, observa o céu e se pergunta se as nuvens estão se mexendo ou se ela, na terra, está girando. Abre a mochila e pega o livro. Deita de costas na grama, abre o livro e lê: "Na noite em que Max usou a roupa de lobo e fez travessuras...".

Ela sente o vento matinal na pele.

Escuta abelhas.

Meia hora depois, abre os olhos; as nuvens sumiram. Ela senta.

A luz está diferente. Numa cadeia de montanhas ao norte, ela vê um, dois, agora três antílopes.

– Antílope – sussurra ela, curtindo a sensação do nome. Devagar, os animais viram a cabeça na direção dela. A oeste, Elaine vê as pequenas colheitadeiras elétricas se movendo para semear grãos nativos. E bem longe, a leste, vê o movimento de formas escuras. – Bisão – sussurra. – Búfalo. – Decide que gosta mais da palavra "búfalo" e a repete.

Enquanto ela dormia, o mundo mudou.

Parte VII

Encantar-se

Uma criança disse "O que é a relva?" trazendo um tufo em suas mãos;

O que dizer a ela?

Sei tanto quanto ela sobre o que é a relva.

— Walt Whitman

21. A necessidade espiritual de natureza para os jovens

Rastrear a história de um rio ou de uma gota de chuva, como John Muir teria feito, também é rastrear a história da alma, a história da mente subindo e descendo no corpo. Em ambos os casos, constantemente procuramos e tropeçamos na divindade...

— Gretel Ehrlich

Quando meu filho Matthew tinha quatro anos, me perguntou:
— Deus e a Mãe Natureza são casados ou só bons amigos?
Boa pergunta.
Durante as pesquisas para este livro, ouvi muitos adultos descreverem com eloquência e admiração o papel da natureza no início de seu desenvolvimento espiritual e como essa conexão continuou se aprofundando enquanto eles amadureciam. Vários deles estavam comprometidos em compartilhar essa conexão com os filhos, mas enfrentavam desafios: como explicar a espiritualidade da natureza – ou, melhor, a espiritualidade *na* natureza – sem tropeçar nas videiras entrelaçadas da interpretação bíblica, da semântica e da política. Essas podem ser barreiras reais à transmissão da simples admiração que sentíamos quando éramos crianças e deitávamos de costas para ver montanhas e rostos nas nuvens. Isso também inibe o progresso do reencontro entre a natureza e a criança.
Existe um caminho para sair desse impasse.
Vários anos atrás, um grupo de líderes religiosos que incluía um pastor protestante, um padre católico, um rabino e um imã se encontrou em minha

sala de estar para discutir a parentalidade. Nessa reunião, o rabino Martin Levin, da Congregação Beth-El, apresentou uma descrição maravilhosa da espiritualidade: ser espiritual é estar constantemente encantado. "Citando as palavras do professor Abraham Joshua Heschel, ótimo professor de nossa época", disse ele, "nosso objetivo deveria ser viver a vida em encantamento radical. Heschel estimulava os alunos a acordarem de manhã e olharem para o mundo de um jeito que não considerassem corriqueiro. Tudo é fenomenal; tudo é incrível; nunca trate a vida com casualidade. Ser espiritual é estar encantado".

No Velho Testamento, a vida espiritual de uma criança era dada como certa. Abraão começou a buscar Deus quando era criança. A Bíblia nos diz que "a glória de Deus sobre os céus é alterada pela boca das crianças e dos que mamam". Isaías previu um futuro em que "o lobo morará com o cordeiro, e o leopardo com a criança, e um menino pequeno os guiará". O misticismo judaico descreve o feto como conhecedor dos segredos do Universo – esquecidos no instante do nascimento. E, nos Evangelhos, Jesus disse: "Se não vos converterdes e não vos fizerdes como meninos, de modo algum entrareis no reino dos céus". Os poetas visionários William Blake e William Wordsworth, dentre outros, ligavam a espiritualidade da criança à natureza. Quando criança, Blake anunciou que tinha visto o profeta Ezequiel sentado numa árvore (e levou uma surra por isso). Também contou ter visto uma árvore repleta de anjos cantando nos galhos. A poesia de Wordsworth descreve experiências infantis transcendentais na natureza. Em *Ode: prenúncios de imortalidade recolhidos na mais tenra infância*, escreveu:

> Houve um tempo em que a relva, a fonte, o rio,
> A mata e o horizonte se vestiam
> De uma luz celestial,
> Assim me parecia
> A glória e a frescura de um sonho.

Claro que havia aqueles que consideravam esse pensamento uma bobagem sentimental. Sigmund Freud, ateu, considerava esse misticismo uma regressão ao que ele chamava de "experiência oceânica" do útero. Como escreveu Edward Hoffman em *Visions of Innocence: Spiritual and Inspirational Experiences of Children*, "Freud considerava a infância um período em que os impulsos mais primários e mais animalescos são mais fortes". Na visão de

Freud, as crianças eram veículos impulsionados pelos instintos para desejos incestuosos de autossatisfação. Nada de anjos alados em árvores.

Carl Jung, aliado intelectual mais próximo a Freud, rompeu com ele em 1913 e ofereceu uma visão da psique humana influenciada pela filosofia oriental, pelo misticismo e pelos contos de fadas, entre outros fatores. Jung acreditava que os seres humanos se tornam sintonizados com experiências visionárias na segunda metade da vida. "No entanto, no fim da carreira de Jung, ele pareceu mudar um pouco de posição", de acordo com Hoffman[1]. Em sua autobiografia, *Memórias, sonhos, reflexões*, Jung até se lembra de, aos sete ou nove anos, sentar-se sozinho numa rocha perto de sua casa no campo e se perguntar: "Sou eu que estou sentado sobre a pedra ou será que sou a pedra na qual ele está sentado?". No entanto, além dessas lembranças da própria infância, Jung tinha pouco a dizer sobre a espiritualidade infantil. "Em relação a este tema", segundo Hoffman, "infelizmente ele era um representante de toda a corrente da psicologia que predominava e suas ramificações terapêuticas".

Até mesmo William James, fundador da psicologia americana na virada do século XX, que tinha um interesse entusiasmado pela experiência religiosa, nunca voltou sua atenção para a infância. O assunto não chamou muita atenção até as décadas de 1960 e 1970, especificamente com o livro de Robert Coles, *The Spiritual Life of Children*. O tópico mais específico da influência da natureza sobre a espiritualidade infantil recebeu menos atenção ainda. Por ironia, grande parte do trabalho atual sobre a influência da natureza na cognição e na atenção infantil tem origem no trabalho de James.

Hoffman é um dos poucos psicólogos que trabalham nessa área. Ele é psicólogo clínico licenciado na região de Nova York, especializado em desenvolvimento infantil. Enquanto escrevia a biografia de Abraham Maslow (que criou a famosa pirâmide da hierarquia das necessidades no fim da década de 1960), ele descobriu que o renomado psicólogo compartilhava da visão de Hoffman de que até mesmo as crianças pequenas enfrentavam questões de natureza espiritual. Maslow morreu antes de desenvolver suas descobertas. Hoffman as buscou, entrevistando crianças e centenas de adultos que descreviam experiências espontâneas na infância "de grande significado, beleza ou inspiração [...] longe da religião institucionalizada". Ele escreveu: "O mais fundamental é que agora parece inegável que alguns de nós (talvez muito mais do que suspeitamos) passamos por tremendas experiências de pico – até mesmo místicas – durante os primeiros anos de vida. Em relação a isso, a psicologia convencional e suas disciplinas aliadas pintaram um retrato muito incompleto da infância e, consequentemente, da vida adulta também".

Os relatórios que ele colecionou de crianças indicam – assim como os estudos de Coles – que uma variedade de experiências elevadas ou transcendentes é possível na infância. Entre os desencadeadores estão a oração sincera ou momentos religiosos mais formais; o resultado pode ser "um episódio visionário, uma experiência onírica ou, simplesmente, um momento comum da vida diária que, de repente, se tornou um ponto de entrada para o êxtase". A estética também pode ser um portal: basta ver compositores infantis, como Mozart e Beethoven. No entanto, o mais interessante é a descoberta de Hoffman de que a maioria das experiências transcendentes das crianças acontece na natureza.

Testemunhos

A natureza foi a semente da espiritualidade de Janet Fout, e ela a replantou para a filha. Quando Janet olha para sua infância na natureza, ela a vê não apenas como fonte de seu ativismo ambiental – seu trabalho de proteção das montanhas de West Virginia –, mas também como alimento para seu espírito. Seu lugar preferido para visitar era a fazenda de laticínios dos tios. Ali, sua imaginação e seu espírito alçavam voo.

Ela corria até o celeiro, o galinheiro, uma colina, uma campina ou um riacho para explorar o rico baú de tesouros naturais diante de si. Não importava se observava o nascimento de gatinhos ou chorava a morte de um passarinho depenado e gelado no chão, a natureza dava a Janet muitas oportunidades de alimentar sua curiosidade sobre a vida – e ensinar sobre a inevitabilidade da morte.

– Ainda fico admirada com eventos celestiais como cometas, eclipses e chuvas de meteoros –, diz ela. – E, enquanto observo essas maravilhas divinas, de alguma forma me conecto com os inúmeros seres humanos ou humanoides que fizeram a mesma coisa eras antes de eu nascer. O cosmos infinito e seus mistérios me ajudam a ver a vida em perspectiva. Mais do que nunca, o lugar-comum da natureza me enche de encantamento – cada pena de pássaro com milhões de partes. Quando criança, eu encontrava uma alegria ilimitada na natureza e, ainda hoje, me conecto com minha alegria mais profunda à beira de um riacho ou sob uma abóbada de estrelas.

Janet diz que sente alguma coisa indescritível na natureza: "Deus ansiando por Si mesmo", diz ela. Sua filha adulta, apesar de viver num ambiente bem mais urbano, também sente essa presença.

Joan Minieri trabalhou durante muitos anos para uma organização ambiental inter-religiosa na cidade de Nova York. A natureza preenche sua vida espiritual e seu compromisso para com os outros, apesar de ela morar numa cidade agitada. O testemunho de Minieri enfatiza a necessidade cada vez maior de natureza urbana. Ela também é mãe e entende a necessidade do entusiasmo parental pela natureza e a necessidade de ser "intencional ao alimentá-la". Sua vida espiritual tem raízes no catolicismo, apesar de, nos últimos anos, também praticar uma linha de meditação inspirada no budismo, que cultiva o refúgio no silêncio. "Como pais, Frank e eu achamos que é nossa responsabilidade levar nossos filhos até a natureza, assim como meus pais consideravam responsabilidade deles me levar à igreja", diz ela. "Ensinamos nossa filha, Alin, a rezar. Mas conectar-se à natureza oferece um modelo importante e um contexto para suas orações, um lugar para aprender sobre amor e respeito por todas as formas de vida – ver, tocar e cheirar a origem de tudo e entender por que ela terá que fazer sua parte para cuidar das coisas."

Minieri sorri e acrescenta: "Espero que, quando crescer, ela continue a adorar tão clara e verdadeiramente os insetos".

Para outros pais, a importância espiritual da natureza é melhor descrita como uma questão ética. Nesse sentido, alguns pais consideram a experiência na natureza essencial para os filhos. Por exemplo, a pesca é um assunto controverso para algumas pessoas, mas outras a veem como um modo de apresentar aos filhos questões éticas sobre conservação; sobre a relação humana com outros animais; e sobre vida e morte.

Isso certamente é verdade para Seth Norman, um dos melhores escritores do país sobre pesca com mosca. Norman apresentou o enteado à pesca, uma atividade que oferecia um contexto para o encantamento – ao mesmo tempo que ensinava o filho a *não* romantizar nem endeusar a natureza. Quando pedi para ele descrever sua vida espiritual na natureza, ele ficou pensativo com a questão.

– Eis aqui uma ideia que eu queria ter encontrado bem antes: quanto mais eu vejo brutalidade no mundo selvagem – misturada, é claro, com todas as coisas lindas –, mais aprecio as pessoas – disse ele. – Descobri que as florestas e os desertos não eram nada parecidos com o Jardim do Éden e fiquei muito confuso. As criaturas selvagens matavam criaturas selvagens, e não havia justiça no modo como isso acontecia. Para minha surpresa, as pessoas não conseguiam controlar a maioria dessas coisas; levei anos para entender que meu pai super-poderoso realmente não conseguia salvar alguns dos órfãos que eu levava para casa.

Ele também se lembra de fazer algumas perguntas difíceis sobre Deus, quando era uma criança na natureza. "Ainda acontece. Entender o Grande Esquema é um desafio para os adultos; para as crianças criadas com a Disney, é simplesmente chocante descobrir que são necessários muitos Bambis para alimentar um Rei Leão, e que os lobos de Mogli comeriam Tambor e os seus irmãos. Em algum momento, a maioria de nós descobre que foram as pessoas, e não a natureza, que criaram a moral, os valores, a ética – e até mesmo a ideia de que a natureza é algo que vale a pena preservar. Escolhemos ser pastores e cuidadores – ou não. Vamos viver com sabedoria, preservando a água e o ar e tudo mais intrínseco às equações que estamos apenas começando a entender – ou não; nesse caso, a natureza vai ocupar o vácuo que deixarmos. Ela é perfeita e totalmente indiferente."

A natureza apresenta as crianças à ideia – ao *conhecimento* – de que elas não estão sozinhas no mundo e que existem realidades e dimensões paralelas às delas. John Berger, que nasceu em Londres em 1926 e agora mora no interior da França, é conhecido como crítico de artes e cinema que escreve com eloquência sobre como os seres humanos experimentam a realidade, como *a vemos*. Em *About Looking*, ele escreve que nossos companheiros animais entraram inicialmente na imaginação humana como mensageiros e promessas, com funções mágicas e, às vezes, proféticas. Vivendo vidas paralelas, os animais "oferecem ao homem uma companhia diferente de qualquer outra oferecida pela interação humana[2]. Diferente porque é um companheirismo oferecido à solidão do homem como espécie". Os hindus, por exemplo, imaginaram a Terra sendo carregada nas costas de um elefante, e o elefante ficava sobre uma tartaruga. O antropomorfismo, "resíduo do uso contínuo da metáfora animal", foi fundamental para a relação entre os seres humanos e outros animais. Mas o antropomorfismo caiu em descrédito nos últimos dois séculos, quando os animais passaram a ser usados como matéria-prima, como cobaias de testes, quando seu DNA passou a ser combinado a máquinas. Como os animais selvagens desapareceram aos poucos de nossa vida, "nessa nova solidão, o antropomorfismo nos deixa duplamente desconfortáveis", escreve Berger. Mesmo assim, nunca houve tantos animais de estimação nas casas, pelo menos nos países mais ricos. "As crianças do mundo industrializado são cercadas por imagens (de animais): brinquedos, desenhos animados, fotos, decorações. Nenhuma outra fonte de imagens concorre com a dos animais", escreve Berger. Apesar de as crianças sempre terem brinquedos feitos à imagem dos animais, "só a partir do século XIX é que reproduções de animais se tornaram parte regular da decoração da infância da classe média".

Ao longo desse tempo, os brinquedos de animais mudaram de simbólicos para realistas. O tradicional cavalinho de madeira inicialmente era uma vara "para ser cavalgada como uma vassoura; no século XIX, o cavalinho de madeira simbólico evoluiu para o cavalinho de balanço realista, moldado como uma reprodução parecida com um cavalo, pintado de maneira real, às vezes com peças feitas de couro de verdade e crinas de pelo, além de ser projetado para reproduzir o galope. Na ideologia resultante, os animais são sempre os observados. O fato de que eles podem nos observar perdeu toda importância". Ou será que não? Algumas vezes, quando coloco meus filhos para dormir, um de nós pega um bicho de pelúcia e o faz falar: um coala de algodão, um macaco de poliéster, um peixe falso, todos disponíveis para conversar, todos com nome e personalidade. A ciência pode fazer cara feia para o antropomorfismo, mas as crianças não fazem isso – a cada década, os bichos de pelúcia parecem habitar mais ambientes humanos; eles aparecem nos corredores de aeroportos, em prateleiras de shoppings, em zoológicos e museus e até mesmo em estabelecimentos de fast-food. Berger escreve que esses brinquedos "demonstram nossa solidão como espécie, nosso poderoso anseio, essa fome espiritual, que, em essência, é uma fé no invisível". E acrescenta: "Enquanto a dimensão selvagem diminui na vida das crianças, elas sinalizam essa fome – ou talvez seja mais preciso dizer que nós sentimos a fome delas. Voltamos ao início e alimentamos sua alma com totens, com os símbolos antropomórficos das vidas paralelas ao nosso redor".

Quase todos os pais – até mesmo os mais racionais, que também conversam com ou por meio de ursinhos de pelúcia – podem relatar algum momento espiritual na própria lembrança da infância, com frequência na natureza. Ou podem relatar a experiência de momentos semelhantes nos primeiros anos dos próprios filhos. Ainda assim, a necessidade espiritual da natureza nos jovens é um assunto que recebe pouca atenção. A ausência de pesquisas pode sugerir um certo nervosismo. Afinal, a experiência espiritual de uma criança na natureza – especialmente na solitude – está além do controle institucional ou dos adultos.

Algumas instituições religiosas e alguns sistemas de crença resistem e desconfiam da sugestão de que natureza e espírito sejam relacionados. Desconfiados do ambientalismo como pseudorreligião, percebem um animismo cultural assustador. Essa crença, profundamente enraizada na cultura americana, talvez seja uma das barreiras mais importantes e menos reconhecidas entre as crianças e a natureza.

Suzanne Thompson conhece muito bem o impacto do meio ambiente sobre o comportamento humano. Poucos anos atrás, quando tinha cinquenta e poucos anos, ela olhou para seu bairro estéril no sul da Califórnia e decidiu que não era seguro para crianças. Os pais mal saíam de casa, exceto para trabalhar. Isso significava que as crianças que brincavam na frente de casa eram mais vulneráveis a transeuntes indesejados, então ela destruiu o próprio quintal da frente, construiu um pátio com muro de pedras de rio ao redor, colocou umas espreguiçadeiras e anunciou para os vizinhos que eles podiam usar o ambiente para socializar. Certa noite, quando visitei o pátio dos vizinhos de Thompson, eles estavam sentados bebendo, e as crianças sentadas no muro ou brincando no gramado. Com esse simples ato criativo, ela remodelou o espírito da vizinhança.

Ela adora passar um tempo na natureza e estimulou a filha a fazer o mesmo. Mas, como muitos cristãos religiosamente conservadores, ela suspeita de qualquer ênfase cultural na conexão entre espírito e natureza e no que ela chama de "agenda ambiental".

"O Senhor criou e colocou os seres humanos num jardim com uma ordem para aproveitá-lo, cuidar dele com autoridade, subordinados ao Criador", diz ela. No centro da história da criação, acredita, está a "verdade de que os seres humanos foram feitos à imagem de Deus, compartilhando algumas capacidades como liberdade de escolha, criatividade, autoridade sobre a criação". Sem uma base bíblica, acredita ela, a preocupação com o meio ambiente se torna vítima do sentimentalismo; da idolatria à natureza; do bioigualitarismo (que "eleva o valor dos animais e desvaloriza os seres humanos"); e do biocentrismo (que "despreza a noção bíblica de que, quando há conflito entre as necessidades dos seres humanos e as dos seres não humanos, a prioridade é atender às necessidades humanas"). Thomson considera "essencial as crianças interagirem diretamente com a natureza antes de serem apresentadas a abstrações sobre sua importância. Não é só o fato de saber se elas vão cuidar. [...] É também sobre o por que cuidar".

Mesmo assim, um novo movimento dentro do ambientalismo sugere que sua fé e seu intenso esforço para proteger a natureza e expor as crianças a ela não são conflitantes.

Ambientalismo baseado na fé, ciência e a próxima geração

Não podemos dar importância a Deus se não dermos importância a Sua criação. "A distância com que separamos as crianças da criação é a distância com que as separamos do criador, de Deus", diz Paul Gorman, fundador e diretor do National Religious Partnership for the Environment, com sede em Amherst, Massachusetts. Segundo a visão de Gorman, "qualquer fé religiosa que age como cúmplice dessa separação é herética e pecadora, e muitos de nós estamos compartilhando essa visão radical". Radical, sim, mas não extrema. A organização de Gorman, criada em 1993, é uma aliança entre grandes grupos e denominações de fé judaica e cristã. Seus parceiros fundadores incluem a U.S. Catholic Conference, o National Council of Churches of Christ, a Coalition on the Environment and Jewish Life e a Evangelical Environmental Network. Gorman descreve o crescimento de um movimento ambiental baseado na fé – que desafia os estereótipos liberais ou conservadores.

Essa coalizão não é nova. Em 1986, visitei o condado de Whatcom, em Washington, uma linda região de fazendas, enraizada nas tradições religiosas holandesas. Ali, uma organização sem fins lucrativos chamada Concerned Christian Citizens fazia campanha contra o aborto e a favor do meio ambiente. "Temos a ética do cuidado cristão", disse Henry Bierlink, diretor da organização. "A atitude americana em relação ao meio ambiente foi moldada pela ordem bíblica de 'subjugar a terra'. No entanto, acreditamos que Deus nos deu a responsabilidade de cuidar da terra, não subjugá-la, pois somos unicamente visitantes e precisamos passar por ela com cuidado." A cultura do condado de Whatcom seguia religiosamente seu discurso ecológico. Muitos fazendeiros de lá se recusavam a vender a terra para empreendedores imobiliários e, em vez disso, trabalhavam com o TPL - Trust for Public Land para proteger suas pastagens verdes para sempre. Num artigo de capa da revista *Nature Conservancy*, Gorman descreve como essa ética está se espalhando, especialmente depois de 1990, quando o papa João Paulo II sugeriu que os cristãos eram moralmente responsáveis pela proteção da criação de Deus.

Hoje, no Arkansas, quando uma sinagoga comemora o Tu B'Shevat, ano novo judaico das árvores, as crianças plantam sementes de espécies nativas de gramíneas. Enquanto isso, bispos católicos da costa noroeste publicam uma carta pastoral declarando que a bacia hidrográfica do rio Columbia é "um bem comum sagrado, [...] uma revelação da presença de Deus [...] [que] exige que entremos num processo gradual de conversão e mudança".

Algumas tradições religiosas podem considerar essa conversa como animismo blasfêmico – adoração da natureza. Mas, em Raleigh, Carolina do Norte, o *News and Observer* relata que um "grupo missionário ambiental" de uma igreja batista vende minhocários na feira alternativa de Natal da igreja e organiza um acampamento para "conexão entre as crianças e a natureza". Lugares de culto em todo o país agora oferecem cursos de ecologia bíblica, nos quais se ensinam as lições de biodiversidade encontradas no Gênesis. "O debate continua", diz Gorman. "Seria compreensível algumas pessoas ouvirem a linguagem da dominação e a verem como causa de uma atitude predatória. Mas os seres humanos não precisaram das escrituras para depredar o mundo natural. Sim, é importante pensar em termos de cuidado em vez de dominação, mas sempre defendi que, devido ao poder da interferência humana na natureza, hoje temos domínio, querendo ou não."

Assim como muitos lugares de culto estão se tornando verdes, organizações ambientais estão cada vez mais propensas a invocar o espiritual. Por exemplo, a The Nature Conservancy descreve sua compra de terras como atos de redenção. O TPL diz que traduz "a alma da terra na alma da cultura". Bill McKibben, autor do clássico ambientalista *O Fim da Natureza*, de 1989, passou a sugerir desde então uma manchete imaginária de jornal que resumiria nossa época com perfeição: "Seres humanos substituem Deus; tudo muda". Então, o que significa quando a escola dominical começa a parecer um curso de introdução à ecologia e os ambientalistas (muitos deles alérgicos a igrejas) começam a parecer pregadores religiosos? Boa notícia para os dois lados.

Não devemos subestimar o poder dessa nova sinergia para moldar a relação entre a próxima geração e a natureza.

O ambientalismo baseado na fé pode criar aliados estranhos e uniões poderosas. Em 2003, Gorman e um grupo de evangélicos lançaram a famosa campanha "O que Jesus dirigiria?", direcionada contra os veículos utilitários esportivos que consomem muita gasolina. Em 2002, o National Council of Churches e o Sierra Club patrocinaram um anúncio de televisão conjunto contra a exploração de petróleo no Refúgio Nacional Ártico da Vida Selvagem, no Alasca. (Naquele mesmo ano, o Senado rejeitou, com uma margem estreita, a exploração no Refúgio.) Potencialmente, os lugares de culto podem ser instituições mais importantes do que as escolas para conectar os jovens ao mundo natural. "Cada vez mais pessoas de fé, conforme adquirem consciência da conexão entre natureza e religião, levam a natureza para a discussão", diz Gorman. "Mas é preciso começar com os pais. Antes de qualquer coisa, os pais precisam entender essa conexão. O futuro não é criar currículos, é despertar para a criação. As crianças precisam sentir que essa conexão é vital e profunda nos *pais*. Elas veem através de nós o tempo todo. Sabem o que é falso e fingido. Conforme a conexão se torna mais vívida para nós, nosso compromisso com ela se torna mais autêntico, e as crianças respondem a essa autenticidade. A coisa mais importante é o *despertar*. A alegria de despertar e descobrir faz parte de ser criança." O re-compromisso com a conexão entre espírito e natureza deve ser esse tipo de processo. "E pode ser. E é maravilhoso."

O que Gorman diria para Suzanne Thompson sobre seu medo de as crianças adorarem a natureza em vez do Deus que a criou? Reflita sobre o Gênesis: "O objetivo da criação realmente é nos levar – crianças e adultos – para mais perto do criador. Como mãe, você não estimula seu filho a vivenciar a natureza porque ela é bonita, mas porque ele estará exposto a algo maior e mais duradouro do que sua existência humana imediata", diz. Por meio da natureza, a espécie humana é apresentada à transcendência, no sentido de que existe algo além do indivíduo. A maioria das pessoas desperta ou se fortalece na jornada espiritual por meio de experiências no mundo natural. "Isso é especialmente verdadeiro na espiritualidade pessoal, ao contrário da teologia – que é o trabalho das igrejas, sinagogas", diz Gorman. "E certamente a Bíblia usa a linguagem da natureza. *O Senhor é meu pastor, nada me faltará. Deitar-me faz em verdes pastos. Guia-me mansamente a águas tranquilas. Restaura a minha alma.*"

A reconexão entre espírito e natureza não é apenas trabalho de organizações baseadas na fé. Muitos cientistas argumentam que a prática e o ensino de ciências deve redescobrir ou reconhecer o mistério da natureza e, portanto, seu aspecto espiritual. Em 1991, 32 ganhadores do prêmio Nobel e outros cientistas de destaque, incluindo E. O. Wilson e Stephen Jay Gould, fizeram circular uma "Carta aberta à comunidade religiosa americana", expressando dúvidas profundas sobre a reação da humanidade ao meio ambiente. Esse documento foi parte do que estimulou a criação da National Religious Partnership for the Environment. Os cientistas escreveram que dados científicos, leis e incentivos econômicos não são suficientes; que proteger o habitat é, sem escapatória, uma questão moral: "Nós, cientistas, [...] apelamos com urgência à comunidade religiosa mundial para o comprometimento com a preservação do meio ambiente da Terra". Um deles, Seyyed Hossein Nasr, professor de física e religião na Universidade Georgetown, argumentou: "Se o mundo é apenas uma tigela de moléculas batendo umas nas outras, onde está a sacralidade da natureza?".

Gary Paul Nabhan, diretor do Centro para Ambientes Sustentáveis da Universidade do Norte do Arizona e autor de *The Geography of Childhood*, acredita que os colegas ecologistas estão se movendo em direção a uma apreciação mais profunda da coesão das comunidades vivas e começando a reconhecer que ciência e religião compartilham uma característica essencial: ambas provocam humildade na experiência humana. Diz Nabhan: "A ciência é a atividade humana que nos lembra com frequência como podemos estar errados". Se os cientistas se apoiarem apenas na razão, "nosso trabalho não tem significado. Ele precisa ser inserido em algum contexto espiritual"[3].

O meio ambiente também. As crianças são o segredo. Em 1995, a MIT Press publicou os resultados de uma das pesquisas mais extensas sobre como os americanos de fato pensam sobre as questões ambientais[4]. Os pesquisadores ficaram impressionados com o que descobriram. Eles perceberam um aumento da consciência ambiental observada na linguagem (por exemplo, um pedaço de terra antes chamado de pântano agora tinha mais possibilidade de ser chamado de área úmida) e um conjunto essencial de valores ambientais. "Para aqueles que têm filhos, a ancoragem da ética ambiental na responsabilidade para com os descendentes dá aos valores ambientais uma base concreta e emocional mais forte do que a de princípios abstratos", de acordo com o relatório do MIT. O fato de que valores ambientais já estão entrelaçados com os valores essenciais da responsabilidade parental foi "uma descoberta importante", afirmaram os pesquisadores. A maioria substancial dos participantes justificou a proteção ambiental invocando explicitamente Deus como criador, com uma uniformidade surpreendente entre subgrupos. "O que está acontecendo aqui? Por que tantos descrentes argumentam com base na criação de Deus?", perguntaram-se os pesquisadores. "Parece que a criação divina é o conceito mais próximo que a cultura americana oferece para expressar a sacralidade da natureza. Independentemente de acreditar ou não na criação bíblica, ela é o melhor veículo que temos para expressar esse valor." Se o relatório do MIT estiver correto, os argumentos espirituais em prol do meio ambiente, raramente usados pelo movimento ambientalista, serão bem mais eficazes do que os argumentos utilitários. Em outras palavras, argumentar em prol de um sapo específico é menos potente do que pedir a proteção da criação de Deus (que inclui o sapo). A consideração do direito das futuras gerações à criação divina – com suas qualidades formativas e restauradoras – é um ato espiritual, porque vai além das necessidades de nossa própria geração. Esse argumento espiritual, feito em nome das crianças do futuro, é a arma emocionalmente mais poderosa que podemos usar em defesa da terra e das nossas espécies.

Deus e a Mãe Natureza

As próximas décadas serão fundamentais para o pensamento e a fé no Ocidente. Para os estudantes, mais ênfase no contexto espiritual poderia estimular um sentido renovado de admiração pelos mistérios da natureza e da ciência. Para o movimento ambientalista, surge uma oportunidade de apelar para mais do que os interesses comuns, de ir além dos argumentos utilitários e chegar a uma motivação mais espiritual: a preservação é, em essência, um ato espiritual. Afinal, é a criação de Deus que está sendo preservada para as futuras gerações. Para os pais, essa conversa mais ampla vai intensificar a importância de apresentar aos filhos os valores biológicos e espirituais de pastagens verdes e águas tranquilas.

Nossas famílias e instituições precisam ouvir com cuidado o anseio dos jovens pelo que só pode ser encontrado na natureza. O psicólogo Edward Hoffman acreditava que as crianças com menos de catorze anos não têm capacidade nem habilidades linguísticas para descrever suas experiências espirituais precoces na natureza. Mas minha experiência me ensinou que as crianças e os jovens têm muito a dizer sobre natureza e espírito, se nos dermos ao trabalho de ouvir. Veja a história que um aluno do nono ano compartilhou comigo, sobre o Ponto, como chamava, onde ele encontrou seu momento de encantamento:

> Desde que eu me lembro, todas as vezes que eu ouvia a palavra "natureza", pensava numa floresta cercada por picos de montanhas vistos de longe. Nunca pensei muito nisso, até um ano em que eu estava de férias com a família na Mammoth Mountain. Decidi achar um canto que fosse parecido com o lugar em que eu pensava desde que era criança. Falei para os meus pais que ia sair para uma caminhada. Peguei o casaco e fui.
>
> Para minha surpresa, levei apenas cinco ou dez minutos para encontrar o Ponto. Fiquei parado ali, admirando; era exatamente como eu imaginava. Dezenas de pinheiros enormes eram visíveis. A uns trinta metros de onde eu estava, a neve cobria levemente o solo; folhas de pinheiro estavam espalhadas no chão. Ao longe, acima das árvores, havia uma vista espetacular do topo das montanhas. A meu lado, um pequeno riacho. O único som que eu escutava era da água correndo (e um carro de vez em quando, na estrada pouco atrás de mim). Fiquei num deslumbramento fascinado durante um intervalo que pareceu durar cinco ou dez minutos, mas durou duas horas e meia.
>
> Meus pais foram me procurar porque estava escurecendo. Quando finalmente nos encontramos, contei que tinha me perdido, porque como eu poderia compartilhar essa experiência religiosa tão intensa? Esse episódio me fez pensar no verdadeiro significado da natureza. Cheguei à conclusão de que a ideia que uma pessoa tem da natureza também é sua ideia de paraíso ou céu na terra. No meu caso, eu me sentia perfeito quando estava no Ponto.

Fred Rogers sabia escutar. Poucos anos antes de sua morte, eu o entrevistei para minha coluna no jornal. Levei meu filho Matthew, que tinha acabado de fazer seis anos. Meu filho sempre foi entusiasmado e extrovertido, mas, nesse dia, estava tenso e calado. Quando o apresentei ao senhor Rogers, percebi o lábio superior de meu filho tremendo. Rogers sorriu e apertou sua mão. Mais tarde, interrompeu a conversa com os adultos e sentou-se ao lado de Matthew, que tinha tirado um livro sobre pedras de sua pequena mochila.

– Eu também adoro pedras – disse o senhor Rogers. Ele tinha uma máquina de lapidar, explicou, que mantinha numa construção afastada da propriedade por causa do barulho constante. Matthew arregalou os olhos, porque seu presente de aniversário tinha sido uma máquina de lapidar para polir as pedras mais bonitas que ele colecionava. Rogers e Matthew se inclinaram sobre as páginas do livro, cochichando segredos sobre o assunto.

Eu me lembrei que Rogers era um pastor ordenado e contei a ele sobre a pergunta teológica de Matthew sobre Deus e a Mãe Natureza. "Eles são casados ou só bons amigos?". Quando meu filho me perguntou isso, ri sem querer. O senhor Rogers não riu.

– Essa é uma pergunta muito interessante, Matthew. – Ele pensou no questionamento durante um tempo. – Sua mãe e seu pai são casados e tiveram dois meninos ótimos, e eles são muito importantes para esses dois meninos. Acho que esse é um jeito de sabermos como são Deus e a Natureza: uma mãe e um pai que nos amam.

Talvez a declaração não tenha sido muito politicamente correta (o que dizer dos pais solteiros?), mas funcionou para Matthew. Depois, o senhor Rogers disse algo tão baixinho que só meu filho escutou, e Matthew riu.

Mais tarde, quando todo mundo estava se arrumando para ir embora, o senhor Rogers sentou ao lado de Matthew e disse:

– Você vai me contar, com o tempo, a resposta que encontrar para sua pergunta?

22. Fogo e fermentação: construindo um movimento

Com o primeiro raio de sol, minha esposa, Kathy, acordou e saiu para pegar o jornal. Ela sentiu uma onda de calor e olhou para cima. O céu estava âmbar e preto e feio.

— Alguma coisa está errada — disse ela, me sacudindo pelo ombro.

Quatro horas depois, estávamos dirigindo para longe de Scripps Ranch enquanto uma coisa laranja resplandecente com um único olho ardente queimava no fim da nossa rua sem saída. A van estava lotada com o passado – álbuns de fotos e desenhos das crianças, as roupas de bebê de nossos filhos, fotos arrancadas das paredes. Blinkey, o gato, estava numa caixa de papelão e harmonizava com as sirenes.

— Como isso pode estar acontecendo? Que puxada de tapete — disse Matthew, então adolescente, enquanto as palavras sufocavam sua garganta. Ele estava horrorizado, incrédulo. Tinha certeza de que seu mundo ia terminar em chamas.

— Está tudo bem — respondi, numa péssima tentativa de acalmá-lo. — Pensa que é uma aventura. Ei, eu cresci com tornados. A gente fazia essas coisas toda primavera.

— Bom, eu não — comentou ele. E tinha razão em dizer isso.

Dirigimos para o oeste e para o norte, mantendo a nuvem elevada de fumaça no espelho retrovisor. O trânsito estava quase parado. Quarenta minutos depois, estacionamos em um Hampton Inn à beira da estrada, perto do oceano. O hotel estava oferecendo descontos para os desabrigados. O saguão estava repleto de moradores de San Diego e seus animais de estimação. As pessoas se reuniram ao redor de uma grande televisão, cobrindo a boca com as mãos, sem acreditar.

A três quarteirões de nossa casa, o fogo parou e recuou; o vento o soprou de volta para o interior.

Quando o maior incêndio da história do sul da Califórnia terminou, em outubro de 2003, 24 pessoas tinham morrido, mais de 2 mil casas foram destruídas pelo fogo e a floresta Cuyamaca – local do meu condado ao qual eu era mais apegado – tinha sumido. O fogo era tão quente que rochas do tamanho de casas explodiram. Árvores com oitocentos anos de idade viraram carvão.

Alguns dos locais especiais que ofereciam programas na natureza para crianças e apareceram nestas páginas também foram destruídos ou danificados. Candy Vanderhoff, designer de arquitetura que, durante dois anos, se dedicou a estabelecer a Reserva Ecológica de Crestridge – o terreno montanhoso onde alunos do ensino médio encontravam as maravilhas e peculiaridades do campo – relatou que a maior parte da reserva foi queimada.

Vanderhoff e outros voluntários de Crestridge passaram semanas construindo um quiosque educativo na entrada da reserva. O quiosque, projetado pelo artista James Hubbell e feito principalmente de fardos de feno biodegradável, também foi destruído quando a tempestade de fogo atravessou Crestridge. Tudo que sobrou foram pedaços de carvalho queimado e rochas escurecidas repletas de buracos para triturar frutos de carvalho dos antigos Kumeyaay.

A propriedade da família de Hubbell, aninhada no chaparral e nos carvalhos 48 quilômetros a leste, também foi queimada. Ele tinha passado quarenta anos criando estruturas – esculturas, na verdade – de concreto, argila, pedra, madeira, ferro forjado e vidro. Ao longo das décadas, acrescentava um adorno aqui, um pedaço de vidro que captava a luz ali. Os prédios não eram exatamente construídos, mas cultivados a partir da terra. Ao longo dos anos, milhares de visitantes chegavam para passar o dia absorvendo o espírito da criação de Hubbell. O incêndio queimou boa parte da propriedade; os veados que se moviam como fantasmas sumiram.

Mesmo assim, Hubbell – um homem idoso e gentil cujas mãos tremem por causa de uma paralisia – acredita nas sementes, no renascimento.

Poucas semanas depois do incêndio, ele e a esposa, Anne, estavam de volta a sua terra, plantando possibilidades e se reconectando. Mais tarde, recebi uma carta de Jim que descrevia com perfeição a referência do poeta Gary Snider ao espírito de *natura* (nascimento, constituição, personalidade, ordem das coisas) e além de *natura, nasci* – nascer:

> Este ano, um bom trabalho vai crescer das cinzas, do mesmo jeito que a grama verde cresce das cinzas do chaparral queimado, pois junto com a destruição veio algo inesperado. Quando olhamos para nossa terra, descobrimos um vazio contendo uma beleza que antes não era percebida. Rochas antes escondidas, foram reveladas, colocadas como se num jardim. Havia locais silenciosos para reflexão. O solo duro, tostado pelo fogo, agora estava macio e cedia às pisadas. As ondulações da terra estavam todas visíveis. Esse vazio, esse novo espaço, é uma empolgação para nós. É um portal para um mundo visto apenas de relance. Nossa tarefa é atravessar e descobrir aonde o portal nos leva.

Conto essa história como uma metáfora. Quando contemplamos a relação deslindada entre as crianças e a natureza, podemos considerá-la um incêndio em andamento, nada mais. Ansiamos pela renovação.

Hora de plantar

Curar o vínculo rompido entre as crianças e a natureza pode parecer uma tarefa avassaladora, até impossível. Mas devemos nos ater à convicção de que a direção dessa tendência pode ser mudada ou, pelo menos, pode ser mais lenta. A alternativa a se agarrar e agir de acordo com essa crença é impensável para a saúde humana e para o ambiente natural.

Podemos ser estimulados pelo passado recente.

Aqueles que chegaram à maturidade nas décadas de 1950 e 1960 se lembram de um tempo em que as pessoas não davam a mínima para jogar uma lata vazia de refrigerante ou uma ponta de cigarro pela janela do carro. Esses hábitos agora são exceções. As campanhas antifumo e de reciclagem talvez sejam os melhores exemplos de como as pressões social e política trabalham lado a lado para efetivar a mudança da sociedade em apenas uma geração. Podemos aplicar as lições dessas campanhas iniciais. Uma perspectiva vem de Michael Pertschuk, cofundador do Advocacy Institute, em Washington, D.C., ex-presidente da Federal Trade Commission no mandato do presidente Carter e uma das figuras mais importantes associadas ao lançamento da campanha antifumo no início da década de 1960. Pertschuk agora é líder dos esforços que se opõem à expansão do mercado da indústria de tabaco transnacional nos países em desenvolvimento. Ele escreveu quatro livros sobre defesa dos cidadãos. E está ansioso para ver um movimento para restabelecer o vínculo entre a natureza e as futuras gerações de jovens.

Diferentemente dos movimentos trabalhistas e de direitos civis, o movimento de controle do tabaco se desenvolveu de cima para baixo, originário de pesquisas científicas e declarações públicas de autoridades de saúde preocupadas; ao mesmo tempo, mas inicialmente sem conexão, o movimento antifumo também foi de cima para baixo, nascido da dor e de vidas encurtadas pelo fumo passivo – respirar a fumaça do tabaco de outros fumantes.

"Esses dois movimentos só se uniram quando a ciência da ameaça do fumo passivo à vida dos fumantes involuntários – chamada cientificamente de ETS - Environmental Tobacco Smoke (exposição à fumaça do cigarro) – foi provada sem sombra de dúvida", diz Pertschuk. "E um movimento que mudaria radicalmente as normas sociais só criou raízes quando a combinação de poderosas autoridades científicas e o protesto apaixonado de bairros comunitários organizados desafiou as normas aceitas que davam aos fumantes a propriedade sobre o ar que poluíam." Grupos nacionais, incluindo associações de voluntários da saúde relacionados ao pulmão, ao coração e ao câncer, se uniram ao movimento, organizando e fazendo lobby para aprovar leis que criassem ambientes sem fumaça, apoiados por campanhas pesadas de educação pública sobre os benefícios do ar sem fumaça. "Do mesmo jeito, o movimento florescente para reconectar a infância à natureza tem forte apoio da ciência em relação aos riscos de uma infância sedenta por natureza e da crescente paixão de pais e responsáveis que veem os filhos largados no sofá e diante de computadores." E, do mesmo jeito, esse movimento surgirá da consciência e da determinação de indivíduos e de redes nacionais organizadas.

Bons trabalhos já estão criando raízes. Vemos o crescimento constante, apesar de gradual, do movimento da educação baseada no meio ambiente, do movimento pela área escolar natural e do movimento de vida simples; o despertar de organizações ambientais e lugares do culto; os esforços de esverdeamento da área escolar ao ar livre para jogos e brincadeiras nos Estados Unidos e na Europa; maior percepção de que a saúde, física e mental, está ligada ao meio ambiente natural. Também vemos um crescente interesse em aliviar o peso litigioso por meio da reforma do sistema jurídico. Apesar de a reforma da lei de responsabilidade civil ser controversa e sua interpretação estar no olhar do advogado, as reformas jurídicas devem começar a aliviar o medo de ações judiciais sentido por tantas famílias. Várias organizações nacionais também estão trabalhando em prol de mudanças no design da comunidade que conectem caminhadas e a natureza, incluindo Rails to Trails Conservancy, Trust for Public Land e Active Living by Design. O objetivo do TPL é garantir que haja um parque ao alcance de todas as casas dos Estados Unidos. Active Living by Design, um programa nacional da Fundação Robert Wood Johnson e parte da Faculdade de Saúde Pública da Universidade da Carolina do Norte, em Chapel Hill, planeja abordagens para aumentar a atividade física por meio do design de comunidades e políticas públicas; um de seus componentes se concentra na natureza na cidade.

Também vemos a potencial convergência de diversas tendências e campanhas: novo urbanismo, crescimento inteligente, comunidades habitáveis, urbanismo verde e um movimento neoagrícola. Muitos desses grupos estão seguindo na mesma direção. São impulsionados por uma aversão à dependência do petróleo do Oriente Médio ou de qualquer combustível fóssil, junto com preocupações relacionadas ao aquecimento global e outras pressões ambientais; são atraídos por um anseio por alternativas às cidades onde moram hoje. Os indivíduos dessas organizações compartilham um conhecimento apurado de que o ambiente construído afeta diretamente nossa saúde física e emocional e uma tristeza profunda em relação à lacuna crescente entre a natureza e a vida cotidiana. Quando se concentram nos jovens, esses movimentos assumem um significado especial – e poder.

O conhecimento mais aprofundado também proporciona mais poder. A maior necessidade é de estudos experimentais controlados, de acordo com os pesquisadores Taylor e Kuo, da Universidade de Illinois. Essas pesquisas poderiam mostrar que a natureza não apenas promove um desenvolvimento infantil saudável, mas faz isso com mais eficácia do que os métodos usados no lugar da natureza. Apesar de ser caro, esse conhecimento teria enorme influência na luta para preservar e, em último caso, aumentar a disponibilidade de natureza para as crianças e para todos nós.

Mais motivos para ser otimista

Em West Virginia e Kentucky, onde o carvão ainda reina, máquinas niveladoras de montanhas estão abaixando os horizontes. A remoção do topo das montanhas e a mineração a céu aberto em vales decapitaram 1.300 quilômetros quadrados de montanhas, enterraram 800 quilômetros de cursos d'água e destruíram comunidades. As empresas de carvão afirmam que essa mineração é essencial para a economia local e nacional, mas muitos moradores de West Virginia e Kentucky discordam. A exploração de carvão às vezes deixa áreas expostas parecidas com a paisagem lunar. Os rejeitos, compostos de fragmentos de solo e rocha e produtos químicos usados na lavagem e no processamento do carvão, se misturam à chuva nessas cavas.

Em 11 de outubro de 2000, um reservatório perto de Inez, Kentucky, vazou, derramando 950 milhões de litros de resíduos e águas servidas (mais de vinte vezes a quantidade de petróleo perdida pelo *Exxon Valdez*, no pior vazamento de petróleo dos Estados Unidos), o que poluiu e matou toda a vida aquática em mais de 112 quilômetros de riachos de West Virginia e Kentucky. Minha amiga Janet Fout, uma das líderes da OVEC - Ohio Valley Environmental Coalition, está lutando contra a remoção de topos de montanhas. Ela tem esperanças no futuro do meio ambiente, devido a alguns sucessos recentes da OVEC e a evidências do aumento da preocupação – expressada por tantas pessoas neste livro – em relação à conexão das crianças com a natureza. Ela cita adultos conhecidos que "não têm medo de sujar os sapatos com um pouco de lama – novos membros do movimento de retorno ao campo que decidiram pisar com leveza em seu próprio pedaço de terra". Eles moram em áreas muito rurais e seus filhos estudam em casa. "As crianças aprendem sobre a teia da vida porque ela está relacionada com o seu próprio bem-estar. Não fazem uma caminhada ocasional nas florestas – é a vida deles. As crianças aprendem a valorizar e cuidar da terra pois sua vida depende dela, porque essa é a realidade delas."

Mais encorajador para Janet é o fato de a filha, como muitas outras pessoas de sua geração, também estar sendo exposta "de um jeito que nunca sonhei ser possível" à sociedade global. "Os jovens viajam para muito além das fronteiras deste país, e são expostos não apenas a diferentes culturas, mas também à percepção de que o estilo de vida opulento e cheio de desperdícios dos Estados Unidos causa destruição fora de nossas fronteiras. Essas experiências diretas, no nível de seu idealismo juvenil, sem dúvida vão gerar novos líderes, que não apenas lutarão para salvar mais de nosso mundo natural, mas que também defenderão mais justiça para todas as pessoas.

"Apesar de minha consciência social e ambiental ter sido alimentada por experiências no mundo natural e pela leitura de biografias de pessoas que fizeram a diferença, acredito que uma paixão por salvar a Terra e seu povo surgirá dessas experiências globais. Os jovens de todo o planeta estão se conectando mais e mais uns com os outros. Minha filha pode conversar diretamente com um jovem em Buenos Aires ou em Katmandu pela internet, sem intermediação. Ela pode obter a verdade diretamente dos interessados em questão de segundos. Então, eu tenho esperança."

Espero que Janet esteja certa, mas acredito que seu otimismo só se prove válido com um compromisso bem maior da sociedade para com o vínculo entre nossos jovens e o mundo natural – um compromisso que vai além do ambientalismo de hoje. Enquanto ela luta contra a remoção dos topos de morros em West Virginia, um tipo diferente de mineração a céu aberto acontece em meu quintal. Motoniveladoras gigantescas e barulhentas eliminam as curvas naturais da região; na verdade, essa é a mineração a céu aberto de San Diego. Em projetos de construção maiores, diversas escavadeiras costumam remover 70 mil metros cúbicos por dia. Se empilharmos essa terra, em metros cúbicos, o resultado seria uma torre de 82 quilômetros de altura – isso em um dia de trabalho, em um empreendimento. Esse esvaziamento da paisagem é a primeira etapa para a criação de uma nova área urbana em que *tudo* é nivelado e rebitado por mãos humanas. A menos que se escolha um caminho diferente, esses são os bairros em que gerações de crianças americanas crescerão.

Falar com universitários durante a pesquisa para este livro me deu esperança. Quando a questão do papel da natureza na saúde – física, mental e espiritual – era inserido na conversa, o tom mudava; o que muitas vezes começava como uma discussão intelectual fatalista sobre o buraco na camada de ozônio rapidamente se tornava pessoal. Alguns alunos me abordaram para dizer que nunca tinham pensado no destino do meio ambiente de maneira tão direta e personalizada. Sinto que esses jovens, que pertencem ao que poderia ser considerada a primeira geração desnaturalizada, anseiam por um propósito maior. Alguns deles me escreveram depois para descrever como a conversa com os colegas sobre crianças e natureza os comoveu. Mesmo dormente, a semente da natureza cresce com apenas um pouco de água.

Talvez, conforme os anos passem, esses jovens percebam seu propósito nessa causa e se dediquem a ela. Não apenas por questões ideológicas, mas porque veem a alegria potencial que eles e os filhos podem compartilhar um dia – como muitos de nós o fizemos – se agirmos com rapidez.

23. Enquanto durar

Parece que foi outro dia...
Os meninos são pequenos. Estamos hospedados num abrigo de montanha de três cômodos ao lado do rio Owens, na encosta leste das Sierras. Conseguimos escutar o vento de outubro descendo das montanhas. Jason e Matthew estão na cama, e eu leio para eles o romance juvenil de 1955, *Lion Hound*, de Jim Kjelgaard. Tenho esse livro desde a adolescência. Leio: "Quando Johnny Torrington acordou, ainda faltavam duas horas para o amanhecer do outono. Durante cinco minutos maravilhosos, ele se espreguiçou na cama quente, coberto até o queixo enquanto ouvia o vento soprar pela janela aberta do quarto. Apesar de o vento não estar mais frio do que ontem, agora parece ter uma qualidade que não estava lá." Meu filho mais novo, que usa óculos com lentes redondas grossas, arregala os olhos. Jason, o mais velho, esconde o rosto sob a coberta, onde certamente consegue ver o leão andando em círculos.
Na noite seguinte, depois que Matthew vai para a cidade com a mãe, Jason e eu caminhamos até o Owens para pescar com moscas e sem anzol. Enquanto pescamos, observamos uma garça-azul-grande se erguer sem esforço, e eu me lembro de outra garça se erguendo numa lagoa na floresta muito tempo atrás e sinto a mesma admiração daquela época. Observo meu filho levantar a linha de pesca num longo laço acima da cabeça. Sob os álamos, ele me diz com firmeza que quer amarrar o próprio líder. E eu entendo que é hora de colocar uma distância entre nós no rio.

Quando está tarde demais para enxergar dentro da água, andamos para casa no frio. Ouvimos um barulho nos arbustos e vemos sete veados nos observando. A cabeça e as longas orelhas deles formam uma silhueta contra o céu lavanda escuro. Ouvimos outros sons nos arbustos. Chegamos à estrada de cascalho, e um velho Oldsmobile surge atrás de nós. Um senhor idoso abre a janela e pergunta: – Querem uma carona ou estão perto?

– Estamos quase em casa – respondo.

Vemos a luz de nossa cabana. Matthew e a mãe estão nos esperando, e hoje à noite vou ler mais algumas páginas de *Lion Hound* antes de eles dormirem.

Jason hoje é um homem e mora sozinho. Matthew está na faculdade. Sinto orgulho e alívio por eles terem crescido bem e uma tristeza profunda porque a época de pai de crianças pequenas acabou, exceto na minha lembrança. E sou grato. O tempo que passei com meus filhos na natureza está entre minhas memórias mais significativas – e espero que esteja nas deles.

Temos uma oportunidade muito breve de transmitir às crianças nosso amor pela Terra e de contar nossas histórias. Esses são os momentos em que o mundo fica completo. Nas lembranças de meus filhos, as aventuras que vivemos juntos na natureza sempre existirão. Essas serão as histórias de tartaruga deles.

Notas

1. Dádivas da natureza

1 SNYDER, Gary. *The Practice of the Wild.* Washington DC: Shoemaker & Hoard, 2004, p.8. (p.30)

2. A terceira fronteira

1 BEARD, Daniel C. *Shelters, Shacks and Shanties.* Berkeley, CA: Ten Speed Press, 1992, p.XV. (p.37)

2 TURNER, Frederick Jackson. "The Problem of the West". *Atlantic Monthly*, setembro de 1896. (p.38)

3 VOBEJDA, Barbara. "Agriculture No Longer Counts". *Washington Post*, 9 de outubro de 1993. (p.40)

4 LOUV, Richard. *The Web of Life: Weaving the Values That Sustain Us.* York Beach, ME: Conari Press, 1996, p.57. (p.42)

5 GRAY, Patricia M.; KRAUSE, Bernie; ATEMA, Jelle; PAYNE, Roger; KRUMHANSL, Carol e BAPTISTA, Luis. "The Music of Nature and The Nature of Music". *Science* (5 de janeiro de 2001), p.52. (p.45)

6 DAVIS, Mike. *Ecologia do Medo: Los Angeles e a fabricação de um desastre.* São Paulo: Record, 2001. (p.46)

7 BEATLEY, Timothy. *Green Urbanism: Learning from European Cities.* Whashington, DC: Island Press, 2000. (p.47)

3. A criminalização do brincar na natureza

1 "Natural Resources Inventory Report", U.S. Department of Agriculture, 2002. (p.52)

2 MOORE, Robin C. "The Need for Nature: A Childhood Right". *Social Justice* 24, n.3 (outono de 1997): p.203. (p.55)

3 SEBBA, Rachel. "The Landscapes of Childhood: The Reflection of Childhood's Environment in Adult Memories and in Children's Attitudes" *E&E* 23, n.4 (julho de 1991): pp.395-422. (p.55)

4 KARSTEN, L. "It All Used to Be Better?: Different Generations on Continuity and Change in Urban Children's Daily Use of Space". *Children's Geographies* 3, n.3 (2005): pp.275-290. (p.55)

5 VERBOOM, J.; VAN KRALINGEN, R. e MEIER, U. *Teenagers and Biodiversity – Worlds Apart?: An essay on young people's views on nature and the role it will play in their future.* Wageningen, Netherlands: Alterra, 2004. (p.55)

6 CLEMENTS, R. "An Investigation of the State of Outdoor Play,". *Contemporary Issues in Early Childhood* 5, n.1 (2004): pp.68-80. (p.56)

7 HOFFERTH, S. L. e SANDBERG, J. F. "How American Children Spend Their Time," *Journal of Marriage and Family* 63, n.3, (2001): pp.295-308. (p.56)

8 WAREGAY, Berthe. "Ethiopia: 'No Child Left Inside'". *Daily Monitor*, 28 de março de 2007. (p.57)

9 REILLY, J.; JACKSON, D.; MONTGOMERY, C.; KELLY, L.; SLATER, C.; GRANT, S. e PATON, J. "Total Energy Expenditure and Physical Activity in Young Scottish Children: Mixed Longitudinal Study". *Lancet* 363, n.9404: pp.211-212. (p.57)

4. Escalando a árvore da saúde

1 WILSON, Edward O. *Biophilia.* Cambridge, MA: Harvard University Press, 1984. (p.65)

2 ROSZAK, Theodore. *Psychology Today*, (janeiro/fevereiro de 1996). (p.66)

3 KOCIAN, Lisa. "Exploring the Link Between Mind, Nature,". *Boston Globe*, 30 de maio de 2002. (p.66)

4 KAHN, Jr. Peter H. *The Human Relationship with Nature.* Cambridge, MA: MIT Press, 1999, p.15; citando KATCHER, Aaron; FREIDMANN, Erika; BECK, Alan M. e LYNCH, James J. "Looking, Talking, and Blood Pressure: The Physiological Consequences of Interaction with the Living Environment" em KATCHER, Aaron e BECK, A. eds., *New Perspectives on Our Lives with Companion Animals.* Philadelphia: University of Philadelphia Press, 1983. (p.67)

5 KAHN, Jr., Peter H. *The Human Relationship with Nature.* Cambridge, MA: MIT Press, 1999, 16; citando BECK, Alan M. e KATCHER, Aaron. B*etween Pets and People: The Importance of Animal Companionship.* West Lafayette, em: Purdue University Press, 1996. (p.67)

6 FRUMKIN, Howard. "Beyond Toxicity: Human Health and the Natural Environment". *American Journal of Preventive Medicine* (abril de 2001): pp.234-240. (p.68)

7 ULRICH, Roger S. "Human Experiences with Architecture". *Science*, abril de 1984. (p.68)

8 ORIANS, Gordon e HEERWAGEN, Judith. "Evolved Responses to Landscapes" em BARKOW, Jerome; COSMIDES, Leda; e TOOBY, John, eds., *The Adapted Mind: Evolutionary Psychology and the Generation of Culture.* Oxford: Oxford University Press, 1992, v.7, n.1: pp.555-579. (p.68)

9 ZIMMERMAN, Frederick J.; CHRISTAKIS, Dimitri A. e MELTZOFF, Andrew N. "Television and DVD/Video Viewing in Children Younger Than 2 Years". *Archives of Pediatrics and Adolescent Medicine* 161, n.5, maio de 2007. (p.68)

10 MUNTNER, Paul; HE, Jiang; CUTLER, Jeffrey A.; WILDMAN, Rachel P. e WHELTON, Paul K. "Trends in Blood Pressure among Children and Adolescents". *JAMA* 291, n.17 (maio de 2004): pp.2107-2113. (p.69)

11 "Obesity and Overweight" *World Health Organization*, Fact Sheet n.311, setembro de 2006. (p.69)

12 BURDETTE, H. L. e WHITAKER, R. C. "Resurrecting Free Play in Young Children: Looking Beyond Fitness and Fatness to Attention, Affiliation and Affect,". *Archives of Pediatrics and Adolescent Medicine* 159, n.1 (2005): pp.46-50. (p.70)

KLESGES, R. C.; ECK, L. H.; HANSON, C. L.; HADDOCK, C. K. e KLESGES. L. M. "Effects of Obesity, Social Interactions, and Physical Environment on Physical Activity in Preschoolers". *Health Psychology* 9, n.4 (1990): pp.435-449. (p.70)

BARANOWSKI, T.; THOMPSON, W. O.; DURANT, R. H.; BARANOWSKI, J. e PUHL, J. "Observations on Physical Activity in Physical Locations: Age, Gender, Ethnicity, and Month Effects". *Research Quarterly for Exercise and Sport* 64, n.2 (1993): pp.127-133. (p.70)

SALLIS, J. F.; NADER, P. R.; BROYLE, S. L.; BERRY C. C.; ELDER J. P.; MCKENZIE T. L. e NELSON, J. A. "Correlates of Physical Activity at Home in Mexican-American and Anglo--American Preschool Children". *Health Psychology* 12, n.5 (1993): pp.390-398. (p.70)

13 FJORTOFT, I. "The Natural Environment as a Playground for Children". *Early Childhood Education Journal* 29. n.3 (2001): pp.111-117. (p.70)

GRAHN, P.; MARTENSSON, F.; LINDBLAD B.; NILSSON P. e EKMAN, A. *Ute pa Dagis*. Stad & Land 145. Hassleholm, Suécia: Nora Skane Offset, 1997. (p.70)

14 PRETTY, J.; PEACOCK, J.; SELLENS M. e GRIFFIN, M. "The Mental and Physical Health Outcomes of Green Exercise". *International Journal of Environmental Health Research* 15, n.5 (2005): pp.319-337. (p.71)

BODIN, M. e HARTIG, T. "Does the Outdoor Environment Matter for Psychological Restoration Gained through Running?". *Psychology of Sport and Exercise* 4, n.2 (abril de 2003): pp.141-153. (p.71)

15 DELATE, Thomas; GELENBERG, Alan J.; SIMMONS, Valarie A. e MOTHERAL, Brenda R. "Trends in the Use of Anitidepressants in a National Sample of Commercially Insured Pediatric Patients, 1998 to 2002". *Psychiatric Services* 55 (abril de 2004): pp.387-391. (p.71)

16 JOHNSON, Linda A. "Behavior Drugs Top Kids' Prescriptions". *Associated Press*, 17 de maio de 2004. (p.72)

17 KAHN, Jr., Peter H. *The Human Relationship with Nature*. Cambridge, MA: MIT Press, 1999, 13; citando ULRICH, R. S. "Biophilia, Biophobia, and Natural Landscapes," em KELLERT, S. R. e WILSON, E. O., eds., *The Biophilia Hypothesis*. Washington, D.C.: Island Press, 1993, pp.73-137. (p.72)

18 WELLS, Nancy e EVANS, Gary. "Nearby Nature: A Buffer of Life Stress among Rural Children". *Environment and Behavior* 35 (2003): pp.311-330. (p.72)

19 HUTTENMOSER, M. "Children and Their Living Surroundings: Empirical Investigations into the Significance of Living Surrounds for the Everyday Life and Development of Children". *Children's Environments Quarterly* 12 (1995): pp.403-413. (p.73)

20 KORPELA, K. "Adolescents' Favorite Places and Environmental Self-regulation". *Journal of Environmental Psychology* 12 (1992): pp.249-258. (p.73)

21 De uma entrevista na publicação on-line *The Massachusetts Psychologist* (p.75)

5. Uma vida de sentidos: a natureza *versus* a mentalidade sabe-tudo

1 HILLERMAN, Tony, ed., *The Spell of New Mexico*. Albuquerque, NM: University of New Mexico Press, 1976, pp. 29-30; citando *Phoenix: The Posthumous Papers of D. H. Lawrence*, ed. Edward D. McDonald. Nova York: Viking, 1978. (p.81)

2 BEARDSLEY, John. "Kiss Nature Goodbye". *Harvard Design Magazine* 10 (inverno/primavera de 2000). (p.83)

3 RICHTEL, Matt. "Nature, Brought to You by ... ". *New York Times*, 11 de agosto de 2002. (p.84)

4 MOORE, Robin C. "The Need for Nature: A Childhood Right". *Social Justice* 24, n.3 (outono de 1997): p.203. (p.87)

5 KRAUT, Robert; LUNDMARK, Vicki; PATTERSON, Michael; KIESLER, Sara; MUKOPADHYAY, Tridas e SCHERLIS, William. "Internet Paradox: A Social Technology That Reduces Social Involvement and Psychological Well-Being?". *American Psychologist* 53, n.9 (setembro de 1998): pp.1017-1031. (p.88)

6. A "oitava inteligência"

1 BRANDS, H. W. *The First American: The Life and Times of Benjamin Franklin*. Nova York: Doubleday, 2000, p.17. (p.93)

2 DURIE, Ronnie. "An Interview with Howard Gardner". *Mindshift Connection*. Saint Paul, MN: Zephyr Press, 1996. (p.94)

3 GARDNER, Howard. "Multiple Intelligences after Twenty Years" (trabalho apresentado no American Educational Research Association, Chicago, Illinois, em abril de 2003). © Howard Gardner: Harvard Graduate School of Education, Cambridge, MA. (p.94)

4 PYLE, Robert Michael. *The Thunder Tree: Lessons from an Urban Wildland*. Nova York: Houghton Mifflin, 1993, p.147. (p.99)

5 BRANDS. *The First American*, p.18. (p.104)

7. A genialidade da infância: como a natureza nutre a criatividade

1 BERENSON, Bernard. *Sketch for a Self-Portrait*. Toronto: Pantheon Books, 1949, p.18. (p.107)

2 MOORE, Robin C. e WONG, Herb H. *Natural Learning: Creating Environments for Rediscovering Nature's Way of Teaching*. Berkeley, CA: MIG Communications, 1997. (p.108)

3 NICHOLSON, Simon. "The Theory of Loose Parts". *Landscape Architecture* 62, n.1 (1971): pp.30-34. (p.108)

4 NICHOLSON, Simon. "How Not to Cheat Children: The Theory of Loose Parts". *Landscape Architecture* 62, n.1 (1971): pp.30-34. (p.108)

5 "Outdoor Kindergartens Are Better at Stimulating Children's Creativity Than Indoor Schools". *Copenhagen Post*, 10 de outubro de 2006. (p.109)

6 Entre os estudos sobre o brincar criativo mencionados:

   KIRKBY, Mary Ann. "Nature as Refuge in Children's Environments". *Children's Environments Quarterly* 6, n.1 (1989): pp.7-12. (p.109)

   GRAHN, Patrik; MARTENSSON, Fredrika; LINDBLAD, Bodil; NILSSON, Paula e EKMAN, Anna *Ute pa Dagis*. Stad & Land 145 (Outdoor daycare. City and country), Hassleholm, Sweden: Norra Skane Offset, 1997. (p.109)

   MALONE, Karen e TRANTER, Paul J. "School Grounds as Sites for Learning: Making the Most of Environmental Opportunities". *Environmental Education Research* 9, n.3 (2003): pp.283-303. (p.109)

   TAYLOR, Andrea Faber; WILEY, Angela; KUO, Frances e SULLIVAN, William. "Growing Up in the Inner City: Green Spaces as Places to Grow". *Environment and Behavior* 30, n.1 (1998): pp.3-27. (p.109)

   HERRINGTON, Susan e STUDTMANN, Kenneth. "Landscape Interventions: New Directions for the Design of Children's Outdoor Play Environments". *Landscape and Urban Planning* 42, n.2-4 (1998): pp.191-205. (p.109)

7 TAYLOR, Andrea Faber e KUO, Frances E. "Is Contact with Nature Important for Healthy Child Development? State of the Evidence" em *Children and Their Environments: Learning, Using, and Designing Spaces*, ed. SPENCER, Christopher and BLADES, Mark. Cambridge, UK: Cambridge University Press, 2006. (p.109)

8 McALEER, Neil. *Arthur C. Clarke: The Authorized Biography*. Chicago: Contemporary Books, 1992, pp.4, 10. (p.110)

9 BALDWIN, Neil. *Edison: Inventing the Century*. 1995; reimpressão, Chicago: University of Chicago Press, 2001, pp.18-19. (p.111)

10 LASH, Joseph P. *Eleanor e Franklin*. Nova York: Signet Press, 1971, pp.64, 66. (p.112)

11 LANE, Margaret. *The Tale of Beatrix Potter: A Biography*. Londres: Penguin Books, 2001. (p.112)

12 COBB, Edith. *The Ecology of Imagination in Childhood.* Nova York: Columbia University Press, 1977. (p.114)

13 CHAWLA, Louise. "Ecstatic Places,". *Children's Environments Quarterly* 3, n.4 (inverno de 1986); e CHAWLA, Louise. "Life Paths into Effective Environmental Action". *Journal of Environmental Education* 31, n.1 (1990): pp.15-26. (p.115)

14 THEROUX, Phyllis. *California and Other States of Grace: A Memoir.* Nova York: William Morrow, 1980, p.55. (p.116)

8. Transtorno do deficit de natureza e o ambiente restaurador

1 National PTA, "Recess Is at Risk, New Campaign Comes to the Rescue. (p.119)

RUSHIN, Steve. "Give the Kids a Break". *Sports Illustrated,* 4 de dezembro de 2006.

American Heart Association and the National Association for Sport and Physical Education, "2006 Shape of the Nation Report: Status of Physical Education in the USA". (p.119)

MUNTNER, Paul; HE, Jiang; CUTLER, Jeffrey A.; WILDMAN, Rachel P. e WHELTON, Paul K. "Trends in Blood Pressure among Children and Adolescents". *JAMA.* 291, n.17 (maio de 2004): pp.2107-2113. (p.119)

2 JOHNSON, Linda A. "Behavior Drugs Top Kids' Prescriptions". *Associated Press,* 17 de maio de 2004. (p.121)

3 "Methylphenidate (A Background Paper)". Outubro de 1995, Drug and Chemical Evaluation Section, Office of Diversion Control, Drug Enforcement Administration. (p.121)

4 HEALEY, J. M. "Early Television Exposure and Subsequent Attention Problems in Children". *Pediatrics* 113, n.4 (1 de abril de 2004): pp.917-918. (p.122)

5 CLAY, Rebecca A. "Green Is Good for You". *Monitor on Psychology* 32, n.4, abril de 2001. (p.124)

6 KAPLAN, Rachel; KAPLAN, Stephen e RYAN, Robert L. "With People in Mind: Design and Management for Everyday Nature". Washington, D.C.: Island Press, 1998. (p.124)

7 CLAY, "Green Is Good for You". (p.125)

8 WELLS, N. M. e EVANS, G. W. "Nearby Nature: A Buffer of Life Stress among Rural Children". *Environment and Behavior* 35, n.3 (2003): pp.311-330. Este estudo não está disponível gratuitamente on-line. (p.125)

9 GRAHN, Patrik; MARTENSSON, Fredrika; LINDBLAD, Bodil; NILSSON, Paula e EKMAN, Anna *Ute pa Dagis.* Stad & Land n.145 (Outdoor daycare. City and country), Hassleholm, Sweden: Norra Skane Offset, 1997. (p.125)

10 KUO, Frances E. e TAYLOR, Andrea Faber. "A Potential Natural Treatment for Attention--Deficit/Hyperactivity Disorder: Evidence from a National Study," *American Journal*

of Public Health 94, n.9 (setembro de 2004). © American Public Health Association. O estudo e a apresentação em PPT estão disponíveis no site da Universidade de Illinois Urbana-Champaign. (p.125)

11 TAYLOR, Andrea Faber; KUO, Frances E. e SULLIVAN, William C. "Coping with ADD: The Surprising Connection to Green Play Settings". *Environment and Behavior* 33, n.1 (janeiro de 2001): pp.54-77. (p.126)

12 TAYLOR, Andrea Faber; KUO, Frances E. e SULLIVAN, William C. "Views of Nature and Self-Discipline: Evidence from Inner City Children". *Journal of Environmental Psychology* (fevereiro de 2002): pp.46-63. (p.126)

13 TAYLOR, Andrea Faber; KUO, Frances E. e SULLIVAN, William C. "Coping with ADD: The Surprising Connection to Green Play Settings". *Environment and Behavior* 33, n.1 (janeiro de 2001): pp.54-77. (p.127)

14 ELLIOTT, Victoria Stagg. "Think Beyond Drug Therapy for Treating ADHD". *AMA News*, 19 de abril de 2004. (p.128)

15 TAYLOR, Andrea Faber e KUO, Frances. De um trabalho prévio à publicação, usado com permissão dos autores. (p.129)

9. Tempo e medo

1 LOUV, Richard. *Childhood's Future*. Boston: Houghton Mifflin, 1990, p.109. (p.136)

2 SHERER, Paul M. "Why America Needs More City Parks and Open Space". San Francisco: Trust for Public Land, 2003. (p.136)

3 EVANS, J. "Where Have All the Players Gone?". *International Play Journal* 3, n.1 (1995): pp.3-19. (p.136)

4 The U.S. Youth Soccer Association, Richardson, Texas. (p.137)

5 LOUV, Richard. *Childhood's Future*. Boston: Houghton Mifflin, 1990, p.109. (p.138)

6 HOFFERTH, Sandra L. e SANDBERG, John F. "Changes in American Children's Time, 1981-1997" em *Children at the Millennium: Where Have We Come From, Where Are We Going?*, ed. OWENS, Timothy J. e HOFFERTH, Sandra L.. Nova York: JAI Press, 2001. HOFFERTH, Sandra L. e CURTIN, Sally. "Changes in Children's Time, 1997 to 2002/3: An Update". (2006). (p.138)

7 BROOKS, David. "The Organization Kid". *Atlantic Monthly*, abril de 2001, p.40. (p.139)

8 RIDEOUT, Victoria e HAMMEL, Elizabeth. *The Media Family: Electronic Media in the Lives of Infants, Toddlers, Preschoolers, and Their Parents*. Menlo Park, CA: Henry J. Kaiser Family Foundation, 2006. ROBERTS, Donald F.; FOEHR, Ulla G.; RIDEOUT, Victoria. *Generation M: Media in the Lives of 8–18 Year-Olds*. Menlo Park, CA: Henry J. Kaiser Family Foundation, 2005. (p.139)

9 NIE, Norman e ERBRING, Lutz. "Stanford Online Report". Stanford Institute for the Quantitative Study of Society, 16 de fevereiro de 2000. (p.139)

10 DONG, Linda; BLOCK, Gladys e MANDEL, Shelly. "Activities Contributing to Total Energy Expenditure in the United States: Results from the NHAPS Study". International Journal of Behavioral Nutrition and Physical Activity 1, n.4 (2004). (p.139)

11 ZUKEWICH, Nancy. "Work, Parenthood and the Experience of Time Scarcity". Statistics Canada-Housing, Family and Social Statistics Division, n.1, 1998. (p.140)

12 GINSBURG, Kenneth R. e Committee on Communications e Committee on Psychosocial Aspects of Child and Family Health. "The Importance of Play in Promoting Healthy Child Development and Maintaining Strong Parent-Child Bonds". *Pediatrics* 119 (2007): pp.182-191. (p.140)

10. O retorno da síndrome do bicho-papão

1 FETTO, John. "Separation Anxiety". *American Demographics* 24, n.11 (1 de dezembro de 2002). (p.143)

2 KARSTEN, L. "It All Used to Be Better? Different Generations on Continuity and Change in Urban Children's Daily Use of Space". *Children's Geographies* 3, n.3 (2005): pp.275--290. (p.143)

3 HILLMAN, Mayer e ADAMS, John G. U. "Children's Freedom and Safety". Children's Environments 9, n.2 (1992). Ver também: HILLMAN, Mayer, ADAMS, John e WHITELEGG, J. *One False Move: A Study of Children's Independent Mobility.* Londres: Policy Studies Institute, 1990. (p.144)

4 KELLERT, Stephen R. *Building for Life.* Washington, D.C.: Island Press, 2005, p.69. (p.144)

5 Três citações: LOUV, Richard. *Childhood's Future.* Boston: Houghton Mifflin, 1990, p.26. (p.145)

6 LAND, Kenneth C. "2007 Report: Child and Youth Well-Being Index (CWI), 1975–2005, with Projections for 2006". Durham, NC: Foundation for Child Development, Duke University, 2007. (p.147)

7 New York State Division of Criminal Justice Services, "Missing and Exploited Children Clearinghouse Annual Report 2006". Albany, NY: New York State Division of Criminal Justice Services, 2006, p.5. (p.147)

8 DAVIS, Sandra G.; CORBITT, Amy M.; EVERTON, Virginia M.; GRANO, Catherine A.; KIEFNER, Pamela A.; WILSON, Angela S. e GRAY, Mark. "Are Ball Pits the Playground for Potentially Harmful Bacteria?" *Pediatric Nursing* 25, n.2 (1 de março de 1999): p.151. (p.151)

9 DAVIS, Ronald e PLESS, Barry. "BMJ Bans 'Accidents': Accidents Are Not Unpredictable". *British Medical Journal* 322 (2001): pp.1320-1321. (p.152)

11. Não saber muito sobre história natural: a educação como barreira para a natureza

1 SOBEL, David. *Beyond Ecophobia: Reclaiming The Heart In Nature Education*. Orion Society Nature Literacy Series, v.1. Great Barrington, Ma: Orion Society, 1996. (p.154)

2 CORDES, Colleen e MILLER, Edward. eds., "Fools Gold: A Critical Look at Children and Computers". (relatório publicado na web pela Alliance for Childhood, 2001). (p.157)

3 SYMOND, William. "Wired Schools". *Businessweek*, 25 de setembro de 2000. (p.158)

4 LOUV, Richard. *The Web of Life: Weaving The Values That Sustain Us*. Berkeley, CA: Conari Press, 1996, p.137. (p.159)

5 DRAYTON, Paul K. "The Importance Of The Natural Sciences To Conservation". Trabalho da American Society Of Naturalists Symposium. *The American Naturalist* (27 de junho de 2003): pp.1-13. (p.163)

12. De onde virão os futuros guardiões da natureza?

1 ROSZAK, Theodore numa entrevista a *Adbusters*. Roszak é o autor de *The Voice of the Earth: An Exploration of Ecopsychology*. Nova York: Simon & Schuster, 1993. (p.166)

2 PERGAMS, Oliver R. W. e ZARADIC, Patricia A. "Is Love of Nature in the US Becoming Love of Electronic Media?". *Journal of Environmental Management* 80, n.4. (setembro de 2006): pp.387-393. (p.167)

3 REYNOLDS, Christopher "Without Foreign Workers, U.S. Parks Struggle". *Los Angeles Times*, 27 de maio de 2007, p.1. (p.168)

4 TANNER, Thomas ed., "Special issue on significant life experiences research". *Environmental Education Research* 4, n.4 (novembro de 1998). Ver também: TANNER, Thomas ed., "Special section on significant life experiences research". *Environmental Education Research* 5, n.4 (novembro de 1999). (p.169)

5 WELLS, Nancy M. e LEKIES, Kristi S. "Nature and the Life Course: Pathways from Childhood Nature Experiences to Adult Environmentalism,". *Children, Youth and Environments* 16, n.1 (2006): pp.1-24. (p.169)

6 CHAWLA, Louise. "Learning to Love the Natural World Enough to Protect It". *Barn*, n.2 (2006): 57-78. *Barn* é uma publicação trimestral do Norwegian Centre for Child Research na Norwegian University of Science and Technology, Trondheim, Noruega. (p.170)

7 WILSON, E. O. *Naturalist*. Nova York: Warner Books, 1994, p.56. (p.170)

8 MORRIS, Edmund. *The Rise of Theodore Roosevelt*. Nova York: Putnam, 1979, p.19. (p.171)

9 STEGNER, Wallace. "Personality, Play, and a Sense of Place". *Amicus Journal* (renomeado *On Earth*), 1997. (p.171)

13. Levando a natureza para casa

1. KRAMER, Kathryn. "Writers on Writing". *New York Times*, 30 de dezembro de 2002. (p.185)

2. SPACKS, Patricia Meyer. *Boredom: The Literary History of a State of Mind.* Chicago: University of Chicago Press, 1995. (p.186)

3. CHURCHMAN, Deborah. "How to Turn Kids Green; Reinstilling the Love for Nature Among Children". *American Forests* 98, n.9-10 (setembro de 1992): p.28. (p.190)

4. PYLE, Robert Michael. *The Thunder Tree: Lessons from an Urban Wildland.* Nova York: Houghton Mifflin, 1993, XV, XVI. (p.190)

5. CHURCHMAN, "How to Turn Kids Green", p.28. (p.191)

6. LOVEJOY, Sharon. *Sunflower Houses: Inspiration from the Garden – A Book for Children and Their Grown-Ups.* Nova York: Workman, 2001. (p.192)

7. LOUV, Richard. *Childhood's Future.* Boston: Houghton Mifflin, 1990, pp.40-41. (p.193)

14. A inteligência do medo: enfrentando o bicho-papão

1. SHERER, Paul M. "The Benefits of Parks: Why America Needs More City Parks and Open Space". San Francisco: Trust for Public Land, 2003. (p.196)

2. Citado em LOUV, Richard. *Childhood's Future.* Boston: Houghton Mifflin, 1990, p.39. (p.201)

15. Histórias de tartaruga: usando a natureza como professora moral

1. De um artigo da Responsive Management, empresa de pesquisas de opinião pública e atitude especializada em questões de recursos naturais e recreação ao ar livre. (p.212)

2. KELLEY, Tina. "A Sight for Sensitive Ears: A New Generation of Audio Technology Is Opening Up the Wonders of Birding to the Visually Impaired – and the Sighted, Too". *Audubon* 104 (janeiro/fevereiro de 2002): pp.76-81. (p.213)

3. BATT, Linda. "All Hail Our Fair Feathered Friends: A Backyard Birdfeeder Makes Science Fun!". *Mothering*, janeiro/fevereiro de 2000, p.58. (p.213)

4. LOUV, Richard. *Fly-Fishing for Sharks.* Nova York: Simon & Schuster, 2000, p.220. (p.214)

5. CHORICE, Linda. "Nature Journaling – the Art of Seeing Nature". *Missouri Conservationist*, julho de 1997. (p.214)

6. Citado em LOUV, Richard. *Fly-Fishing for Sharks.* Nova York: Simon & Schuster, 2000, p.466. (p.215)

16. Reforma pela escola natural

1. HATTIE, John A.; MARSH, Herbert W.; NEILL, James T. e RICHARDS, Garry E. "Adventure Education and Outward Bound: Out-of-Class Experiences That Make a Lasting Difference". *Review of Educational Research* (1997): pp.43-87. (p.219)

2. ALVAREZ, Lezette. "Suutarila Journal: Educators Flocking to Finland, Land of Literate Children". *New York Times*, 9 de abril de 2004. (p.220)

3. LIEBERMAN, Gerald A. e HOODY, Linda L. "Closing the Achievement Gap: Using the Environment as an Integrating Context for Learning". San Diego: State Education and Environment Roundtable [SEER], 1998. "California Student Assessment Project, Phase One: The Effects of Environment-Based Education on Student Achievement". (SEER, 2000). "California Student Assessment Project, Phase Two". (SEER, 2005). (p.222)

4. SOBEL, David. *Place-Based Education: Connecting Classrooms and Communities.* Great Barrington, MA: The Orion Society and the Myrin Institute, 2004. (p.223)

5. "Effects of Outdoor Education Programs for Children in California". Palo Alto, CA: American Institutes for Research, 2005. (p.224)

6. NIXON, Will. "Letting Nature Shape Childhood". *Amicus Journal.* National Resources Defense Council, distributed by The Los Angeles Times Syndicate, 24 de dezembro de 1997. (p.226)

7. LOUV, Richard. *The Web of Life: Weaving the Values That Sustain Us.* Berkeley, CA: Conari Press, 1996, p.148. (p.228)

8. LOUV, Richard. *Fly-Fishing for Sharks.* Nova York: Simon & Schuster, 2000, p.393. (p.229)

9. RIVKIN, Mary. "The Schoolyard Habitat Movement: What It Is and Why Children Need It". *Early Childhood Education Journal* 25, n.1 (1997). (p.234)

10. DYMENT, Janet E. *Gaining Ground: The Power and Potential of School Ground Greening in the Torono District School Board.* Toronto: Evergreen, 2005. (p.235)

11. BELL, Anne C. e DYMENT, Janet E. *Grounds for Action: Promoting Physical Activity through School Ground Greening in Canada.* Toronto: Evergreen, 2006. (p.235)

12. JOLLY, Linda; KROGH, Erling; NERGAARD, Tone; PAROW, Kristina; VERSTAD, Berit e TRONDELAG, Nord. "The Farm as a Pedagogical Resource". Ensaio enviado para o Sixth European Symposium on Farming and Rural Systems Research and Extension, Vila Real, Portugal, 3-8 de abril de 2004. (p.236)

13. ORR, David. *Earth in Mind: On Education, Environment, and the Human Prospect.* Washington, DC: Island Press, 1994. (p.238)

14. ORR, David. "What Is Education For? Six Myths about the Foundations of Modern Education, and Six New Principles to Replace Them". *Context: A Quarterly of Human Sustainable Culture*, Context Institute (inverno de 1991): p.52. (p.238)

15 DAYTON, Paul K. e SALA, Enric. "Natural History: The Sense of Wonder, Creativity, and Progress in Ecology". *Scientia Marina* (2001): pp.196-206. (p.240)

17. O renascimento dos acampamentos

1 TAYLOR, Andrea Faber e KUO, Frances E. Extraído de um ensaio não publicado, usado com permissão dos autores. (p.243)

2 HATTIE, John A.; MARSH, Herbert W.; NEILL, James T. e RICHARDS, Garry E. "Adventure Education and Outward Bound: Out-of-Class Experiences That Make a Lasting Difference". *Review of Educational Research* (1997): pp.43-87. (p.243)

3 KELLERT, Stephen R. e DERR, Victoria. "A National Study of Outdoor Wilderness Experience". New Haven: Yale University, 1998. Ver também: HATTIE, John A.; MARSH, Herbert W.; NEILL, James T. e RICHARDS, Garry E. "Adventure Education and Outward Bound: Out-of-Class Experiences That Make a Lasting Difference". *Review of Educational Research* 67, n.1 (1997): pp.43-87. (p.244)

4 McAVOY, Leo. "Outdoors for Everyone: Opportunities That Include People with Disabilities". *Parks and Recreation, National Recreation and Park Association* 36, n.8 (2001): p.24. (p.244)

5 EWERT, Alan e McAVOY, Leo. "The Effects of Wilderness Settings on Organized Groups". *Therapeutic Recreation Journal* 22, n.1 (1987): pp.53-69. (p.245)

6 HARRELL, Debera Carlton. "Away from the Tube and into Nature, Children Find a New World". *Seattle Post-Intelligencer*, 5 de abril de 2002. (p.245)

18. A educação do juiz Thatcher...

1 HOWARD, Philip K. *The Death of Common Sense: How Law is Suffocating America*. Nova York: Warner Books, 1996. (p.253)

2 KAHN, Chris. "Is Pursuit of Safety Taking 'Play' Out of Playground?". *South Florida Sun-Sentinel* (Fort Lauderdale), 18 de julho de 2005, 1A. (p.255)

19. Cidades selvagens

1 BEARDSLEY, John. "Kiss Nature Goodbye, Marketing the Great Outdoors". Harvard Design Magazine, n.10, inverno/primavera 2000. (p.261)

2 BALZAR, John. "True Nature: Author Jennifer Price Hopes City-Dwellers Will Learn to See, to Love and to Nurture What's Wild and Wonderful in Their Midst". *Los Angeles Times*, 31 de maio de 2003. (p.262)

3 BREEDLOVE, Ben. Entrevista on-line, "E Design Online interview". 24 de setembro de 1996. (p.263)

4 GULLO, Andrea L.; LASSITER, Unna I. e WOLCH, Jennifer. "The Cougar's Tale", *Animal Geographies: Place, Politics, and Identity in the Nature-Culture Borderlands*. WOLCH, Jennifer e EMEL, Jody (eds.). Londres, Nova York: Verso Books, 1998. (p.263)

5 BEATLEY, Timothy. *Green Urbanism: Learning from European Cities*. Washington, D.C.: Island Press, 2000, p.212. (p.265)

6 WILL, George F. "The Greening of Chicago". *Newsweek*, 4 de agosto de 2003, p.64. (p.273)

7 SEEGER, Nancy. "Greening Chicago". *Planning* 68, n.1, 1 de janeiro de 2002, p.25. (p.273)

8 MOORE, Robin C. "The Need for Nature: A Childhood Right". *Social Justice 24*, n.3, outono de 1997, p.203. (p.274)

9 HONACHEFSKY, William B. *Ecologically Based Municipal Land Use Planning*. Boca Raton, FL: Lewis Publishers, CRC Press, 1999. (p.277)

10 JACKSON, Richard J. e KOCHTITZKY, Chris. "Creating a Healthy Environment: The Impact of the Built Environment on Public Health". Sprawl Watch Clearinghouse Monograph Series. Washington, D.C.: Sprawl Watch Clearinghouse, 2001. (p.278)

11 SNYDER, Mike. "Sprawl Damages Our Health, CDC Says". *Houston Chronicle*, 9 de novembro de 2001, seção A-45. (p.278)

20. Onde estará o mundo selvagem: um novo movimento de retorno ao campo

1 JOHNSON, Dirk. "The Great Plains: Plains, While Still Bleak, Offer a Chance to the Few". *The New York Times*, 12 de dezembro de 1993, seção1, p.1. (p.286)

2 ORR, David. *Earth in Mind: On Education, Environment, and the Human Prospect*. Washington, D.C.: Island Press, 1994. (p.289)

3 MITCHELL, John G. "Change of Heartland". *National Geographic*, maio de 2004. (p.293)

4 CIVITAS, Vancouver, B.C. (p.297)

21. A necessidade espiritual de natureza para os jovens

1 HOFFMAN, Edward. *Visions of Innocence: Spiritual and Inspirational Experiences of Childhood*. Boston: Shambhala, 1992. (p.303)

2 BERGER, John. *About Looking*. Nova York: Pantheon Books, 1980, p.20. (p.306)

3 SCHUELLER, Gretel H. "Scientists, Religious Groups Come to the Aid of Nature", *Environmental News Network, Knight Ridder/Tribune Business News*, 3 de setembro de 2001. (p.312)

4 KEMPTON, Willett; BOSTER, James S. e HARTLEY, Jennifer A. *Environmental Values in American Culture*. Cambridge, MA: MIT Press, 1997. (p.312)

Sugestões de leitura

BARTHOLOMEW, Mel. *Square Foot Gardening*. Emmaus, PA: Rodale Press, 1981.

BEATLEY, Timothy. *Green Urbanism: Learning from European Cities*. Washington, D.C.: Island Press, 2000.

BERRY, Thomas. *The Dream of the Earth*. San Francisco: Sierra Club Books, 1988.

BICE, Barbara, et al. *Conserving and Enhancing the Natural Environment: A Guide for Planning, Design, Construction, and Maintenance on New and Existing School Sites*. Baltimore: Maryland State Dept. of Education, 1999.

BLAKEY, Nancy. *Go Outside: Over 130 Activities for Outdoor Adventures*. Berkeley, CA: Tricycle Press, 2002.

BRETT, A., e MOORE, R. *The Complete Playground Book*. Nova York: Syracuse University Press, 1993.

BUELL, Lawrence. *The Environmental Imagination: Thoreau, Nature Writing, and the Formation of American Culture*. Cambridge, MA: Harvard University Press, 1995.

CARSON, Rachel. *The Sense of Wonder*. Nova York: Harper & Row, 1956.

CHALUFOUR, Ingrid, e WORTH, Karen. *Discovering Nature with Young Children*. St. Paul, MN: Redleaf Press, 2003.

CHARD, Philip Sutton. *The Healing Earth: Nature's Medicine for the Troubled Soul*. Minocqua, WI: NorthWord, 1994.

CHAWLA, Louise. *In the First Country of Places: Nature, Poetry, and Childhood Memory*. Albany, NY: State University of New York Press, 1994.

———. *Growing Up in an Urbanising World*. Londres: UNESCO, 2002.

COBB, Edith. *The Ecology of Imagination in Childhood*. Nova York: Columbia University Press, 1977.

CORBETT, Michael, CORBETT, Judy e THAYER Robert L. *Designing Sustainable Communities: Learning from Village Homes*. Washington, D.C.: Island Press, 2000.

CORNELL, Joseph. *Sharing Nature with Children*. Nevada City, CA: Dawn Publications, 1979.

DANNENMAIER, M. *A Child's Garden: Enchanting Outdoor Spaces for Children and Parents*. Nova York: Simon & Schuster, 1998.

DEWEY, John. *The Child and the Curriculum*. Chicago: University of Chicago Press, 1902.

GARDNER, Howard. *Intelligence Reframed: Multiple Intelligences for the 21st Century*. Nova York: Basic Books, 1999.

GIL, E. *The Healing Power of Play*. Nova York: Guilford Press, 1991.

GOLDSMITY, Edward. *The Way: An Ecology World-View*. Boston: Shambala, 1993.

GRANT, Tim, e LITTLEJOHN, Gail, eds. *Greening School Grounds: Creating Habitats for Learning*. Gabriola Island, British Columbia: New Society Publishers, 2001.

GUINESS, B. *Creating a Family Garden: Magical Outdoor Spaces for All Ages*. Nova York: Abbeville Press, 1996.

HARRISON, George. *Backyard Bird Watching for Kids: How to Attract, Feed, and Provide Homes for Birds*. Minocqua, WI: Willow Creek Press, 1997.

HART, Roger. *Children's Experience of Place*. Nova York: Irvington Publishers, 1979.

———. *Children's Participation: The Theory and Practice of Involving Young Citizens in Community Development and Environmental Care*. Londres: Earthscan, 1997.

HOFFMAN, Edward. *Visions of Innocence: Spiritual and Inspirational Experiences of Childhood*. Boston and London: Shambhala, 1992.

HOWARD, Philip K. *The Death of Common Sense: How Law Is Suffocating America*. Nova York: Warner Books, 1996.

JAFFE, Roberta, et al. *The Growing Classroom: Garden-Based Science*. Nova York: Pearson Learning, 2001.

JOHNSON, Julie M. *Design for Learning: Values, Qualities and Processes of Enriching School Landscapes*. Washington, D.C.: American Society of Landscape Architects, 2000.

KAHN, Peter H., Jr. *The Human Relationship with Nature: Development and Culture*. Cambridge, MA: MIT Press.

KANNER, Allen D., ROSZAK, Theodore e GOMES, Mary E. *Ecopsychology: Restoring the Earth, Healing the Mind*. San Francisco: Sierra Club Books, 1995.

KAPLAN, Rachel e KAPLAN, Stephen. *The Experience of Nature: A Psychological Perspective*. Nova York: Cambridge University Press, 1989.

KAPLAN, Rachel, KAPLAN, Stephen e RYAN, Robert L. *With People in Mind: Design and Management for Everyday Nature*. Washington, DC: Island Press, 1998.

KELLERT, Stephen R. *Building for Life*. Washington, DC: Island Press, 2005.

———. Introduction in KELLERT, S. R. e WILSON, E. O. eds., *The Biophilia Hypothesis*. Washington, D.C.: Island Press/Shearwater, 1993.

———. *Kinship to Mastery: Biophilia in Human Evolution and Development*. Washington, DC: Island Press, 2003.

KELLERT, Stephen R. e KAHN, Peter eds. *Children and Nature*. Cambridge, MA: MIT Press, 2002.

KEMPTON, Willett, BOSTER, James S. e HARTLEY, Jennifer A. *Environmental Values in American Culture*. Cambridge, MA: MIT Press, 1995.

LINDQUIST, I. *Therapy Through Play*. London: Arlington Books, 1977.

LOVEJOY, Sharon. *Sunflower Houses: Inspiration from the Garden – A Book for Children and Their Grown-Ups*. Nova York: Workman Publishing Company, 2001.

MARTIN, Deborah; LUCAS, Bill; TITMAN, Wendy e HAYWARD, Siobhan, eds. *The Challenge of the Urban School Site*. Winchester Hants, Great Britain: Learning through Landscapes, 1996.

METZNER, Ralph. *Spirit, Self, and Nature: Essays in Green Psychology*. El Verno, CA: Green Earth, 1993.

MOORE, Robin C. *Plants for Play: A Plant Selection Guide for Children's Outdoor Environments*. Berkeley: Mig Communications, 1993.

MOORE, Robin C., e WONG, Herbert H. *Natural Learning: The Life of an Environmental Schoolyard*. Berkeley: MIG Communications, 1997.

NABHAN, Gary Paul, e TRIMBLE, Stephen A. *The Geography of Childhood: Why Children Need Wild Places*. Boston: Beacon Press, Concord Library, 1995.

National Wildlife Federation. *Schoolyard Habitats: A How-to Guide for K-12 School Communities*. Reston, VA: National Wildlife Federation, 2001.

NICHOLSON, S. "The Theory of Loose Parts." *Landscape Architecture* 62, n.1: pp.30-34.

ORR, David W. *Ecological Literacy: Education and Transition to a Postmodern World*. Albany, NY: State University of New York Press, 1992.

———. *Earth in Mind: On Education, Environment, and the Human Prospect*. Washington, D.C.: Island Press, 1994.

PYLE, Robert Michael. *The Thunder Tree: Lessons from an Urban Wildland*. Boston: Houghton Mifflin, 1993.

QUAMMEN, David. *Natural Acts: A Sidelong View of Science and Nature*. Nova York: Avon Books, 1985.

REED, Edward S. *The Necessity of Experience*. New Haven, CT: Yale University Press, 1996.

REEVES, Diane Lindsey. *Career Ideas for Kids Who Like Animals and Nature*. Nova York: Facts on File, 2000.

RICHARDSON, Beth. *Gardening with Children*. Newtown, CT: Tauton Press, 1998.

RIVKIN, R. *The Great Outdoors: Restoring Children's Right to Play Outdoors*. Washington, DC: National Association for the Education of Young Children, 1995.

ROSZAK, Theodore. *The Voice of the Earth: An Exploration of Ecopsychology*. Nova York: Simon & Schuster, 1992.

RUTH, Linda Cain. *Design Standards for Children's Environments*. Nova York: McGraw-Hill, 1999.

SCHIFF, Paul D. *Twenty/Twenty: Projects and Activities for Wild School Sites: An Ohio Project Wild Action Guide*. Columbus, OH: Ohio Division of Wildlife, Education Section, 1996.

SHEPARD, Paul. *Nature and Madness*. Athens, GA: University of Georgia Press, 1998.

SNYDER, Gary. *The Practice of the Wild*. Washington, D.C.: Shoemaker & Hoard, 2004.

SOBEL, David. *Beyond Ecophobia: Reclaiming the Heart in Nature Education*. Great Barrington, MA: The Orion Society and the Myrin Institute, 1996.

———. *Place-Based Education: Connecting Classrooms and Communities*. Great Barrington, MA: The Orion Society and the Myrin Institute, 2004.

STEIN, Sara B. *Noah's Children: Restoring the Ecology of Childhood*. Nova York: North Point Press, 2002.

STINE, Sharon. *Landscapes for Learning: Creating Outdoor Environments for Children and Youth*. Nova York: Wiley, 1997.

STOKES, Donald e STOKES, Lillian. *The Bird Feeder Book*. Boston: Little, Brown, 1987.

TAKAHASHI, Nancy. *Educational Landscapes: Developing School Grounds as Learning Places*. Charlottesville, VA: University of Virginia, Thomas Jefferson Center for Educational Design, 1999.

TAYLOR, Anne P. e VLASTOS, George. *School Zone: Learning Environments for Children*. Nova York: School Zone Publishing Company, 1975.

TITMAN, Wendy. *Special Places; Special People: The Hidden Curriculum of School Grounds*. Surrey, England: World Wide Fund for Nature/Learning through Landscapes; Nova York: Touchstone, 1994.

United Nations. *The Convention on the Rights of the Child*. Nova York: UNICEF, 1989.

U.S. Fish and Wildlife Service. *Directory of Schoolyard Habitats Programs*. Annapolis, MD: U.S. Fish and Wildlife Service, 1996.

WADSWORTH, Ginger. *Rachel Carson: Voice for the Earth*. Minneapolis: Lerner Publications, 1992.

WAGNER, Cheryl. *Planning School Grounds for Outdoor Learning*. Washington, D.C.: National Clearinghouse for Educational Facilities, 2000.

WESTLAND, C. e KNIGHT, J. *Playing, Living, Learning: A Worldwide Perspective on Children's Opportunities to Play*. State College, Pensilvânia: Venture Publishing, 1982.

WILSON, Edward O. *Biophilia*. Cambridge, MA: Harvard University Press, 1986.

———. *The Creation: An Appeal to Save Life on Earth*. Nova York: W. W. Norton, 2006.

Um Guia de Campo para

A ÚLTIMA CRIANÇA
na NATUREZA*

*É necessário um universo
para fazer uma criança,
tanto na forma externa
quanto no espírito interno.
É necessário um universo
para educar uma criança,
um universo para
completar uma criança.*

— Thomas Berry

---

* Nesta edição, sempre que possível, o conteúdo do Guia de Campo foi adaptado ao contexto brasileiro pelo Projeto Criança e Natureza do Instituto Alana (www.criancaenatureza.org.br), embora algumas referências importantes da realidade norte-americana, que podem servir de orientação e inspiração, tenham sido mantidas.

Sumário

Anotações de campo

*Como um movimento está crescendo
e como você pode se envolver*

100 ações possíveis

Atividades na natureza para crianças e famílias

Bons livros para crianças e famílias

Sugestões para transformar as comunidades

Atividades para empresas, advogados e profissionais de saúde

Maneiras como educadores, grupos de pais, professores e alunos podem promover a reforma pela escola natural

Metas para o governo

Construa o movimento

Pontos de discussão

Anotações de campo

Como um movimento está se formando
e como você pode se envolver

*"Um movimento de retorno à natureza para
reconectar as crianças com o ambiente ao ar livre
está florescendo em todo o país."*
— USA Today, novembro de 2006

Pouco tempo depois da primeira publicação de *A Última Criança na Natureza*, em 2005, eu estava flanando por um caminho em direção ao rio Milwaukee, na parte em que ele passa pelo parque urbano Riverside, em Milwaukee, Wisconsin. À primeira vista, nada parecia incomum nos jovens que eu encontrava. Um grupo de alunos do ensino médio, vestidos de acordo com a moda padrão hip-hop. Eu esperava ver nos olhos deles o desprezo tão popular hoje nas comunidades urbanas, suburbanas e até mesmo rurais, o olhar entediado que D. H. Lawrence chamou de "estado mental sabe-tudo" muito tempo atrás. Mas não.

Enquanto puxam as linhas de pescar na margem enlameada, eles riem com prazer, fascinados pelo rio marrom preguiçoso e pela paisagem do parque ao redor. Eu me abaixo para evitar as varas de pescar e sigo pelo bosque até o prédio de dois andares do Urban Ecology Center, construído com madeira e outros materiais reciclados de prédios abandonados.

Quando esse parque foi projetado por Frederick Law Olmsted, fundador da arquitetura paisagística nos Estados Unidos, e estabelecido, no fim do século XIX, era um vale com árvores enfileiradas e uma cachoeira, uma colina para descer de trenó e locais para patinar, nadar, pescar e passear de barco. Mas, na década de 1970, sua topografia foi achatada para criar campos esportivos. A poluição tornou o rio inadequado para contato humano, a manutenção do parque piorou, as famílias fugiram, os crimes violentos e o tráfico de drogas se instalaram. O Parque Riverside passou a ser associado à destruição, não à beleza. Depois, na década de 1990, uma notável cadeia de eventos ocorreu. Uma represa no rio foi removida e o fluxo natural de água expulsou os contaminantes. Um biofísico aposentado lançou um pequeno programa de educação ao ar livre, que evoluiu para o Urban Ecology Center, instituição sem fins lucrativos, que todo ano recebe mais de 18 mil alunos visitantes de 23 escolas da região.

O diretor do centro, Ken Leinbach, ex-professor de ciências, fez um tour comigo. Subimos até o topo de uma torre de madeira com vista para o parque. "Nenhum crime violento sério ocorreu no parque nos últimos cinco anos", disse ele. "Vemos a educação ambiental como uma ótima ferramenta para a revitalização urbana." O centro recebe crianças e famílias dos bairros vizinhos para que possam associar a floresta à alegria e à exploração, à medida que as lembranças de perigo se esvanecem.

No Parque Riverside, a natureza não era o problema; era a solução.

Durante décadas, no mundo todo, educadores ambientais, conservacionistas, naturalistas e outros têm trabalhado, muitas vezes de um jeito heroico, para levar mais crianças à natureza, geralmente com um apoio inadequado dos legisladores. Hoje, inúmeras tendências convergentes – incluindo uma consciência intensificada da relação entre o bem-estar humano, a capacidade de aprender e a saúde ambiental; preocupação com a obesidade infantil; e a atenção da mídia ao transtorno do deficit de natureza – colocam as preocupações desses ativistas veteranos diante de um público mais amplo. Agora vem o maior desafio: uma mudança cultural profunda e duradoura.

Em 2006, algumas pessoas com ideias semelhantes nos Estados Unidos criaram a C&NN - Children & Nature Network para rastrear e estimular o movimento no mundo todo; trata-se também de uma instituição sem fins lucrativos, da qual sou co-fundador. Até dezembro de 2014, a C&NN tinha identificado 118 campanhas regionais, estaduais e provinciais em 48 estados dos Estados Unidos, na Austrália, no Canadá, na Colômbia, em Hong Kong, na Itália, no México, na Nova Zelândia e em outros locais. Essas campanhas, com suas especificidades regionais, estão aproximando parceiros improváveis – conservadores e liberais, conservacionistas e empreendedores imobiliários, educadores e médicos – que se unem na determinação de conectar as futuras gerações ao mundo natural. Pelo menos dez governadores dos Estados Unidos lançaram conferências ou campanhas estaduais.

As bibliotecas estão se adiantando, algumas se tornando "naturotecas" que oferecem espaços de leitura naturais e informações regionais sobre onde as famílias e outras pessoas podem se conectar à natureza – chegam até mesmo a emprestar mochilas, binóculos e varas de pescar para as famílias. Também vemos um aumento constante na quantidade de educadores que insistem em levar os alunos para aprenderem ao ar livre; jovens que são a próxima geração de líderes do movimento; e famílias que se unem – duas, quatro, dez ou mais ao mesmo tempo – para fazer caminhadas, jardinagem ou outras atividades na natureza. Muitos dos mais de duzentos clubes de natureza em família rastreados pela C&NN têm centenas de famílias como membros. Em San Diego, um clube de natureza em família atraiu mais de 1.500 famílias. E se esses clubes se popularizassem como os clubes de livros em décadas passadas? E se, em poucos anos, houvesse 10 mil clubes de natureza em família?

A liderança surgiu em quase todos os setores e em várias gerações. Em 2006, percebendo uma queda rápida no uso público de diversos parques nacionais e estaduais, a liderança do National Park Service e a National Association of State Park Directors assinaram o Children and Nature Action Plan. Em 2007, o U.S. Forest Service lançou o programa More Kids in the Woods, financiando esforços locais para levar as crianças para o ar livre. Nesse mesmo ano, o secretário do Interior dos Estados Unidos, Dirk Kempthorne, desafiou os trezentos gerentes de alto escalão a determinarem o que seus departamentos poderiam fazer para dar uma guinada na tendência do deficit de natureza. Os sucessores de Kempthorne também abraçaram a causa. O secretário Ken Salazar lançou a Youth Conservation Corps, e a secretária Sally Jewell usou sua posição de autoridade para agrupar o governo e o setor privado para cuidarem do deficit de natureza na vida de crianças e jovens.

Ao longo da última década, líderes conservacionistas, testemunhando o enfraquecimento de sua militância e reconhecendo a importância de criar um grupo jovem para o futuro, ampliaram o próprio compromisso. Em 2007, o projeto Building Bridges to the Outdoors, do Sierra Club, levou mais de 11 mil jovens, muitos de bairros centrais da cidade, para o mundo natural. A National Wildlife Federation promoveu a Green Hour com intenção de convencer os pais a estimularem os filhos a passarem uma hora por dia na natureza. O TPL - Trust for Public Land deu mais ênfase a engajar as crianças com a natureza para garantir que as áreas naturais preservadas hoje continuem a ser protegidas pelas futuras gerações. A TNC - The Nature Conservancy, em parceria com a C&NN e a ecoAmerica, lançou o Nature Rocks, um esforço nacional para conectar as famílias com a natureza. A Wilderness Society, a Land Trust Alliance e muitas outras organizações ambientais reconhecem que a criança na natureza é uma espécie indicadora criticamente em perigo de extinção e que a conservação está ameaçada se as futuras gerações não desenvolverem uma conexão com o mundo natural. Organizações de educação como a North American Association for Environmental Education continuaram a expandir seu ótimo trabalho.

Até certo ponto, o movimento está fundamentado no interesse organizacional ou econômico. Mas algo mais profundo está acontecendo. Em 2006, a ecoAmerica, grupo de marketing de preservação, encarregou a SRI Consulting Business Intelligence, empresa de pesquisa e consultoria sobre negócios e tecnologia, de realizar uma pesquisa abrangente dos valores ambientais dos americanos. O presidente da ecoAmerica, Robert Perkowitz, relatou: "Foi muito esclarecedor descobrir que a maior preocupação em relação à natureza é a alienação das crianças em relação a ela".

Com apelo quase universal, essa questão parece insinuar uma motivação mais atávica. Biologicamente, ainda somos caçadores e coletores, e existe algo que não entendemos completamente, que precisa da imersão na natureza. Sabemos que, quando as pessoas falam na desconexão entre as crianças e a natureza – se elas tiverem idade suficiente para se lembrar de uma época em que o brincar ao ar livre era a regra –, quase sempre contam histórias da própria infância: uma casa na árvore ou uma cabana, uma floresta, um canal, um riacho ou uma campina especial. Elas se lembram desses "locais de iniciação", nas palavras do naturalista Robert Michael Pyle, onde podem ter sentido pela primeira vez a admiração e o encantamento pela enormidade do mundo visível e invisível.

Quando as pessoas contam essas histórias, seus muros culturais, políticos e religiosos desabam. E, quando isso acontece, aliados improváveis se juntam, e as ideias podem surgir aos montes, levando a abordagens mais reveladoras para problemas sociais arraigados. Por exemplo, empreendedores imobiliários percebem um novo mercado potencial. Alguns dos maiores empreendedores da Califórnia foram reunidos por Clint Eastwood para discutir como projetar, construir e vender futuras comunidades que conectem as crianças à natureza. Entre as ideias propostas, temos: deixar um pouco de terra e habitat nativo no terreno (é um bom começo); aplicar os princípios de design verde; incorporar trilhas naturais e hidrovias naturais; jogar fora ou reduzir as normas e as restrições convencionais que desestimulam ou proíbem o brincar na natureza e reescrever as regras de modo a estimular essa condição; permitir que as crianças construam cabanas e casas na árvore ou plantem jardins e hortas; e criar pequenos centros de natureza no local.

É um pequeno salto conceitual entre aceitar mais expansão imobiliária, porque ela vem com uma maquiagem verde, e re-desenvolver partes dos bairros urbanos e suburbanos decadentes para torná-los ecocomunidades vivas e vibrantes, onde a natureza seja um elemento essencial na estrutura da vida cotidiana.

O movimento criança e natureza é alimentado pela seguinte ideia básica: a saúde das crianças e a saúde da Terra são inseparáveis. Howard Frumkin, ex-diretor do National Center for Environmental Health do CDC e agora reitor da Faculdade de Saúde Pública da Universidade de Washington, descreveu recentemente os claros benefícios das experiências na natureza para o desenvolvimento saudável das crianças e o bem-estar dos adultos. "Do mesmo jeito que proteger a água e o ar é uma estratégia para promover a saúde pública, proteger as paisagens naturais pode ser visto como uma forma poderosa de medicina preventiva", disse ele. Frumkin acredita que futuras pesquisas sobre os efeitos positivos da natureza para a saúde devem ser realizadas em colaboração com arquitetos, urbanistas, planejadores/gestores de parques e paisagistas. "Talvez possamos aconselhar os pacientes a passarem alguns dias no campo praticando jardinagem", escreveu ele, "ou [vamos] construir hospitais em locais deslumbrantes ou plantar jardins em centros de reabilitação. Talvez as [...] organizações que pagam pelo cuidado médico financiem essas intervenções, sobretudo se elas provarem que competem com os medicamentos em termos de custo e eficácia". E acrescenta: "Claro que ainda existe muita coisa que precisamos aprender, como que tipo de contato com a natureza é mais benéfico para a saúde, quanto contato é necessário e como medir isso, além de quais grupos de pessoas são mais beneficiadas. Mas sabemos o suficiente para agir".

Hoje, um número crescente de médicos tem receitado "parque" como prevenção e terapia. Em Washington, D.C., o dr. Robert Zarr construiu um banco de dados das áreas verdes disponíveis e organizou pediatras para usá-lo como uma referência para os pais. Terapeutas ocupacionais pediátricos também estão prestando atenção a isso. Angela Hanscom, líder em seu campo de atuação, vê o tempo na natureza como "a experiência sensorial decisiva para todas as crianças e uma forma necessária de prevenção da disfunção sensorial. [...] Quanto mais restringimos o movimento das crianças e as separamos da natureza, mais desorganização sensorial vemos". Os campos da ecopsicologia e da terapia da natureza também estão em expansão.

Essas ideias passam a assumir forma física. Vários anos atrás, o Washburn Center for Children, de Minneapolis, provedor de serviços de saúde mental para cerca de 2.700 jovens por ano, decidiu que precisava substituir o prédio antigo. Em outubro de 2014, o jornal de negócios *Finance and Commerce* relatou a ideia pioneira do Washburn. "Um dos segredos para tratar [...] crianças é conectá-las com a natureza", escreveu Brian Johnson. "Janelas amplas, luz natural abundante [...], corredores curvos, pé-direito alto, um extenso paisagismo e laços fortes com o ambiente ao ar livre se destacam para nossos visitantes. [...] Do lado de fora, um grande playground com grama, equipamentos para escalar, um campo de basquete e trilhas substituirão a pequena área de recreação de asfalto do prédio." O poder curativo da natureza será entrelaçado à estrutura do local.

Um dos grandes desafios é no campo da educação. O número de pré-escolas naturais, áreas escolares naturais e ao ar livre para jogos e brincadeiras e jardins nas escolas está aumentando. Agora surgem novas pesquisas que enfatizam o poder educacional de escolas mais verdes em relação às notas de avaliações padronizadas. "A exposição à natureza há muito tempo é vinculada a menores níveis de estresse e [maior] agilidade mental, mas um estudo inédito descobriu que ela também é associada a notas mais altas em avaliações padronizadas", relatou a revista *Pacific Standard* em 2014. Mesmo depois de controlar fatores como raça, situação socioeconômica e residência urbana, os alunos do terceiro ano de Massachusetts com mais exposição à natureza demonstraram um desempenho acadêmico melhor em inglês e matemática, de acordo com a equipe de pesquisa liderada por Chih-Da Wu, da Universidade Nacional Chiayi, Taiwan. Os resultados foram publicados no periódico acadêmico on-line *PLOS ONE*. Além disso, na Universidade de Illinois, resultados preliminares de um estudo de dez anos a ser publicado, feito com mais de quinhentas escolas de Chicago, mostra resultados surpreendentes semelhantes em avaliações padronizadas em escolas que incorporam mais natureza. Um ambiente de aprendizado mais natural parece ter mais utilidade para os alunos com mais necessidades.

Incorporar mais experiências na natureza à educação não significa rejeitar a tecnologia. Em vez disso, é preciso estimular o desenvolvimento de "mentes híbridas", equilibrando as habilidades digitais com os sentidos múltiplos e os benefícios cognitivos que a natureza também nutre. Em 2015, o futuro da educação continua dominado pelo poder econômico das indústrias de tecnologia digital. Tirando o contrapeso de outros interesses, só um movimento social pode garantir o equilíbrio nas escolas.

Esse movimento social será essencial não apenas para conseguir o equilíbrio na educação, mas também para apoiar mudanças de regras que já deveriam ter sido feitas. Timidamente, fez-se alguns progressos. Na Califórnia, por exemplo, foi apresentada uma legislação para financiar a educação ao ar livre no longo prazo e programas recreativos para jovens em situação de risco. Em nível nacional, o No Child Left Inside Act foi apresentado à Câmara e ao Senado, com o objetivo de levar a educação ambiental de volta à sala de aula e, indiretamente, para levar mais jovens a ambientes ao ar livre. A lei foi aprovada na Câmara, mas está num impasse no Senado. Mais leis estão a caminho. Mas, numa era de atravancamento legislativo, o maior potencial político pode estar no nível municipal.

Em 2008, pela primeira vez na história da humanidade, moram mais pessoas em cidades do que no campo. A barreira não é apenas a cidade, mas a ausência de natureza na cidade. Em 2014, a C&NN e a NLC - National League of Cities, organização que apoia prefeitos e outros líderes de 19 mil municípios nos Estados Unidos, lançaram uma iniciativa de três anos para envolver os governos municipais a fim de conectar as crianças e as famílias à natureza. Essa iniciativa se concentra especificamente nos bairros mais urbanos e tem como objetivos: estabelecer padrões futuros para os governos locais, determinar maneiras de medir o progresso e desenvolver um programa de treinamento para prefeitos e outros líderes municipais. A NLC também fechou uma parceria com o Departamento do Interior e a ACM - Associação

Cristã de Moços para conectar as crianças ao mundo natural. E se as cidades do mundo um dia começassem a competir pelo título de "melhor cidade para as crianças e a natureza"*?

Os impedimentos para se conectar à natureza na vida cotidiana continuam terríveis. Entre eles temos uma imersão cada vez mais profunda da sociedade no mundo virtual, um medo crescente do mundo físico, a perda de terreno de parques urbanos e a destruição da natureza próxima dos bairros, a lacuna cada vez maior entre os ricos e os pobres, a pandemia de inatividade e, culturalmente, uma visão desesperadora do futuro. O movimento também deve acelerar sua própria diversidade cultural e étnica. Todas as crianças precisam de natureza. Não apenas as que têm pais que apreciam a natureza. Não apenas as de determinada classe econômica, cultura, gênero, identidade sexual ou conjunto de habilidades. *Todas* as crianças.

O processo em longo prazo só vai ocorrer quando a conexão da criança com a natureza for amplamente considerada fundamental para o desenvolvimento humano saudável, e não um luxo desfrutado por poucos. Em 2012, o congresso mundial da IUCN - União Internacional para a Conservação da Natureza, com mais de 10 mil pessoas representando o governo de 150 nações, além de mais de mil organizações não governamentais, aprovou uma resolução declarando que as crianças têm direito humano a experimentar o mundo natural e um ambiente saudável. O Child's Right to Connect with Nature and to a Healthy Environment (Direito da Criança de se Conectar à Natureza e a um Ambiente Saudável) pede que os membros da IUCN promovam a inclusão desse direito na estrutura da Convenção sobre os Direitos das Crianças (assinado, mas ainda não ratificado pelos Estados Unidos). Mesmo que seja apenas simbólica, a aprovação dessa resolução é um momento significativo para as pessoas que se importam com a conexão humana ao mundo natural. Não existem fronteiras para esse direito humano nem fronteiras para as responsabilidades que o acompanham.

Mediante as condições corretas, a mudança cultural e política pode acontecer rapidamente. As campanhas de reciclagem e antifumo revelaram

---

* Ver a iniciativa brasileira "Prêmio Cidade da Criança", uma parceria entre o Instituto Alana, o Programa Cidades Sustentáveis e a Fundação Bernard Van Leer.

como a pressão social e política pode transformar a sociedade numa única geração. O movimento da criança e da natureza talvez tenha ainda mais potencial, porque envolve algo mais profundo em nós em termos biológicos e espirituais.

Líderes com diferentes formações religiosas deram um passo à frente para apoiar a reconciliação entre as crianças e a natureza. Eles entendem que toda vida espiritual começa com uma sensação de encantamento e que uma janela importante para esse encantamento é o mundo natural.

Além de tudo isso, o desenvolvimento mais importante tem sido o crescente número de pais e outros membros da família que decidiram fazer o que for necessário para levar a natureza para a vida da família e mantê-la ali. A verdadeira medida do sucesso não será o número de programas criados nem de leis aprovadas, mas a amplitude da mudança cultural que vai tornar essas decisões um hábito – em todas as famílias, todas as escolas e todos os bairros. Não sabemos se esse movimento novo vai durar. Mas aqueles que o buscam – e os pioneiros que trabalharam pela mudança há décadas – estão respondendo não apenas à natureza, mas à reserva de sua própria humanidade. Martin Luther King Jr. nos ensinou que o sucesso de qualquer movimento social depende da capacidade de retratar um futuro desejado. Pensar na necessidade que as crianças sentem de natureza nos ajuda a começar a pintar uma imagem desse mundo.

Em 2005, fui a uma reunião da Quivira Coalition, organização do Novo México que reúne fazendeiros e ambientalistas, para encontrar um denominador comum. (A coalizão está trabalhando num plano para promover as fazendas como novas áreas escolares ao ar livre para jogos e brincadeiras) Quando chegou minha vez de falar, contei ao público que, quando era criança, eu tinha uma sensação tão intensa de propriedade da floresta perto da minha casa que derrubava as tendas de trabalho dos empreendimentos imobiliários, numa vã tentativa de manter as escavadeiras longe dali. Depois do discurso, um fazendeiro se levantou. Estava usando botas surradas. A calça jeans envelhecida nunca tinha sido desbotada por ácido, só por poeira e pedras. Ele tinha o rosto queimado de sol e enrugado. O bigode caído era branco e ele usava óculos com lentes grossas e armação pesada de plástico, manchada de suor.

– Sabe essa história que você contou sobre derrubar as tendas? – perguntou ele. – Eu também fazia isso quando era criança.

A multidão riu. Eu ri.

E o homem começou a chorar. Apesar da vergonha, ele continuou a falar, descrevendo a fonte de sua tristeza súbita: ele talvez pertencesse a uma das últimas gerações de americanos que tiveram essa sensação de propriedade sobre a terra e a natureza.

O poder desse movimento está nessa sensação, nesse local especial em nosso coração onde as escavadeiras não conseguem chegar. Empreendedores e ambientalistas, CEOs e professores universitários, astros do rock e fazendeiros podem concordar em poucos assuntos, mas concordam que nenhum de nós quer ser membro da última geração a transmitir aos filhos a alegria de brincar ao ar livre na natureza.

– Richard Louv, março de 2015

100 Ações Possíveis

Nenhuma lista de atividades na natureza e de ações comunitárias é completa, mas aqui estão algumas sugestões para estimular sua criatividade. Pais, avós e outros parentes são os primeiros responsáveis, mas não conseguem resolver o transtorno do deficit de natureza sozinhos. Educadores, profissionais da saúde, legisladores, empresários, urbanistas – todos precisam ajudar. Muitas das atividades apresentadas aqui são supervisionadas por adultos (de perto ou de longe). No entanto, o objetivo mais importante é que as crianças, no dia a dia, vivenciem a alegria e o encantamento, às vezes na solitude – para que criem suas próprias experiências com a natureza e, enquanto crescem, expandam os limites dessa exploração.

Atividades na natureza para crianças e famílias

1. Tem terra? "Na Carolina do Sul, um carregamento de terra custa o mesmo preço de um videogame!", relata Norman McGee, pai que comprou um carregamento para a filha, junto com baldes e pás.

2. Leve a flora e a fauna nativas para sua vida. Tenha uma banheira para pássaros. Substitua parte do seu gramado por plantas nativas. Construa uma casa para aves. Para sugestões e orientações para o jardim, consulte o livro *Da planta ao jardim, um guia fundamental para jardineiros amadores e profissionais*, de Assussena Tupiassú, publicado pela Editora Nobel. O livro *Criando Habitats na Escola Sustentável*, de Lucy Legan, publicado pelo programa Habitats, do Ecocentro IPEC, apresenta orientações sobre como transformar áreas externas em habitats vivos, incluindo jardins para borboletas.

3. Veja a natureza como antídoto para o estresse. Todos os benefícios que atingem uma criança também atingem o adulto que a leva para a natureza. As crianças e os pais sentem-se melhor depois de passar um tempo no mundo natural – mesmo que seja no próprio quintal. O Movimento Boa Praça organiza programas de revitalização de praças em diversos bairros da zona oeste de São Paulo com ações diretas e eventos para encontros entre as famílias residentes nas proximidades, o que permite que as crianças possam brincar livres na natureza das praças e tornar isso um hábito cotidiano.

4. Conte às crianças histórias sobre lugares na natureza que foram especiais para você durante a infância. Depois, ajude-as a encontrarem os delas: embaixo da goiabeira do quintal, o mato atrás da casa, a clareira na floresta, a curva de um riacho. O Instituto Romã de Vivências com a Natureza, chama esses espaços de "seu lugar", onde você se sente acolhido e aprende a ficar sentado muitas vezes sozinho e em silêncio, observando a natureza no seu fluxo. Esse vai ser seu lugar de conexão íntima com a natureza.

5. Ajude as crianças a descobrirem um universo escondido. Encontre uma tábua e coloque-a sobre a terra. Volte um ou dois dias depois, levante a tábua (com cuidado em relação a espécies perigosas) e veja quantas espécies procuraram abrigo ali. Identifique essas criaturas com ajuda de um guia. Volte a esse universo uma vez por mês, levante a tábua e descubra as novidades.

6. Reviva antigas tradições. Capture vaga-lumes no começo da noite e solte-os ao amanhecer. Faça uma coleção de folhas. Tenha um terrário ou um aquário.

7. Permita que os avós participem. Eles costumam ter mais tempo livre ou, pelo menos, mais flexibilidade do que os pais. E a maioria dos avós se lembra de quando brincar ao ar livre na natureza era algo considerado normal e esperado em relação às crianças. Eles vão gostar de passar essa herança aos descendentes.

8. Estimule as crianças a acamparem no quintal. Compre uma barraca ou faça uma tenda de lona, deixando-a ali o verão todo. Faça parte do Camping Club do Brasil. Algumas organizações realizam acampamentos para crianças e jovens, tais como o Paiol Grande, a Outward Bound Brasil e a Fazenda Faraó.

9. Seja um observador de nuvens; construa uma estação meteorológica no quintal. Não é necessário ter sapatos especiais nem dirigir até o campo de futebol para observar as nuvens. Um jovem precisa apenas de uma visão do céu (mesmo que seja através da janela do quarto) e de um guia. Cirros-estratos, cúmulos-nimbos ou lenticulares, na forma de disco voador, "aparecem para nos lembrar que as nuvens são a poesia da natureza, sussurrada no ar rarefeito entre cumes e penhascos", escreve Gavin Pretor-Pinney no maravilhoso livro *Guia do Observador de Nuvens*, publicado pela Editora Intrínseca. Para construir uma estação meteorológica no quintal, consulte http://www.cienciamao.usp.br/dados/rec/_construaasuapropriaestac.arquivo.pdf.

10. Faça da "hora verde" uma nova tradição familiar. A NWF – National Wildlife Foundation recomenda que os pais possibilitem aos filhos uma hora verde diária (www.greenhour.org), um momento para brincadeiras não estruturadas e interação com o mundo natural. Até mesmo quinze minutos são um bom começo. "Imagine um mapa com sua casa no centro. Desenhe círculos concêntricos cada vez maiores ao redor dela, cada um representando o reino de experiência de uma criança cada vez mais velha", sugere a NWF. "Sempre que possível, estimule uma exploração independente enquanto a criança desenvolve novas habilidades e mais confiança."

11. Adote a "regra do dia ensolarado". Um pai relata: "Apesar de provocar divergências e reclamações no início, levo isso muito a sério. Se estiver chovendo e fazendo frio, eles sabem que não sou radical. Deixo assistirem televisão. Mas, se estiver um dia lindo, não há desculpas para criar raízes no sofá. 'Já para fora', digo a eles. 'Vão! Construam alguma coisa!'". Mesmo que esteja chovendo, saia de casa. Mostre às crianças a alegria de pular em poças d'água, fazer represas na guia da calçada, observar barcos de folhas. Afinal, não existe clima ruim, só roupas erradas.

12. Saia para uma caminhada. Com crianças mais novas, escolha rotas mais fáceis e mais curtas e se prepare para parar com frequência. Ou seja, um explorador com carrinho de bebê ou sling. "Se você tiver uma criança pequena ou que começou a andar há pouco tempo, pense em organizar um grupo de cuidadores na vizinhança, que se encontra para caminhadas semanais na natureza". Para fazer caminhadas com adolescentes, envolva-os no planejamento das caminhadas; preparem-se fisicamente e respeitem seus limites (comecem com caminhadas diárias curtas); levem uma mochila leve. Existem diversas iniciativas no Brasil que podem ajudá-lo a começar a fazer caminhadas em trilhas, tais como os clubes excursionistas, o Acampamento de Aventura, a Outward Bound Brasil e o Instituto Moleque Mateiro.

13. Invente seu próprio jogo na natureza. Sugestão de uma mãe: "Ajudamos as crianças a prestarem atenção durante as caminhadas mais longas brincando de 'encontre dez criaturas' – mamíferos, aves, insetos, répteis, lesmas e outros animais". Encontrar uma criatura também significa descobrir pegadas, entradas de tocas e outros sinais de que um animal passou ou mora por ali. Para mais ideias de jogos e brincadeiras consulte o e-book *Atividades em áreas naturais* de Rita Mendonça, publicado pelo Instituto Ecofuturo, *Jardim das Brincadeiras*, de Guilherme Blauth (e-book, edição do autor) e *Barangandão Natureza*, de Adelsin, publicado pela Editora Zerinho ou Um.

14. Saia para uma caminhada com a família quando a lua estiver cheia. "O que você precisa: lanternas. Orientações: escute o chamado dos animais – corujas e morcegos estão procurando presas; procure coisas brilhando, como minhocas e fungos em árvores." E olhe para as estrelas. Se o luar estiver forte e você se sentir confortável desligue a lanterna e observe seu olhar adaptando-se para enxergar apenas com a luz da lua.

15. Tenha um "pote de maravilhas". Quando Liz Baird, que deu origem à Take a Child Outside Week, era criança, enchia os bolsos de maravilhas naturais – sementes, pedras e cogumelos. "Minha mãe cansou de lavar roupas e encontrar esses tesouros no fundo da máquina de lavar

ou desintegrados na secadora", lembra-se. "Então ela criou o pote de maravilhas da Liz"; a ideia era eu esvaziar os bolsos no pote. Eu continuava curtindo meus tesouros e tentava descobrir o que eram, mas não causava confusão na lavanderia. Acho que minha mãe aparecia sorrateiramente e tirava as coisas que estavam apodrecendo no pote!". Liz ainda tem um pote de maravilhas no escritório.

16. Troque o iPod pelo nPod – desenvolva poderes secretos. Aprenda a usar todos os sentidos *ao mesmo tempo*, sentar-se sob uma árvore e ouvir cantos de pássaros e barulhos de insetos, observar, estar consciente de onde o corpo está encostando, do que o nariz está cheirando, do que a natureza está transmitindo. Em 2005, pesquisadores da Universidade da Califórnia, Berkeley, levaram universitários a um campo gramado usando vendas e fones com abafamento de ruído; surpreendentemente, a maioria dos alunos conseguiu seguir, rastreando aromas, uma trilha de nove metros.

17. Experimente a fotografia da vida selvagem – adequada para crianças pequenas, adolescentes e adultos. As câmeras digitais são portáteis e cada vez mais baratas e economizam o dinheiro do filme. É verdade que a fotografia da vida selvagem pode ser complexa, dependendo do equipamento usado, mas, no início, usar uma pequena câmera digital para tirar fotos através de uma das lentes do binóculo pode funcionar bem.

18. Estimule as crianças a construírem uma casa na árvore, um esconderijo ou uma cabana. Você pode fornecer a matéria-prima, incluindo varas, tábuas, lençóis, caixas, cordas e pregos, mas é melhor se eles forem os arquitetos e os construtores. Quanto mais velhas as crianças, mais complexa pode ser a construção. Para entender e obter inspiração, leia *Children's Special Places*, de David Sobel. *Treehouses and Playhouses You Can Build*, de David e Jeanie Stiles, descreve como erguer estruturas firmes, desde plataformas simples até casas com vários andares ou em diversas árvores, conectadas por pontes de corda. Não temos estes livros traduzidos para o português, mas há muitas dicas se você pesquisar um pouco na internet.

19. Adote uma árvore. (Vá em frente, abrace-a.) Escolha uma árvore ou plante uma para celebrar ocasiões familiares importantes: nascimento, morte ou casamento. Faça moldes da casca da árvore usando lápis de cera e papel; registre quais animais aparecem nela. Plante as sementes. Se a árvore morrer, guarde folhas ou galhos como lembrança. O Instituto Árvores Vivas tem inúmeras atividades e sugestões para ampliar o conhecimento e a experiência das crianças com as árvores. O site Um pé de quê? traz informações sobre inúmeras árvores brasileiras, incluindo sua história, como cultivá-las e muitas outras curiosidades.

20. Construa uma cabana com galhos de árvores. Monte tobogans para as crianças escorregarem sobre caixas de papelão em barrancos inclinados.

21. Crie um lago no quintal ou faça um jardim com lago na varanda ou no pátio. Muitas lojas de mudas e fornecedores on-line vendem plantas aquáticas que funcionam bem em potes rasos repletos de pedrinhas e água. Acrescente um peixinho dourado ou outros peixes pequenos para impedir que os mosquitos se reproduzam na água. Sapos e tartarugas também são bem-vindos. Algumas plantas flutuantes, que parecem miniaturas de ninfeias, atrairão outras criaturas. O livro *Criando Habitats na Escola Sustentável*, de Lucy Legan, publicado pelo programa Habitats, do Ecocentro IPEC, ensina como fazer um pequeno lago.

22. Procure coisas nojentas. "Nossa última ida à praia foi uma caminhada conduzida por naturalistas e patrocinada pela ACM - Associação Cristã de Moços", diz Amy Pertschuk, que, junto com o marido, está criando duas crianças pequenas numa casa/barco em Sausalito. "Mas meu filho e seus amigos passaram a maior parte do dia fazendo uma coisa ainda melhor: colhendo algas marinhas viscosas. Eles decoraram uma casa flutuante com elas. Se não houver algas marinhas, substitua por algo tão nojento que você tenha que pegar com um graveto e carregar a um metro de distância do seu corpo. Leve uma muda de roupas."

23. Faça um diário da natureza. Existem bons guias sobre diários da natureza para ajudar crianças, adolescentes e famílias a registrarem suas

descobertas ao ar livre em palavras, desenhos e fotografias. Uma boa inspiração para isso são as anotações do artista plástico paulista Rubens Matuck, que produziu mais de 80 cadernos durante suas viagens para observar a natureza brasileira. Ele escolheu algumas passagens e as publicou no livro *Cadernos de Viagem*, publicado pela Editora Terceiro Nome, que contém textos, desenhos e aquarelas.

24. Plante um jardim. Se seus filhos forem pequenos, escolha sementes grandes o suficiente para eles manusearem e que amadureçam rápido, incluindo vegetais. Sejam adolescentes ou crianças pequenas, os jovens jardineiros podem ajudar a alimentar a família e, se sua comunidade tiver uma feira de produtores locais, estimule-os a venderem a produção extra. Como alternativa, compartilhe com os vizinhos ou doe para um banco de alimentos. Se você mora num bairro urbano, crie um jardim vertical. Um deque, terraço ou telhado reto pode acomodar vários vasos grandes, e até mesmo árvores podem florescer, se receberem cuidado adequado.

25. Faça uma caminho de mariposas. "Misture frutas, cerveja velha ou vinho estragado (ou um suco de frutas que esteja aberto há muito tempo), algum adoçante (mel, açúcar ou melado) no liquidificador", sugere Deborah Churchman, no periódico *American Forests*. Saia de casa ao entardecer e espalhe a gosma em meia dúzia de árvores ou em madeira não pintada e não tratada. Volte com uma lanterna quando estiver escuro e veja o que capturou. Dependendo da estação, você vai encontrar mariposas, formigas, lacraias e outros insetos.

26. Ajude a restaurar as rotas de migração das borboletas. Plante sementes nativas de plantas que ofereçam néctar, abrigo e alimento para lagartas. As borboletas quase sempre botam ovos nas plantas que as lagartas gostam. Pés de mamão, alfafa ou vetiver costumam satisfazer as lagartas das borboletas.

27. Crie borboletas – do ovo até a lagarta, a crisálida e a adulta. Assegure-se que seu jardim recebe luz do sol, pois as borboletas precisam dela

para esquentar as asas para o voo, que a brisa seja suave, que tenha algumas pedras lisas para elas descansarem, tomarem sol e secar as asas e tenha água (você pode deixar uma pequena bacia com água ali por perto).

28. Procure cobras e outros animais selvagens num passeio de carro à noite na natureza. No verão, em especial depois de uma chuva quente ou quando o caminho aquece e mantém o calor do dia, dirija devagar numa estrada deserta e observe com cuidado o rastro do farol do carro. Você e seus filhos podem identificar cobras, lagartos, sapos, salamandras, roedores e outros animais noturnos atraídos pelo calor da estrada, dependendo da localização e da estação. Mas tenha cuidado não apenas com cobras venenosas, mas também com outros carros.

29. Encontre um belo local de acampamento. Consulte o site do Camping Club do Brasil. Alguns parques nacionais e estaduais brasileiros possuem áreas de camping em seu interior ou no entorno. Pesquise as possibilidades existentes em seu estado.

30. Faça uma colheita. Em décadas passadas, a maioria das crianças tinha conexões familiares com fazendas – avós que ainda cultivavam, por exemplo. Essa conexão pode ter eco hoje por meio da colheita de frutas e vegetais em fazendas comerciais ou em pomares abertos ao público. Pense em fazer parte de uma cooperativa de alimentos local; os projetos baseados na permacultura costumam organizar mutirões abertos para quem quiser ajudar na colheita.

31. Tire férias com a família e vá a um parque estadual ou nacional; tente acampar com barracas ou hospede-se no entorno. Para um passeio mais curto, participe das caminhadas guiadas oferecidas pelos parques.

32. Estimule as crianças mais velhas a se tornarem cientistas cidadãos e seja você também um deles. Seja voluntário em algum centro de pesquisa ou em outra organização que cuide da vida selvagem. Ajude a restaurar o habitat e monitore espécies raras e em perigo de extinção em museus

de história natural, parques estaduais e nacionais e outras áreas de proteção da vida selvagem. O projeto TAMAR, por exemplo, conta com voluntários para ajudar no trabalho de monitoramento e cuidados com as tartarugas marinhas, em Fernando de Noronha (PE), Aracaju (SE), Arembepe e Praia do Forte (BA), Guriri, Regência e Vitória (ES), Ubatuba (SP) e Florianópolis (SC).

33. Observe aves – urbanas ou suburbanas, rurais ou no mundo selvagem. O Instituto Passarinhar organiza caminhadas para observação de aves, trabalha com pesquisa científica colaborativa e orienta quem quer se aprofundar na observação de aves, seja na cidade ou no campo. O Avistar Brasil organiza congressos para profissionais e observadores amadores de aves, com atividades diversificadas e exposições. Em São Paulo, o Observatório de Aves do Museu Biológico do Instituto Butantan realiza uma caminhada mensal – Vem Passarinhar, além de outras atividades de educação e pesquisa cidadã.

34. Envolva-se em grupos de escoteiros ou bandeirantes, como os Escoteiros do Brasil, em sua cidade. Também considere os diversos programas oferecidos para adolescentes e pré-adolescentes por bons sistemas de parques públicos, como o Trilhas Urbanas organizado pela UMAPAZ – Universidade Aberta de Meio Ambiente e Cultura de Paz, da Prefeitura de São Paulo.

35. Estimule as crianças a criarem um clube da natureza no bairro. Incentive-as a organizar acampamentos no quintal e caçadas a insetos. Para atividades e inspirações consulte *Vivências com a Natureza 1 e 2*, de Joseph Cornell, publicados pela Editora Aquariana, e *Barangandão Natureza*, de Adelsin, publicado pela Editora Zerinho ou Um.

36. Leia ao ar livre. As pessoas que se importam com a natureza costumam mencionar livros sobre a natureza como influências importantes na infância. Ler estimula a ecologia da imaginação, ainda mais ao ar livre, digamos, numa casa na árvore. Procure livros de aventura na natureza, principalmente com protagonistas jovens. Uma boa sugestão são os clássicos

Caçadas de Pedrinho de Monteiro Lobato e *Os livros da Selva: Mowgli e outras histórias* de Rudyard Kipling.

37. Compre guias de campo de história natural. É possível escolher guias para trilhas de caminhada, rios, lagos, parques e outras atrações naturais. Muitas dessas publicações oferecem descrições detalhadas, mapas, níveis de dificuldade e classificação etária. Os Guias *Aves do Brasil (Mata Atlântica do Sudeste e Pantanal & Cerrado)* da Editora Horizonte são boas opções, entre outras disponíves em português.

38. Explore a natureza pré-histórica. Mesmo sem muito conhecimento técnico, os pais podem levar as crianças até perfis cortados em estradas ou outros terrenos que sofreram erosão e explorar a vida de muito tempo atrás em sedimentos e seixos rolados. Se houver um museu de história natural em sua cidade, peça aos funcionários que recomendem lugares para visitar e guias de campo para consultar. Os sítios arqueológicos são inúmeros, porém pouco conhecidos no Brasil. O mais conhecido está no Parque Nacional da Serra da Capivara, em São Raimundo Nonato, no Piauí, que possui circuitos para observação de pinturas rupestres, observação de aves, caminhadas e o Museu do Homem Americano.

39. Vá pescar. Para crianças de cinco anos de idade ou menos, espere e estimule-as a jogarem a vara de pescar e a apalparem a margem do rio. Para crianças mais velhas, comece com técnicas e equipamentos mais simples. Por segurança, dobre a ponta dos anzóis – isso também torna mais fácil liberar o peixe sem ferimentos se você preferir não ficar com ele.

40. Aprenda a reconhecer pegadas. Explore estradas de terra, margens de riachos ou quintais em busca de rastros de animais, sejam pegadas, movimentos na vegetação ou fezes. Rastrear é uma atividade para qualquer idade e diversos níveis de habilidade. Os funcionários dos parques nacionais e estaduais são verdadeiros especialistas em pegadas e podem ser uma ótima fonte de aprendizado. Pesquise como fazer um molde de pegadas com gesso. É fácil e surpreendente!

41. Colecione pedras. Até as crianças bem pequenas adoram pegar pedras e conchas.

42. Fique mais molhado e mais selvagem. Canoagem, vela e natação são ótimos para crianças de todas as idades. Quando chegam à adolescência, eles têm mais possibilidade de sentir atração por aventuras ao ar livre mais arriscadas como mergulho com snorkel, caiaques, mergulho subaquático e rafting. Preocupe-se com o básico: ensine as crianças a nadar desde pequenas ou matricule-as na natação. Ofereça equipamentos de segurança. A Canoar e a Aroeira Outdoor são boas referências para quem quer se iniciar nas atividades ao ar livre no mar e nos rios.

43. Use a natureza como parceira para fortalecer os laços familiares. Existe um jeito melhor de estreitar o vínculo entre pais e filhos do que andar juntos na floresta, deixando de lado os aparelhos eletrônicos, a publicidade e a pressão dos colegas? Quando pensam na infância, crianças mais velhas costumam mencionar aventuras ao ar livre como suas melhores lembranças – mesmo que tenham reclamado dessas saídas na época! E, se você é pai e deixou de se aventurar na natureza quando era criança, *essa é sua chance*. O projeto Ser Criança é Natural organiza encontros de famílias com crianças pequenas em parques urbanos. A Outward Bound Brasil organiza programas para pais e crianças maiores.

44. Esteja preparado. Além de ser importante aprender como maximizar os benefícios das experiências na natureza para a saúde, também é importante saber minimizar os riscos à saúde. Aprenda a se prevenir contra doenças transmitidas por carrapatos e mosquitos e riscos da vida ao ar livre. Programas de Medicina do Viajante, como o oferecido pelo Instituto Emílio Ribas em São Paulo, oferecem atendimento médico e fornecem informação, orientação e avaliam o risco de adoecimento de acordo com áreas de risco para doenças. Participar de um curso de primeiros socorros em ambientes naturais e levar consigo um bom kit de primeiros socorros também são boas ideias.

Bons livros para crianças e famílias em inglês

Attracting Birds, Butterflies and Other Backyard Wildlife. David Mizejewski. Creative Homeowner, 2004.

Backyard Bird Watching for Kids: How to Attract, Feed, and Provide Homes for Birds. George H. Harrison. Willow Creek Press, 1997.

Best Hikes with Children (série, guias por região geográfica). The Mountaineers.

Camp Out!: The Ultimate Kids' Guide. Lynn Brunelle. Workman, 2007.

Children's Special Places. David Sobel. Wayne State University Press, 2001.

A Child's Introduction to the Night Sky: The Story of the Stars, Planets, and Constellations – and How You Can Find Them in the Sky. Michael Driscoll. Black Dog & Leventhal, 2004.

The Cloudspotter's Guide: The Science, History, and Culture of Clouds. Gavin Pretor-Pinney. Perigee, 2007.

Coyote's Guide to Connecting Kids with Nature. Jon Young, Ellen Haas, Evan McGown. Wilderness Awareness School, 2008.

Creating a Family Garden: Magical Outdoor Spaces for All Ages. Bunny Guinness. Abbeville Press, 1996.

Fandex Family Field Guides (série). Workman, 1999.

Father Nature: Fathers as Guides to the Natural World. Paul S. Piper e Stan Tag (eds.). University of Iowa Press, 2003.

Go Outside: Over 130 Activities for Outdoor Adventures. Nancy Blakey. Tricycle Press, 2002.

Golden Field Guides (série). St. Martins.

How to Build an Igloo: And Other Snow Shelters. Norbert E. Yankielun. Norton, 2007.

I Love Dirt!. Jennifer Ward. Trumpeter, 2008.

The Joy of Hiking: Hiking the Trailmaster Way. John McKinney. Wilderness Press, 2005.

Keeping a Nature Journal: Discover a Whole New Way of Seeing the World Around You. Clare Walker Leslie e Charles E. Roth. Storey, 2003.

The Kid's Book of Weather Forecasting: Build a Weather Station, 'Readthe Sky' and Make Predictions!. Mark Breene Kathleen Friestad. Williamson, 2000.

My Nature Journal. Adrienne Olmstead. Pajaro, 1999.

National Audubon Society Field Guides (série). Knopf.

Peterson Field Guides e *Peterson First Guides* (série). Houghton Mifflin.

Rock and Fossil Hunter. Ben Morgan. DK Publishing, 2005.

Roots, Shoots, Buckets and Boots: Gardening Together with Children. Sharon Lovejoy. Workman, 1999.

The Sense of Wonder. Rachel Carson. HarperCollins, 1998.

Sharing Nature with Children. Joseph Cornell. Dawn Publications, 1998.

Shelters, Shacks & Shanties: The Classic Guide to Building Wilderness Shelters. Dover, 2004.

Sibley Field Guides (série). Knopf.

Summer: A User's Guide. Suzanne Brown. Artisan, 2007.

Sunflower Houses: Inspiration from the Garden. Sharon Lovejoy. Workman, 2001.

Take a Backyard Bird Walk. Jane Kirkland. Stillwater, 2001.

Track Pack: Animal Tracks in Full Life Size. Ed Gray e DeCourcy L. Taylor, Jr. Stackpole, 2003.

Tracking and the Art of Seeing: How to Read Animal Tracks and Sign. Paul Rezendes. Collins, 1999.

Treehouses and Playhouses You Can Build. David e Jeanie Stiles. Gibbs Smith, 2006.

Unplugged Play. Bobbi Conner. Workman, 2007.

Young Birders' Guide to Birds of Eastern North America. Bill Thompson III. Houghton Mifflin, 2008.

Bons livros para crianças e famílias em português

Veja também uma lista de livros atualizada periodicamente no site do Projeto Criança e Natureza do Instituto Alana.

O ambiente urbano e a formação da criança, Claudia Maria Arnhold Simões. Editora Aleph, 2004.

Educação verde, crianças saudáveis. Heike Freire. Editora Cultrix, 2014.

Atividades em áreas naturais, Rita Mendonça. Editora Ecofuturo, 2015.

Barangandão Natureza, Adelsin. Editora Zerinho ou Um, 2014.

De Volta ao Quintal Mágico: a Educação Infantil na Te-Arte, Dulcília Schroeder Buitoni. Agora Editora, 2006.

Casa Redonda, uma experiência em educação, Maria Amélia P. Pereira. Editora Livre, 2013.

Vivências com a Natureza (volumes 1 e 2), Joseph Cornell. Editora Aquariana, 2006 e 2008.

Jardim das brincadeiras, Guilherme Blauth. Edição do autor.

Honrar a Criança, Raffi Cavoukian e Sharna Olfman. Instituto Alana, 2008.

Alfabetização Ecológica: a educação das crianças para um mundo sustentável. Fritjof Capra e outros. Editora Cultrix.

Sugestões para transformar as comunidades

45. Crie um clube de natureza para famílias. A ideia é se encontrar com outras famílias para caminhar, cuidar de parques e praças, observar aves etc. Para começar, faça uma lista das famílias interessadas e crie um mecanismo, em geral on-line, para combinar as atividades do grupo. Os clubes de natureza para famílias oferecem um jeito de compartilhar conhecimento e experiência, além de ajudarem na segurança das pessoas. O site do Projeto Criança e Natureza do Instituto Alana apresenta um kit de ferramentas sobre como criar seu próprio Clube Natureza em Família.

46. Enfrente o medo. Na maioria dos bairros, a percepção em relação a desconhecidos é maior do que a realidade. Ensine as crianças a observarem *comportamentos*, não necessariamente desconhecidos. De acordo com o psicólogo familiar John Rosemond, "dizer a uma criança para não se aproximar de desconhecidos é relativamente ineficaz. 'Desconhecido' não é um conceito que crianças pequenas entendem com facilidade. Em vez disso, elas devem aprender a ficar de olho em comportamentos e situações de ameaça específicos".

47. Crie um grupo de pais conhecidos que moram na mesam vizinhança para observar as crianças brincando à distância. Esses pais também podem levar as crianças para passeios em parques locais ou regionais.

48. Matricule-se ou crie uma "academia da natureza". No Reino Unido, famílias e indivíduos juntam-se para fazer exercício na natureza com regularidade. Outra oportunidade é oferecida pela organização Hooked on Nature, na Califórnia, que ajuda famílias e indivíduos a formarem "círculos de natureza" para se encontrar e explorar o relacionamento com a natureza.

49. Apoie o escotismo e outros programas tradicionais – como os acampamentos de férias – e estimule-os a aprofundarem o compromisso com a conexão das crianças à natureza. Conheça os grupos escoteiros de sua região e os Escoteiros do Brasil.

50. Ajude a tornar sua cidade mais verde. Faça pressão para melhorar o planejamento urbano nas áreas de expansão imobiliária ou de reurbanização, incluindo orientações sobre plantio de árvores, mais parques naturais e bairros por onde se possa caminhar. Faça lobby pelo transporte público acessível, de modo que crianças e famílias urbanas consigam chegar com facilidade às áreas verdes. Empreendedores e construtoras imobiliárias: criem comunidades verdes ou, melhor ainda, reformem bairros decadentes com oásis verdes que conectem crianças e adultos à natureza. Em São Paulo existe um número crescente de hortas comunitárias, incluindo o projeto Hortelões Urbanos.

51. Em seu bairro, desafie normas e restrições convencionais que desestimulam ou proíbem o brincar na natureza. Reescreva as regras para permitir que as crianças construam cabanas e casas nas árvores e plantem jardins e hortas. Assegure-se de que elas tenham acesso à natureza próxima.

52. Ajude a naturalizar parques e praças urbanas velhas e novas. Durante as últimas duas décadas, designers de áreas de brincar na natureza se especializaram em criar paisagens vivas para parques com alto tráfego de transeuntes. Essas áreas podem ser distribuídas por todas as cidades. Um exemplo inspirador é o Coletivo Ocupe & Abrace que revitalizou a Praça das Nascentes em São Paulo.

53. Reinvente o terreno baldio. Os empreendimentos imobiliários costumam ter um terreno que parece abandonado – áreas que não são grandes o suficiente para serem campos ou quadras de jogos e não têm localização conveniente para serem parques compactos, mas podem servir como ilhas de vida selvagem. Esses e outros terrenos urbanos e suburbanos podem ser transformados em playgrounds de aventura ou "zonas selvagens".

54. Centros de natureza (ou centros de visitantes), reservas naturais e demais áreas protegidas: analisem os programas e as instalações para oferecer mais brincadeiras não estruturadas para as crianças pequenas e estimular os adolescentes a se voluntariar. Prestem tanta atenção aos pais quanto às crianças, especialmente adultos mais jovens que cada vez têm menos probabilidade de ter vivido experiências na natureza quando crianças.

55. Organizações de conservação: construam um futuro eleitorado ambiental apoiando programas para levar as crianças para o ar livre, não apenas para aprender sobre conservação, mas viver a alegria da natureza. Envolvam-se em campanhas regionais para reconectar as crianças à natureza; meçam o envolvimento delas com o ambiente natural e incluam essas informações em relatórios sobre espécies em perigo ou ameaçadas de extinção.

56. Proteja o espaço aberto promovendo os benefícios da natureza para a saúde e a educação, em especial para crianças. Prometa dedicar uma parte de qualquer espaço aberto proposto a crianças e famílias do entorno próximo, como centros de natureza que ofereçam programas educacionais para escolas, incluindo pré-escolas voltadas ao ar livre.

57. Recrute famílias para se voluntariarem em programas de plantio de árvores, como nas Florestas de Bolso, que vêm sendo implantadas em pequenos espaços ociosos da cidade de São Paulo (https://www.facebook.com/florestasdebolso/).

58. Organizações religiosas, assumam a liderança. No Brasil, a ARB - A Rocha Brasil, uma organização cristã ambientalista, em parceria com a IBAB - Igreja Batista de Água Branca, conduz o *Projeto Betari* na cidade de Iporanga (SP), próxima ao PETAR - Parque Estadual Turístico do Alto Ribeira.

59. Se você for jovem, torne-se um "líder natural". Ajude a organizar campanhas regionais, ou seja voluntário em parques nacionais ou estaduais ou em programas de organizações conservacionistas como a SOS Mata Atlântica (https://www.sosma.org.br/participe/seja-um-voluntario/).

60. Pense em uma carreira voltada para a natureza. Organizações de conservação estão passando por um "esvaziamento de cérebros" com a aposentadoria dos *baby boomers*; isso pode oferecer oportunidades de carreira que você não considerou. Ou, se você quiser continuar em seu campo de atuação, pense em como fazer com que o movimento de crianças e natureza seja parte dele. O Brasil é referência na formação de profissionais na área ambiental.

61. Organize eventos que levem as crianças para fora de casa e as encoragem a brincar ao ar livre como o Slow Kids em São Paulo e a Take a Child Outside Week, programa do Museu de História Natural da Carolina do Norte.

Atividades para empresas, advogados e profissionais de saúde

62. Ofereça liderança e apoio corporativo à criação de campanhas regionais e nacionais que conectem as crianças à natureza, por meio de contribuições financeiras, serviços e tempo voluntário de funcionários.

63. Direcione seu esforço. Sua empresa pode financiar serviços de transporte para passeios de escolas com baixo orçamento, patrocinar salas de aula ao ar livre, financiar centros de natureza e programas para crianças em situação de risco, unir-se a organizações de fundos imobiliários para proteger o espaço aberto e ajudar a construir centros de natureza para famílias nessas áreas.

64. Para seus funcionários, patrocine centros de cuidados infantis com base na natureza, além de refúgios na natureza para eles e suas famílias.

65. Salve sua empresa. O setor de equipamentos para atividades ao ar livre e equipamentos esportivos enfrentará uma diminuição nas vendas se a lacuna entre os jovens e a natureza continuar a se ampliar. O setor pode ajudar a conscientizar o público sobre os benefícios da natureza para o desenvolvimento infantil e, em nível prático, colocar mais equipamentos de iniciação nas mãos de crianças e famílias, especialmente das que não conseguem comprá-los.

66. Profissionais de construção e urbanistas: participem de conferências em níveis local, estadual e nacional sobre como criar novos tipos de empreendimentos habitacionais que conectem os residentes à natureza. Estabeleçam incentivos para empreendimentos baseados nas crianças e na natureza.

67. Advogados e corretoras de seguros: promovam o conceito de risco comparativo como padrão jurídico e social. Estabeleçam comissões de risco público para examinar áreas da vida que foram radicalmente alteradas por ações judiciais, incluindo a experiência na natureza. Criem um fundo de defesa jurídica para programas voltados às "crianças do lado de fora", que, usando advogados pró-bono, ajudariam famílias e organizações a lutar contra ações judiciais graves que restringem o brincar na natureza e a atrair a atenção da mídia para essas questões.

68. Profissionais da saúde e funcionários públicos do setor: em sua comunidade, defendam o contato da criança com a natureza como componente integral do desenvolvimento saudável. Na busca constante de respostas para a obesidade infantil, transtorno do deficit de atenção e depressão infantil, pesquisadores e profissionais da saúde e funcionários públicos do setor devem enfatizar o brincar ao ar livre, em especial em ambientes naturais, por mais que as crianças pratiquem esportes organizados. No Brasil, um exemplo de iniciativa atuante nessa linha é o Fórum sobre Medicalização da Educação e da Sociedade. Em nível nacional, os planos de saúde podem apoiar a terapia na natureza como um complemento às abordagens tradicionais.

69. Crie uma campanha do tipo "cresça ao ar livre". Pediatras e outros profissionais da saúde, usem cartazes em consultórios, panfletos e persuasão pessoal, para promover os benefícios físicos e mentais do brincar na natureza. Nos Estados Unidos a Academia Americana de Pediatras sugere que os médicos recomendem um tempo regular ao ar livre como parte da verificação do bem-estar das crianças.

Maneiras como educadores, grupos de pais, professores e alunos podem promover a reforma pela escola natural

70. Grupos de pais e professores: apoiem educadores que organizam clubes de natureza, atividades curriculares ao ar livre e passeios na natureza. Estabeleçam prêmios anuais para professores e diretores que exemplifiquem de maneira mais criativa e eficaz o lema "não deixe nenhuma criança entre quatro paredes".

71. Torne-se um professor de natureza. A Children & Nature Network tem um guia on-line e outros recursos úteis (www.childrenandnature.org/movement/naturalteachers/). Aprenda mais sobre os benefícios cognitivos da experiência na natureza. Aprenda, também, que ir para a natureza ajuda a reduzir o esgotamento dos professores. Os recursos incluem: revista *Green Teacher*, disponível em inglês, espanhol e francês (www.greenteacher.com), e *Learning with Nature Idea Book*, publicado pela Arbor Day Foundation. No Brasil o site do Projeto Criança e Natureza, do Instituto Alana, traz muitas informações e recursos que já existem no Brasil.

72. Crie um clube de natureza para professores. Robert Bateman, o famoso artista canadense da vida selvagem, sugere que os professores criem seus próprios clubes para organizar caminhadas no fim de semana e outras experiências na natureza. Esses clubes não apenas estimulam os professores que têm experiência no mundo natural a compartilharem seu conhecimento com professores menos experientes, como ajudam a melhorar a saúde mental e física dos professores. E essas experiências podem ser transferidas para a sala de aula. No Brasil o site do Projeto Criança e Natureza, do Instituto Alana traz informações práticas de como criar um clube de natureza.

73. Deixe o currículo mais verde. Explore programas de recursos para educadores, dentre eles o Project Learning Tree e o Project WILD, que ligam conceitos orientados para a natureza a todas as matérias, exigências e principais áreas de habilidade do currículo escolar. A Classroom Earth, da National Environmental Education and Training Foundation, mantém uma listagem de programas de educação ambiental e recursos para professores, pais e alunos da educação infantil e do ensino fundamental.

74. Ensine os professores. Muitos educadores, especialmente novos professores, podem se sentir mal treinados para proporcionar aos alunos experiências ao ar livre. Em 2005 a Secretaria de Meio Ambiente da Prefeitura de São Paulo criou a UMAPAZ – Universidade Aberta de Meio Ambiente e Cultura de Paz, situada no Viveiro Manequinho Lopes, dentro do Parque Ibirapuera, que hoje funciona como um Departamento de Educação Ambiental e oferece diversos programas fora da sala de aula, atuando na formação de educadores em geral.

75. Deixe as áreas escolares ao ar livre para jogos e brincadeiras mais verdes. O Instituto Humanaterra oferece orientações e experiências de transformação do espaço baseado na Permacultura. O Ecocentro IPEC também é uma boa referência no Brasil. Em outros países, conheça o Eco-Schools, na Europa, Evergreen, no Canadá e a Natural Learning Initiative, nos Estados Unidos. Uma lista de organizações que tornam pátios de escola mais verdes no mundo todo, incluindo Canadá, Noruega, Suécia, Reino Unido e Estados Unidos, pode ser encontrada em www.ecoschools.com.

76. Crie pré-escolas naturais, onde as crianças iniciam a vida escolar conhecendo o mundo físico diretamente. Estimule escolas de ensino fundamental públicas, financiadas por instituições ou independentes baseadas na natureza que colocam a *experiência* na comunidade e na natureza (não apenas a educação ambiental) no centro do currículo. No Brasil, algumas escolas são referência e inspiração para muitas iniciativas: a Casa Redonda Centro de Estudos, a Te-Arte (veja o documentário Sementes do Nosso Quintal), a Escola Municipal de Educação Infantil Dona Leopoldina, em São Paulo, a Escola Ágora em Cotia e a Escola Ayni em Guaporé, RS, entre outras.

77. Estabeleça um clube ecológico. Por exemplo, o Crenshaw High School Eco Club é um dos mais populares na escola de ensino médio predominantemente afro-americana em Los Angeles. Os alunos foram apresentados pela primeira vez ao ambiente natural por meio das caminhadas e acampamentos de fim de semana do clube em montanhas próximas, além de expedições aos Parques Nacionais Yosemite e Yellowstone. Projetos de serviço comunitário incluem limpeza da costa, remoção de plantas exóticas invasoras e manutenção de trilhas para caminhadas. Membros antigos se tornam mentores dos alunos atuais. As notas dos alunos aumentaram.

78. Inicie um projeto Peixes em Sala de Aula ou outro semelhante. No estado de Washington, alunos de mais de seiscentas escolas recebem quinhentos ovos fecundados para cuidar em cada sala de aula. Eles aprendem a história de vida e as exigências de habitat e soltam os salmões crescidos nos riachos que estudaram (wdfw.wa.gov/conservation/research/school_coop_program/).

79. Fora da área da escola, crie salas de aula comunitárias baseadas na natureza por meio de programas de extensão que envolvam pais, médicos, paisagistas, empresários, administração de parque e líderes civis que ajudem a desenvolver ambientes de aprendizado natural seguros, à distância de uma caminhada de todas as escolas. Inclua visitas a parques e acampamentos de uma noite no currículo. Confira o projeto CPCD – Centro Popular de Cultura e Desenvolvimento, hoje atuando com diversos projetos educacionais e de fortalecimento comunitário em quatro estados brasileiros e também em Iquitos, no Peru.

80. Siga o exemplo da Noruega e estabeleça fazendas e ranchos como "os novos pátios de escola" e, assim, crie uma nova fonte de renda para estimular uma cultura de cultivo. Isso ensina às crianças sobre a fonte dos alimentos e proporciona uma experiência prática com benefícios duradouros, não importa qual seja a ocupação que tenham no futuro. Confira os projetos Fazenda da Toca e da Fazenda Faraó, entre outras.

81. Devolva a história natural à educação superior. Batalhe para que as universidades ensinem história natural básica, que foi eliminada do currículo de várias faculdades e centros de pesquisa, e financiem estudos sobre assuntos que envolvam a relação entre as crianças e a natureza.

82. Trabalhe pela legislação. Nos níveis nacional, estadual e local, aprove leis que apoiem a educação ambiental na sala de aula e o aprendizado experiencial ao ar livre.

Metas para o governo

83. Lance uma campanha de governador em seu estado. Por exemplo, em 2007, Jim Douglas anunciou o desafio No Child Left Inside em Vermont, John Baldacci divulgou a iniciativa Take It Outside, do Maine, e Ed Rendell criou uma força-tarefa para organizar uma série de reuniões públicas sobre a questão na Pensilvânia. Os governadores também podem apoiar versões da Children's Outdoor Bill of Rights, assinada pelo governador da Califórnia, Arnold Schwarzenegger, em 2007 (para conhecer o projeto de lei, acesse www.calroundtable.org).

84. Prefeitos e outros executivos governamentais locais e regionais: analisem as barreiras do zoneamento à natureza; apoiem a educação ambiental e ao ar livre em parques municipais e estaduais e centros de recreação; convoquem reuniões com empreendedores imobiliários, especialistas em saúde e infância, urbanistas e especialistas no brincar ao ar livre para pensarem em futuras políticas de desenvolvimento e re-desenvolvimento.

85. Aprovem legislações que fortaleçam a saúde e a educação pública aumentando, ao mesmo tempo, as oportunidades de contato com a natureza e os investimentos em pesquisas relacionadas à criança e à natureza.

86. Ofereça financiamentos estaduais e federais para treinar professores em educação ambiental, desenvolver programas modelo de alfabetização ambiental e educação ao ar livre e oferecer bolsas de estudo para ensinar aos professores como levar as crianças para a natureza.

87. Apoie políticas que aumentem a quantidade de naturalistas nos parques e outros ambientes naturais. As instituições governamentais ligadas à conservação da natureza podem desenvolver um esforço a fim de recrutar jovens de diferentes perfis para as profissões de conservação.

88. Nos níveis federal e estadual, os sistemas de parques podem reproduzir o programa No Child Left Inside, de Connecticut, que re-populou os

parques estaduais com famílias. Atrações naturais inovadoras devem ser apoiadas; por exemplo, a simples "caminhada sobre a copa das árvores", criada pela bióloga Meg Lowman, na Flórida, duplicou a frequência em um parque estadual.

89. Adote políticas que mantenham as famílias na própria terra e diminuam a responsabilidade civil dos proprietários quando permitem que as crianças brinquem num terreno aberto e particular.

90. Aumente a colaboração entre as Secretarias de Educação, Meio Ambiente, Assistência Social e Saúde e estimule que desenvolvam projetos conjuntos sobre as crianças e a natureza. Esse é um desafio que afeta todas elas e pode ser mais bem tratado por diversos setores juntos.

91. Vá além do governo. Ao estimular e trabalhar com um movimento nacional sobre Criança e Natureza, as instituições governamentais podem buscar parceiros no terceiro setor – por exemplo, fundações e institutos preocupados com a obesidade infantil, organizações que promovem o aprendizado experiencial e organizações civis que valorizam o vínculo entre a terra e a comunidade.

Espalhe o movimento

92. Crie uma campanha regional sobre Criança e Natureza. O desafio de conectar as crianças à natureza é local, totalmente plantado na biologia e na ecologia humana de cada região. Não existe um conjunto único de soluções. No entanto, líderes de campanhas regionais podem aprender uns com os outros. Para saber mais sobre campanhas, acesse o site da Children & Nature Network (www.childrenandnature.org).

93. Jardins botânicos, zoológicos e museus infantis e de história natural: tornem-se centros de convergência para campanhas regionais de crianças e natureza e para grupos de discussão para adultos e jovens. Livrarias podem realizar reuniões semelhantes ao longo do ano.

94. Siga o exemplo de comunidades que lançaram campanhas. A nova iniciativa Leave No Child Inside da Chicago Wilderness reúne 206 organizações em Illinois, Wisconsin, Indiana e Michigan para patrocinar eventos naturais o ano todo, como viagens de acampamento e atividades de restauração. Também estão compilando o *Chicago Wilderness Field Book* para famílias. Ainda no estágio de desenvolvimento, a Leave No Child Inside da Grande Cincinnati está fazendo perguntas do tipo: "Podemos fazer alianças com pré-escolas e creches para estimulá-las a usarem espaços verdes locais? Podemos criar cursos de "treine o treinador" para que seus funcionários se sintam à vontade para levar as crianças até a natureza para brincar?". As experiências deles podem beneficiar campanhas de outras regiões.

95. Trabalhe com pesquisadores, organizações civis e grupos de defesa para estabelecer medições de base do deficit de natureza, de modo que o progresso seja medido e registrado. Inclua medições de progresso anual nos relatórios sobre a situação educacional e de saúde das crianças.

96. Estabeleça a importância econômica das experiências na natureza para crianças e adultos. Um estudo econômico completo incluiria e iria além das atividades recreativas tradicionais (pescar, caçar, andar de barco, caminhar) e além da preocupação com o impacto negativo das toxinas ambientais. Ele consideraria o impacto econômico positivo sobre a saúde pública mental e física, educação e empregos.

97. Quebre barreiras: promova diálogos entre pessoas de diferentes culturas e entre indivíduos de vozes distintas, como pediatras e paisagistas, profissionais de saúde pública e de parques e uso público, defensores de ciclistas e pedestres, arboristas, caçadores, pescadores, empreendedores imobiliários e ambientalistas. Envolva as comunidades religiosas.

98. Amplie. Instituições, organizações e indivíduos – especialmente aqueles que trabalham nessa questão há muitos anos – precisam de mais financiamento. O melhor jeito de ampliar a base de financiamento é atrair novos participantes, incluindo empresas.

99. Reúna líderes de todo espectro político, religioso, econômico e geográfico. Ajude a formar uma rede mais ampla desses defensores criando conferências presenciais em nível local ou internacional e usando novas tecnologias de comunicação. Aja localmente; organize globalmente.

100. Espalhe a ideia. Faça apresentações em conselhos escolares, associações de pais e professores e grupos semelhantes e defenda os benefícios educativos e de saúde da experiência na natureza para crianças e jovens, e a importância ambiental dessa conexão.

Para mais informações, veja as soluções apresentadas ao longo do livro A Última Criança na Natureza. *Acesse os sites da organização sem fins lucrativos Children & Nature Network e do Projeto Criança e Natureza para ter mais ideias para sua família e sua comunidade, incluindo um guia de ação para a mudança que pode ser baixado, além de notícias sobre programas estaduais e nacionais e as pesquisas mais recentes. Conecte-se com os esforços de outras pessoas no mundo e avise-nos sobre como sua família, sua escola, sua organização ou sua comunidade conecta os jovens à natureza. Envie ideias e sugestões para a Children & Nature Network (www.childrenandnature.org) e para o Projeto Criança e Natureza (www.criancaenatureza.org.br).*

Em 2011, a Algonquin Books publicou o livro The Nature Principle: Reconnecting with Life in a Virtual World, *de Richard Louv (publicado em português em 2014 pela Editora Cultrix, com o título* O Princípio da Natureza). *Ele descreve o impacto do transtorno do deficit de natureza sobre os adultos e sugere um futuro em que a vida esteja tão imersa na natureza quanto está na tecnologia. Para mais informações, acesse* www.natureprinciple.com

Pontos de discussão

Perguntas para grupos de leitura, salas de aula e comunidades

Adultos

1. Você consegue se lembrar e descrever seu local preferido da infância na natureza? Onde era, como você o encontrou, como se sentia quando estava ali, o que foi feito desse local?

2. Seus filhos ou de pessoas que você conhece têm menos experiências na natureza do que você ou seus amigos tinham com a mesma idade?

3. Se as crianças não estão passando tanto tempo ao ar livre, quais são os cinco principais motivos?

4. De que maneira as barreiras físicas, culturais, políticas e jurídicas que separam as crianças da natureza diferem nos bairros do centro da cidade, urbanos e suburbanos?

5. Quais dessas barreiras podem ser reduzidas com segurança pelos pais? Quem pode diminuir os outros obstáculos?

6. Cite algumas ideias de como a natureza "amplifica" ou muda a percepção de tempo para crianças e adultos.

7. Você consegue identificar uma "natureza próxima" acessível em seu bairro ou na sua comunidade?

8. Ao apresentar as crianças à natureza, onde fica o equilíbrio entre transmitir informações e estimular a alegria e o encantamento?

9. Qual é o papel de avós, tias, tios e outros membros da família para ajudar as crianças a terem experiências na natureza?

10. Você consegue identificar instituições e organizações em sua comunidade que possam ajudar pais e crianças a saírem de casa?

11. Quais são os benefícios de saúde das experiências na natureza para crianças e adultos?

12. Que papel as experiências na natureza deveriam exercer na educação?

Crianças e jovens

13. Como você definiria natureza?

14. Quando foi a última vez que você foi para a natureza perto da sua casa? Quanto tempo ficou lá? O que você fez?

15. Quantos personagens de videogames ou desenhos animados você consegue citar?

16. Qual é o seu maior medo em relação à natureza?

17. O que você mais curte no ambiente ao ar livre?

18. Que tipos de plantas e animais do bairro você consegue citar?

19. Quando você está na floresta, num riacho, na praia ou no campo, como se sente?

20. Na próxima vez que você estiver num desses lugares, pergunte a si mesmo: o que escuta, cheira, saboreia, vê?

21. Quando foi a última vez que seus pais ou outro adulto o levaram para caminhar, acampar, pescar ou explorar na natureza?

22. O que você poderia fazer para ter mais tempo ao ar livre?

23. O que você poderia fazer para ajudar seus amigos e outros jovens a viverem mais a natureza?

Grupos comunitários

24. Quais são as principais causas de transtorno do deficit de natureza na sua comunidade?

25. Que efeitos do transtorno do deficit de natureza você vê na sua comunidade?

26. Quem cuida desse assunto na sua região? Quem pode fazer diferença?

27. Por que você tem interesse pessoal nessa questão?

28. Por que sua organização está interessada e como ela pode ajudar numa campanha comunitária para conectar as crianças à natureza?

29. Como queremos afetar a vida das duas próximas gerações em termos de saúde física e emocional, capacidade de aprender, consciência relacionada a questões ambientais e laços familiares?

30. Que capacidades você pode utilizar e quais lacunas devem ser preenchidas?

31. Quais são as áreas que merecem mais foco (parques comunitários, currículo escolar, preocupação com a segurança pública e pessoal, meio ambiente construído, acesso a áreas naturais, barreiras econômicas, conscientização da mídia)?

32. Para cada área de foco, quais são suas metas de curto e médio prazos?

33. Que iniciativas você assumiria para atingir as metas e os objetivos identificados ou para melhorar outras iniciativas já existentes?

34. Quais das iniciativas identificadas têm prioridade e como elas se relacionam às iniciativas identificadas em outras áreas de foco?

35. Como será o futuro da sua comunidade daqui a vinte anos, se ela agir?

O Guia de Campo de 2008 de A Última Criança na Natureza *foi criado com a ajuda de muitos líderes do movimento a criança e natureza, incluindo Cheryl Charles, Amy Pertschuk, Martha Erickson, John Parr, Martin LeBlanc, Nancy Herron, Dean Stahl, Amy Gash e Ina Stern. Partes da seção "Anotações de campo" foram adaptadas, com permissão, do artigo "Leave No Child Inside", de Richard Louv, para a revista* Orion *de março/abril de 2007.*

Sobre o Autor

RICHARD LOUV, especialista em advocacy pela infância, é jornalista e autor de nove livros que relacionam temas como família, natureza e comunidade. Entre estes, estão *A Última Criança na Natureza: Resgatando Nossas Crianças do Transtorno do Deficit de Natureza* e *O Princípio da Natureza*. Em seu mais recente livro, *Vitamin N: The Essential Guide to a Nature-Rich Life* (Vitamina N: Guia Essencial para uma Vida Rica em Natureza), ainda sem tradução para o português, completa a trilogia sobre a importância da conexão entre as pessoas e a natureza.

Como jornalista, escreveu para *The New York Times*, *The Washington Post* e *The Times of London*, entre outros. Foi colunista do *The San Diego Union-Tribune* entre 1984 e 2007, além de colunista e membro do conselho editorial da Parents Magazine. Participou de importantes programas de TV e rádio como Today's Show e Nightly News, da NBC, Evening News, da CBS, e Good Morning America, da ABC.

Foi consultor do prêmio Leadership for a Changing World da Ford Foundation e do National Scientific Council on The Developing Child. Integra a diretoria da ecoAmerica, ONG que motiva organizações e pessoas a se envolverem na busca de soluções efetivas para as mudanças climáticas. Foi um dos principais palestrantes na conferência nacional da American Academy of Pediatrics, em 2010, e o responsável pela conferência de encerramento do primeiro White House Summit in Environmental Education, em 2012.

Richard Louv é cofundador e presidente emérito da Children & Nature Network, organização que impulsiona um movimento internacional para conectar pessoas e comunidades com a natureza.

Para mais informações sobre o seu trabalho, acesse www.richardlouv.com

alana

O **Instituto Alana** trabalha para encontrar caminhos transformadores para as novas gerações, buscando um mundo sustentável e de excelentes relações humanas. Sua missão, "honrar a criança", se reflete em um dia a dia de ações e programas que mobilizam a sociedade para os temas da infância e sua vivência plena, como o "Criança e Natureza".

Saiba mais em: www.alana.org.br
www.criancaenatureza.org.br

Presidente:
Ana Lucia Villela

Vice-presidentes:
Alfredo Villela Filho
Marcos Nisti

CEO:
Marcos Nisti

Diretoras:
Ana Claudia Arruda Leite
Carolina Pasquali
Flavia Doria
Isabella Henriques
Laís Fleury
Lilian Okada

institutoromã
vivências com a natureza

O **Instituto Romã** tem o propósito de difundir a importância da convivência com a natureza de forma atenta e sensível como base para os processos de desenvolvimento humano.

Saiba mais em www.institutoroma.com.br

Leia da Editora Aquariana

Vivências com a Natureza 1
Guia de Atividades para Pais e Educadores
Joseph Cornell

Vivências com a Natureza 2
Novas Atividades para Pais e Educadores
Joseph Cornell

Os dois livros apresentam um conjunto precioso de jogos e brincadeiras que convidam os participantes, não só a se divertir nos espaços naturais, mas a construir uma verdadeira amizade com a terra, as rochas, as plantas e os animais com os quais compartilhamos o planeta. No 2º volume as atividades deixam de ter um fim em si mesmas para compor um processo por meio do qual o aprofundamento da percepção, que requer o aquietar da mente e a abertura para a afetividade, é conseguido – proporcionando experiências fascinantes com a Natureza, tanto para os participantes como para os professores.

A Natureza Como Educadora
Transdisciplinaridade e Educação Ambiental em atividades extraclasse
Rita Mendonça e Zysman Neiman

Sair da sala de aula com seus estudantes é um desafio e uma grande oportunidade para o educador que deseja ajudá-los não só a compreender o mundo em que vivem e a conectar os conhecimentos que via de regra recebem compartimentados, como também a ajudá-los a se perceberem como participantes ativos dele.